D.B.Blettenberg · Berlin Fidschitown

D.B.Blettenberg

Berlin Fidschitown

Roman

PENDRAGON

Für Andrea

„Der Zeitgeist ist eine kurzlebige Ratte."

Konfuzius, neu redigiert

Viele Jahre nach dem Fall der Mauer
und kurz vor Einführung des Euro
ereignete sich in Berlin folgende Geschichte...

Teil eins

Im Osten lärmen, im Westen angreifen

1

Der Lärm des Schusswechsels hallte im Stollen nach, bis wieder Stille im Finstern herrschte.

Captain Nguyen Van Giang – alias „Anh Ham" – kauerte regungslos im Durchgang zur Gasschleuse und nahm Witterung auf. Es roch nach Schießpulver, Abwasser und Rattenpisse. Der Duft der Berliner Unterwelt.

Über ihm schwamm die Oberwelt auf märkischem Sand und hohem Grundwasser. Und doch war ihr Unterbau solide. Rückgrat und Knochengerüst bildete ein stabiles Netz aus Tunneln und Bunkern, das die Deutschen im Laufe der Geschichte in die Erde getrieben hatten. Eine bizarre Mischung aus Lebensadern und Grabkammern, oft dem Verfall überlassen, dann wieder ausgebaut, ganz nach Laune von Geld und Politik, abhängig von Krieg oder Frieden.

Im Moment herrschte Krieg – auch ohne die Deutschen. Im Gang zwischen den Zellen der Luftschutzanlage lagen drei feindliche Soldaten. Sie gehörten zur Bande aus Saigon und waren tot. Das war so sicher wie die Gewissheit, dass während des kurzen Gefechts auch die letzte Ratte aus dem Bunker geflüchtet war. Aber einer der Feinde lebte noch. Irgendwo da vorne im pechschwarzen Nichts hatte er sich durch ein leises Geräusch verraten. Vielleicht war er verletzt. Der Captain lauschte und wartete ab. Auf die beiden Mitstreiter, die hinter ihm lauerten, konnte er sich bedingungslos verlassen. Absolute Regungslosigkeit. Kein Ton. Geduld. Bis der Feind sich verriet.

Warten hatten sie beim Vietcong gelernt. Und es war nicht einmal besonders kalt unter der Erde. Die Temperatur lag deutlich über Null. Ganz im Gegenteil zur Oberwelt, die bei minus fünfzehn Grad Celsius in Eis und Schnee erstarrte, während die Christen ihren dritten Advent feierten. Der Captain kannte den Brauch mit dem Kranz aus Tannenzweigen und den vier Kerzen. Er hatte den dazu passenden Spruch oft genug gehört. *Advent, Advent, ein Lichtlein brennt. Erst eins, dann zwei, dann drei dann vier, dann steht das Christkind vor der Tür...*

Doch im Keller der Metropole ging es nicht auf das Fest der Liebe zu. Es gab keinerlei Grund zur Freude, und es brannte auch kein Licht. Die Hölle war so schwarz wie die Overalls, die er und seine Männer trugen. Für die Langnasen da oben mochten es nur noch eine Woche bis Heiligabend und noch eine mehr bis Silvester sein, für Vietnamesen dauerte es noch anderthalb Monate bis zum Tet-Fest. Vielleicht gab es dann – zum heimischen Neujahr – einen Sieg zu feiern.

Nicht weit entfernt ratterte ein Zug der U-Bahn-Linie 8 vorbei. Der Lärm schwoll an und ab, und dann herrschte wieder Stille – bis tief im Bunker ein einzelner Wassertropfen in einer Pfütze einschlug. Es hörte sich an, als sei ein Ball in einem Teich gelandet. Das Geräusch kam aus dem verfallenen Maschinenraum am Ende des Ganges, in dem es wie in einer Tropfsteinhöhle aussah. An der Decke hing ein gutes Dutzend Stalaktiten, und das Kalkwasser ließ sie beharrlich wachsen und arbeitete Tropfen für Tropfen an den Stalagmiten, die den Boden zwischen den verrosteten Aggregaten der Entlüftungsanlage zierten und wie Spiegeleier aussahen.

Da war wieder das leise Scharren.

Es genügte dem Captain als Orientierung. Er nahm die Stablampe in die Linke, das Kampfmesser in die Rechte und glitt in die Dunkelheit – wie ein Drache, der jeden Winkel seiner Höhle genau kennt und fest entschlossen ist, sie restlos und für immer von unerwünschten Eindringlingen zu säubern.

2

Der Mann mit den rosa Ohrwärmern und der weinroten Säufernase legte die abgezählten Münzen auf den Plastikteller mit der *Doornkaat*-Reklame, der zwischen den gestapelten Tageszeitungen stand.

Seine Finger zitterten nur leicht. Er agierte mit der angestrengten Sorgfalt des Alkoholikers. Die Frau im Kiosk sah geduldig zu. Das Ritual war eingespielt. Es bestand kein Grund zur Hektik. Mollen-Rudi brauchte Nachschub, und er zahlte immer auf Heller und Pfennig. Sie musterte die roten Äderchen unter seinen Tränensäcken.

„Weisste, wie man sowat in de Fachsprache nennt, Rudi?"

„Een Sechser“. Er legte das letzte Fünfpfennigstück auf den Teller.

„Ick mein dein Zinken.“

Rudi sah sie aus wässrigen Augen an. „Wat hasse gen meine Nase?“

„Fuselrüssel, nennt man det.“ Sie grinste.

Rudi zeigte seine angefaulten Zahnstummel. „Mach du ma nua imma Komplimente, Erna.“

Sie reichte ihm den Flachmann, während der Luftstrom über dem Bahnsteig einen Zug ankündigte und die Titelseiten zum Flattern brachte.

Er steckte die kleine Flasche *Duscheleit Gold Brand* in die Manteltasche. „Taxi kommt.“ Er hob die Hand zu einem müden Winken. „Also dann – ick muss jezz zum Aamndessen.“

Erna lächelte verständnisvoll. „Wat serviat de Heilsarmee denn heute?“

„Vonwejen Obdachlosenkost.“ Rudi wischte sich einen Tropfen von der Nase. „Ick jehe zu mein Chinesen. Janz wat Feinet.“

„Chinese?“

„Tschingis Khan. Mein neuet Stammlokal.“

„Und wo iss det?“

„Werde ick jerade dir verraten. Hätse wohl jerne, wa?“

Lauter werdendes Grollen kündete den einfahrenden Zug an, während ein Halbstarker mit breiten Schultern und Stiernacken Rudi ungeduldig zur Seite schob. „Jetzt mach endlich mal Platz, Mann.“

Rudi hielt die Stellung und sah dem Jungen trotzig ins Gesicht.

„Wenn du schwerhörig bist, nimm die Kopfhörer ab oder dreh die Musik leiser“, blaffte der Rabauke und wandte sich der Verkäuferin zu. „Ich krieg die neue...“

„Det sinn Ohrwärmer“, unterbrach Erna. Der Zug donnerte in die Station, und Rudi war schon unterwegs zur Bahnsteigkante.

Der Halbstarke sah ihm nach und schüttelte den Kopf. „Rosa Ohrwärmer?“ Er sah die Frau im Kiosk an. „Na ja, muss ja wohl auch schwule Penner geben. Also, für mich einmal die neue *Mega Fun.*“

Die Bahnhofslautsprecher knackten laut, bevor eine schepperende Durchsage erfolgte.

„Sehr verehrte Fahrgäste. Aufgrund technischer Probleme ist der Zugverkehr auf den Linien 1 und 2 zwischen Wittenbergplatz und Nollendorfplatz derzeit unregelmäßig. Wir bitten um Ihr Verständnis."

„Hat sich ma wieda einer vorn Zuch jeworfen." Erna reichte die Zeitschrift nach draußen durch und sah, wie Mollen-Rudi ihr aus einem Wagon zuprostete, bevor er sich einen Schluck aus dem Flachmann genehmigte.

Die Türleuchten des Zuges blinkten orange auf, begleitet vom Hupen des Warntons. Mit einem Zischen schlossen die Türen, und der Zug verschwand ratternd im Tunnel.

3

Mit dem vierten Schuss erwischte Rojana nur noch die Knitterfalten in der braunen Uniformhose des Polizisten.

Er nutzte die Lücke zwischen dem Oberschenkel des Polizeioffiziers und der Taille des Ambulanzfahrers. Der Verschluss der Spiegelreflexkamera winselte dreimal, bevor die Schaulustigen beide Männer enger aneinander drückten. Die Menge war stumm vor Entsetzen, aber Sensationsgier trieb sie wie in Wellenbewegungen immer näher zum Opfer. Der Polizist winkte zum Tempeleingang. Vier Uniformierte kamen ihm zur Hilfe und trieben die Zuschauer mit Worten und ohne jeden Körpereinsatz auseinander.

Rojana schob sich mit dem leitenden Offizier, dem Arzt und der Ambulanz bis zur Leiche durch. Mit hundertzehn gut verteilten Kilo auf einen Meter neunzig war er ein Riese unter Zwergen. Aber nicht nur seine Gestalt bewahrte ihn vor Widerspruch. Die Thais kannten ihn. Als Reporter war er eine Institution. Diejenigen Gaffer, die ihn erst jetzt zu Gesicht bekamen, machten flüsternd Platz, und auch die Davids in Uniform nahmen Goliaths Erscheinen wie etwas Unvermeidbares hin und versuchten ihn, so gut es ging, zu ignorieren.

Es war wieder ein Mädchen.

Das vierte Opfer. Das gleiche Muster. Wieder in einem Tempel deponiert. Erneut in Chinatown. Rojana fotografierte den

Leichnam aus verschiedenen Perspektiven. Die Beine der Toten waren auf dem Boden ausgestreckt. Ihr Rücken lehnte am Sockel einer der Buddhastatuen, die vergoldet und zahlreich die überdachten Außenwände des Innenhofs zierten. Die Position des Mädchens erinnerte Rojana an die Haltung, die drei Jahrhunderte zuvor siamesische Edelleute, die sich schwerer Verbrechen schuldig gemacht hatten, bei ihrer Hinrichtung hatten einnehmen müssen: Mit dem Rücken an einen Pfahl gefesselt. Immer wieder betätigte er den Auslöser und meinte dabei Schwertstreiche zu hören, die klebrige Luft und Nackenwirbel durchtrennten. Die beiden Scharfrichter tanzten um das jeweilige Opfer, das nicht einmal ahnen durfte, wer den Tod austeilte, damit es seinen Schlächter nicht noch in letzter Sekunde mit einem Fluch belegen konnte.

Der Singsang der Mönche, der aus dem Gebäude im Zentrum des Innenhofs herüberklang, holte Rojana in die Wirklichkeit zurück. Der Alltag im Wat Pathum Khongka ignorierte den Tod. Der Tempel war hundert Jahre älter als die Metropole, und im Laufe zweier Jahrhunderte war er zu einer Oase inmitten des Chaos geworden.

Die Offiziellen warteten geduldig, bis er seinen Job erledigt hatte. Dann gingen auch sie ihrer Routine nach. Tony Rojana wandte dem Goldbuddha und seiner Morgengabe den Rücken zu und wanderte durch die Stille zum Ausgang. Drei junge Thais in safrangelben Roben kamen vom Gebet und winkten ihm freundlich zu. Er erwiderte den Gruß mit einer Handbewegung und tauchte in das geschäftige Gewusel der Songwat Road ein, auf der er seinen Wagen geparkt hatte. Der modrige Geruch des Flusses sickerte in die schwüle Hitze. Vor einem Speditionsgebäude luden zwei Lagerarbeiter Säcke auf die Rücken einiger Kulis. Die Tagelöhner schienen nur aus Sehnen, Muskeln und Lederhaut zu bestehen. Die Arbeiter benutzten Stahlhaken, um die Lasten besser greifen zu können. In einem Verschlag standen Jutesäcke mit Reis und Plastiktüten mit Cashew-Nüssen neben Netzen voller Zwiebeln, Knoblauch und Chilischoten. Der Chef des Unternehmens, ein Chinese mit Bürstenfrisur, brüllte Kommandos in Tae-chiew.

Rojana versuchte, den Gestank von getrocknetem Fisch zu

ignorieren, und bewegte sich behände zwischen Lastwagen und Sackkarren auf seinen Toyota zu. Das Keuchen der gebeugten Lastenträger rasselte ihm ins Ohr. Anliefern, abladen, aufladen, wegfahren. An den Fronten der alten Holzhäuser und der modernen Betonklötze von Sampeng, der Chinatown Bangkoks, verdichteten sich die Firmenzeichen zu einem Sammelsurium aus *Co., Ltd. & Partners*, und während Rojana in die Bruthitze des Wagens stieg, den Motor startete und die Klimaanlage einschaltete, sah er, wie im nächsten Hinterhof zwei uralte Chinesen Mah-Jongg spielten. Vorsichtig fädelte er sich mit dem Toyota in den Verkehr auf der Songwat ein, warf einen letzten Blick zu den Greisen hinüber und wurde Zeuge, wie einer der Männer in eine Blechschüssel spuckte.

Rojana bog nach rechts, in den Lärm der Ratchawong Road, ab. Der Verkehr kam nur schrittweise voran – vorbei an golden glänzenden Hausnummern auf roten Lackschildern – und so hatte er ausgiebig Muße, das Warenangebot auf dem Gehsteig zu begutachten. Für mehr als zwanzig Meter passierte der Toyota Läden und Stände mit Plastikartikeln. Hocker, Kleiderbügel, Tassen, Wäscheklammern, Eimer und Abfalltonnen. Es folgten einige Meter, die dem Angebot von Nähmaschinen vorbehalten waren. Dann ein Abschnitt exklusiv für Waagen. Und dazwischen immer wieder aufblasbare Weihnachtsmänner in allen Größen. Buddhisten waren tolerant, und der internationale Kommerz nutzte es. Bangkok im Vorweihnachtsrausch, das war nichts Ungewöhnliches für Rojana. Er war Buddhist, aber auch der Sohn eines Katholiken.

Mitten auf der Fahrbahn kämpfte ein Verkehrspolizist mit nervender Trillerpfeife und theatralischen Armbewegungen vergeblich um Ordnung. Ein Lastwagen blies seine Abgasfahne zwischen die Passanten, und für einen Moment verlor Rojana die Nudelküche aus den Augen, deren Anblick ihn hungrig gemacht hatte. Es war noch zu früh für ein Mittagessen. Außerdem musste er auf sein Gewicht achten – auch wenn sein Magen anderer Meinung war. Als der Dieselschleier sich auflöste, bemerkte er den Berg aus Plüschtieren, der direkt neben dem dampfenden Kessel aufragte. Bugs Bunny ließ ein Ohr in die Suppe hängen.

Rojana grinste noch über den Hasen, als er den Mann erkannte, der hastig die enge Soi Wanit ansteuerte, in der nur Fußgänger und Motorradfahrer vorankamen. Roger Wayday. Der lange Dürre. Der rotblonde Schopf des Kanadiers flackerte wie ein Irrlicht in der Masse der Passanten auf, durch die er sich schnellen Schrittes, aber ohne Rempelei vorankämpfte. Mit einer abrupten Lenkbewegung zog Rojana den Toyota an den Bordstein und rammte sich zwischen Reisstrohballen und Stapeln nagelneuer Autoreifen einen Parkplatz frei. Noch bevor die Protestrufe der Händler zu ihm durchdrangen, hatte er sich aus dem Wagen gewuchtet, ließ die Zentralverriegelung zuschnappen und nahm im Laufschritt die Verfolgung auf.

Als er den Rotblonden eingangs der Soi Wanit erneut im Blick hatte, fiel er ins Gehtempo und hielt ausreichend Abstand. Beiderseits der Gasse zweigten immer wieder neue Gässchen ab. Sie waren oft nur einen Meter breit. Schmale Spalte, die in die Häuserfront schnitten. Er war froh, dass der Dürre geradeaus lief, denn im engmaschigen Netz der Seitenwege hätte er keine Chance gehabt, dem Mann schnell genug zu folgen.

Eine Sackkarre und ein Motorroller blockierten den Weg. Rojana blieb einen Augenblick stehen, um im Stau nicht zu dicht auf den wartenden Kanadier aufzulaufen. Dann war die Soi wieder passierbar, und der Menschenstrom floss weiter. Ein Eisverkäufer bimmelte in das geschäftige Summen. Eine junge Frau bot den Vorbeiziehenden grüne und reife Mangos an. Der Dürre mit den rotblonden Haaren blieb vor einem Bettler stehen, der auf dem Boden hockte. Der Mann hatte beide Beine amputiert und spielte Flöte um ein Almosen. Rojana wartete ab. Eine kahl geschorene Nonne in weißer Robe trippelte vorbei, während der Dürre immer noch lauschte, als habe die Melodie des Bettlers ihn verzaubert.

„Gib ihm schon was, und beweg dich", knurrte Rojana. Er trat in den Schatten einer Markise und sah zu, wie sich der Kanadier mit geschlossenen Augen langsam zum Klang der Musik wiegte und selig lächelte. Der Krüppel setzte das Instrument ab, und für einen Augenblick schien es, als bewege er die Lippen. Dann schob er das Mundstück erneut zwischen die Zähne und spielte weiter. Rojana konzentrierte sich wieder auf den Kanadier und dachte: Hoffentlich fängt er nicht noch an zu tanzen.

Als wolle er der Bitte Folge leisten, spendete Wayday eine Münze und setzte seinen Weg fort. Er passierte einen Laden für Geschenkschleifen und Wachspapierblumen und weitere Läden, die sich auf Knöpfe, Keramik, Porzellan, Hüfthalter und Fußmatten spezialisiert hatten. Rojana stieg der Duft von Essen in die Nase. Hungrig musterte er Früchte, Fleisch und Nudeln. Einfach köstlich! Das Wasser lief ihm im Mund zusammen. Er schluckte und sah gebannt zu, wie eine Matrone kleine Portionen Klebereis auf Bananenblätter verteilte. Es war die reinste Folter. Trotzdem gelang es ihm irgendwie weiterzulaufen und den Blick wieder geradeaus zu richten. Er spürte, wie ihm das Hemd am Körper klebte. Und zu allem Überfluss wurde nur wenige Meter weiter Nachtisch in Form von zuckerschweren Süßigkeiten und bunten Plätzchen angeboten. Er stöhnte und wischte sich den Schweiß von der Stirn, sehnte sich nach klimatisierten Räumen und gepflegten Speisen. Vielleicht doch auf die Schnelle eine winzig kleine Delikatesse? Er riss sich zusammen.

Fuck Roger Wayday!

Diszipliniert schleppte er sich weiter. Nur Sekunden später wurde ihm klar, dass er den Kanadier aus den Augen verloren hatte.

4

„Wo ist der Penner denn jetzt abgeblieben?"

Der Zugabfertiger schob seine Schirmmütze ins Genick, schaute zum Ende des Bahnsteigs und dann weiter über die schneebedeckte Trasse der S-Bahn bis zu der dunklen Tunnelöffnung, von der aus die Strecke weiter unter der Erde verlief. „Eben war er noch da. Der Typ hängt in letzter Zeit häufiger da draußen, am äußersten Ende, rum. Ganz alleine. Ich habe Angst, er fällt mal auf die Gleise und kommt nicht mehr rechtzeitig vor dem nächsten Zug vom Schotter hoch."

„Wenn er nicht vorher vom Starkstrom pulverisiert wird", brummte einer der beiden Männer vom Sicherheitsdienst und kraulte seinem Rottweiler das Ohr.

Der Zugabfertiger zuckte mit der Schulter. „Tut mir Leid Leute. Fehlalarm. Der Heini hat sich einfach in Luft aufgelöst."

„Ich denke eher, der fährt inzwischen schwarz und wärmt sich auf", sagte der Hundeführer.

„Wenn der eingestiegen wäre, hätte ich es mitgekriegt", beharrte der Zugabfertiger auf seinen Überblick. „Die rosa Ohrwärmer sind nun wirklich nicht zu übersehen."

5

Der Dürre hatte sich in Luft aufgelöst.

Rojana war wütend auf sich selbst. Das kam davon, wenn man mit leerem Magen arbeitete. Er musterte die Stelle, etwa dreißig Meter voraus, an der er den Kanadier zum letzten Mal gesehen hatte. Aber die Häuser, Läden und Menschen der Soi Wanit lieferten ihm keinerlei Hinweis, wo er hätte suchen sollen. Frustriert steuerte er den Stand mit den Süßigkeiten an und kaufte sich was zum Knabbern. Er naschte und lauschte dem entfernten Flötenspiel des Bettlers. Die Melodie hielt sich hartnäckig im Ohr – als wolle sie ihm etwas sagen. Der steigende Blutzuckerspiegel tat das Seine dazu. Im Slalom hastete er zurück, vorbei an Passanten und Motorradfahrern, bis er vor dem Mann mit den amputierten Beinen stand. Fahrig nestelte er drei Hundert-Baht-Scheine aus der Hemdtasche und hielt dem Bettler das Geld hin.

Überrascht setzte der Mann die Flöte ab. Er starrte erst das Geld und dann den Riesen an, der es ihm offerierte.

„Das kannst du dir verdienen."

„Was soll ich spielen?"

„Das Konzert kannst du dir sparen. Vor etwa zehn Minuten hattest du einen Zuhörer. War wohl ein Fan von dir. Er konnte gar nicht genug von deinen Weisen bekommen, war richtiggehend entzückt..."

„Ich weiß nicht, was Sie meinen."

„Lang, dürr, Haare wie Feuer."

Auch das schien dem Flötenspieler nicht weiterzuhelfen.

„Was hast du dem Mann ausgerichtet?"

„Welchem Mann?“

Rojana schnaufte und zwang sich zur Geduld. Er spürte, wie sein Blutzuckerspiegel wieder absackte. „Wie viel?“

Langsam erholte sich der Bettler vom Gedächtnisschwund, und sein Lächeln wurde zum Grinsen. „Fünfhundert!“

Rojana holte noch zwei Hunderter aus der Tasche und zeigte dem Bettler die fünf Scheine. „Fünfhundert. Und wenn ich zufrieden bin, leg ich noch einen drauf.“

„Okay“, lenkte der Bettler ein. „Ich weiß aber nicht, wer er ist…“

„Mach dir darum keine Sorgen. Ich kenne den Typ. Was hast du ihm gesagt? Du hast deine Flöte aus dem Mund genommen und ihm was geflüstert. Ich habe es genau gesehen.“

Der Bettler schluckte und starrte auf die Baht-Noten. „World Hotel. Erster Stock. Zimmer zwölf.“

„Hier in der Soi?“

Der Bettler nickte und gab mit dem Daumen die Richtung an. „Fast am Ende der Gasse. Direkt neben der *New Gold Jewelry.*“ Vorsichtig nahm er die Scheine an sich.

Rojana zückte noch einen Hunderter und winkte damit. „Und wer hat ihm das ausrichten lassen?“

Für einige Sekunden hatte Geldgier das Gesicht des Bettlers zum Leuchten gebracht, aber kaum war die Zusatzfrage gestellt, erstarrte es in Todesangst.

Tony Rojana hatte ein Gespür für Limits. Mehr war aus dem Mann nicht rauszuholen. Der Krüppel zitterte. Rojana verzichtete auf die Antwort und warf den Bonus neben die Beinstümpfe, bevor er dem Ende der Gasse zustrebte.

World Hotel!

Die Robe des Mannes hinter dem Empfangstisch war mit Abstand das Eleganteste, was die Absteige zu bieten hatte.

Rojana schloss für einen Augenblick die Augen. Ein Mönch an der Rezeption? Als er erneut hinsah, war der Schädel des Mannes immer noch rasiert. „Vielleicht können Sie mir weiterhelfen, ich…“

Der Mönch war jung und lächelte verlegen, als er unterbrach. „Ich bin nur der Bruder.“

„Bruder?“

„Mein Bruder holt sich was zu essen. Er ist gleich wieder hier." Wieder das Lächeln. „Ich besuche ihn nur."

„Dann muss ich mir den Weg wohl alleine suchen." Rojana nahm die Treppe.

Im ersten Stock stand ein leerer Vogelkäfig. Aus einem der Zimmer tönte klebriger Thai-Pop, bis jemand das Radio leiser stellte. Das schlierige Gelb, in dem die Wände gestrichen waren, und die braunen Flecken im Putz, vermittelten den Eindruck, der ganze Gang sei mit räudigem Leopardenfell tapeziert.

Rojana schnupperte. Er kannte den Geruch. In allen Varianten. Abgestanden, parfümiert, frisch verspritzt, wie auch immer: Schweiß und Sperma. Er war in einem Puff. Das war sicher. Ein heruntergekommenes Bordell mit einem Mönch als Aushilfe am Empfang. Das war Bangkok. Und einer der Gründe, warum er diese Stadt so liebte. Nichts war unmöglich. Alles war entschuldbar. Toleranz war Gesetz.

Er hörte ein lautes Japsen, gepaart mit Stöhnen, unterlegt vom Pochen eines Bettgestells und quietschenden Sprungfedern. Die Geräusche führten ihn zu einem Zimmer am Ende des Ganges.

Nummer 12.

Rojana verharrte vor der Tür, starrte auf die 12 und konnte sich alles genau vorstellen.

Die Nutte, wahrscheinlich noch ein halbes Kind, auf Ellenbogen und Knien. Der Kanadier wie ein Bock über ihr, sein Schwanz so dürr und lang wie Roger Wayday himself. Ekelhaft. Und dann dieses Gegrunze. Die Nutte tat ja nur so. Die Mädels sangen so hoch wie der Einsatz war. Ab und zu bettelten sie sogar: Fick mich, fick mich oder Jaaahhh, tiefer! Die da drinnen nicht. Trotzdem. Alles schon gehört. Immer dieselbe Platte. Die Braut auf der anderern Seite der Tür hörte sich etwas unnatürlich an. Ihr Japsen klang eine Spur zu metallisch. Auch der Dürre grunzte ziemlich tief.

Was sollte das Ganze? Rojana wandte sich ab.

Insgeheim hatte er gehofft, den Kanadier endlich bei einem wichtigen Kontakt mit seinen Auftraggebern überraschen zu können. Wayday war kein Großer. Aber auch kleine Fische verhalfen einem gelegentlich zu einem großen Fang. Der Kanadier hatte

Dreck am Stecken. Eindeutig. Aber anstatt den besten Reporter in der Stadt direkt zur Quelle eines Aufmachers zu lotsen, ging der Kerl einfach zum Vögeln. Es war nicht zu fassen. Verplemperte Tony Rojanas Zeit. Hurte rum. Trieb es mit einer gemieteten Puppe. Nicht mal zum Essen kam man wegen dem Typ.

Das machte Rojana nun wirklich zornig.

So zornig, dass er am oberen Treppenabsatz kehrt machte, den Gang hinunterstürmte und Selbstgespräche führte.

„Ich muss diesem gelbrot behaarten Knochengerüst wenigstens den Fick vermiesen!"

Rojana starrte erneut auf die Zimmernummer.

Dann trat er mit dem rechten Fuß zu. Die Tür knallte in den Raum, schlug hart gegen die Innenwand und gab den Blick auf das Bett frei. Es war frisch bezogen und leer. Kein nacktes Paar. Keine Frau. Nur drei bekleidete Männer. Sie saßen auf Klappstühlen vor einem Fernseher, ohne dem Programm weiter Beachtung zu schenken. Stattdessen sahen sie dem Eindringling entgegen.

Rojana blieb konsterniert stehen.

Roger Wayday stand zunächst der Mund offen, dann grinste er und rubbelte sich mit einer Hand nervös die Karottenhaare. Der ältere Chinese trug einen konservativ-grauen Einreiher zu weißem Hemd und dunkler Krawatte und zeigte ein ernstes Gesicht. Die Brille mit dem schweren Hornrahmen machte die Miene noch düsterer. Der jüngere Chinese hatte etwas Modernes von Armani an, machte schmale Lippen und zielte mit einem Revolver auf den unerbetenen Besucher.

Rojana nahm die Hände hoch, grinste kurz in die Mündung und schaute dann auf den Bildschirm über dem Videogerät. Die Stellung stimmte. Ansonsten entsprach der Porno nicht den Fantasien, die er auf dem Flur entwickelt hatte. Laut genug ging es immer noch zu.

„Stell den Ton leiser", sagte der ältere Chinese zum Kanadier.

Der Dürre war dankbar für die Vorgabe. Fahrig machte er sich am Lautstärkeregler zu schaffen, bis das Paar auf dem Bildschirm seiner Beschäftigung stumm nachging.

„Machen Sie die Tür zu, und setzen Sie sich", sagte der Senior und deutete zum Bett.

Rojana kam der Aufforderung nach. Widerspruch war in dieser Situation nicht das Richtige. Mit Bedauern dachte er an den Toyota. Der Wagen war sein Werkzeuglager. Ein Schnellfeuergewehr, eine Magnum, drei Handgranaten, Tränengas. Selbst der Spaten hätte jetzt nützlich sein können. Aber er hatte ja nichts Besseres zu tun, als unbewaffnet hinter diesem Kleinkriminellen herzurennen. Nicht mal Kamera und Tonband waren dabei.

„Wir hatten bislang noch nicht die Ehre", sagte der ältere Chinese. „Ich darf mich vorstellen. James Yang. Sie werden noch nicht von mir gehört haben – hoffe ich." Er lächelte sparsam. „Sie hingegen sind uns natürlich ein Begriff." Er ließ das Kompliment einige Sekunden auf den Eindringling einwirken und fuhr dann mit amüsiertem Unterton fort: „Der große Tony Rojana. Der erfolgreichste Bluthund, den Thailands größtes Boulevardblatt aufzubieten hat. Angeblich ständig im Einsatz und auf alle Eventualitäten vorbereitet. Umso erstaunter bin ich, Sie weder angemeldet noch bewaffnet zu sehen..."

Rojana schnaubte ergeben. Es blieb ihm nichts anderes übrig, als weiter zuzuhören.

Der Armani-Chinese versuchte, sich am Gespräch zu beteiligen. „Deine Mutter hat's wohl mal mit 'nem Neger gemacht", kommentierte er Rojanas dichtes Kraushaar und den üppigen Hängeschnäuzer.

„Lass die Sprüche, Richy, und steck den Revolver weg. Wir wollen uns doch bitte wie Gentlemen benehmen", befahl James Yang, bevor er Rojana zulächelte. „Entschuldigen Sie bitte sein Benehmen." Dann wieder zu Richy: „Der Mann ist so sehr Thai, wie du und ich – auch wenn sein Vater Amerikaner war." Er sah Rojana an, als erwarte er Beifall.

Rojana betastete die Narbe über seiner linken Augenbraue „Er war aus Puerto Rico." Er hatte gute Lust Richy zu tranchieren.

Einige Zimmer weiter sülzte erneut Popmusik aus dem Radio und untermalte die Aktionen auf dem Bildschirm. Rojana konnte gut erkennen, was das Paar trieb. Es inspirierte ihn zu einer kleinen Provokation. Irgendwie musste er Bewegung in die Sache bringen. Er grinste dem Kanadier dreist ins Gesicht und deutete zum Bildschirm. „Da kannst du genau sehen, was du bist, Roger: Ein mieser Schwanzlutscher!"

Noch bevor Wayday darauf reagieren konnte, befahl ihm Yang: „Schalt das Zeug ab."

Der Dürre gehorchte. Mehr als einen beleidigten Gesichtsausdruck hatte er Rojana sowieso nicht entgegenzusetzen.

James Yang befingerte seine Krawatte. „Dies ist wohl nicht der angemessene Ort für ein wichtiges Gespräch. Ich schlage vor, Sie gehen jetzt und...", der Blick den er auf seine goldene Armbanduhr warf, war lang genug, um alle Brillanten zu zählen, „...in einer Stunde treffen Sie mich im Ming Palace im Indra Hotel. Ich lade Sie zum Jam Cha ein, und wir lernen uns bei der Gelegenheit ein wenig besser kennen."

Der kleine Mittagsimbiss, der ihm in Aussicht gestellt wurde, lockte Rojana mehr als mögliche Informationen. Mit hungrigem Magen war schlecht arbeiten. Er erhob sich und nickte.

Yang deutete zur Tür. „Ich wusste, wir verstehen uns."

Bevor der Reporter das Zimmer verließ, musterte er Armani-Richy noch einmal, um ihn an die offene Rechnung zu erinnern. Dann sah er Wayday in die Augen, schüttelte den Kopf und sagte: „Roger, Roger... Ich bin enttäuscht. Dachte wirklich, du schiebst hier eine ganz große Nummer."

6

Mollen-Rudi schwebte wie ein Schlafwandler die Trasse entlang.

Eingehüllt in seinen abgewetzten Armeemantel und eine dichte Alkoholfahne strebte er vorwärts, jenem süchtigmachenden Duft entgegen, der ihn Monate zuvor zum ersten Mal zur Futterkrippe gelotst hatte. Die Fidschis hatten ihn zwar eine – ihm endlos erscheinende – Weile lang gemustert, als er damals überraschend und unerwartet in ihrer Küchenrunde aufgetaucht war, hatten ihn aus schmalen Augen wie einen möglichen Todeskandidaten abgeschätzt, dann jedoch auf seine Hinrichtung verzichtet und eine Schüssel Nudelsuppe für ihn abgezweigt, wie einen Knochen, den man einem streunenden Köter überlässt. Seitdem war er immer wieder zurückgekommen, um seine Brühe zu löffeln und dabei dem seltsamen Gezwitscher zu lauschen, in dem sich die Asiaten unterhielten. Bislang war es ihm nicht gelungen, sich auch nur einen Brocken der fremden Sprache anzueignen. Dafür war er inzwischen ein überzeugter Anhänger der vietnamesischen Küche.

Rudi kam für einen Moment ins Stolpern, fing sich und hastete weiter.

Currywurst und Asyleintopf waren nur noch zweite Wahl für ihn. Er fühlte sich zunehmend wohler im Kreis der kleinen Männer aus der Fremde. Im Ernstfall war sicher nicht mit ihnen zu spaßen. Manchmal hatte er die eine oder andere Waffe zu Gesicht bekommen. Trotzdem fühlte er sich nicht bedroht. Vermutlich handelten sie mit geschmuggelten Zigaretten. Die Fidschis waren gut im Geschäft. Das stand jeden Tag in der Zeitung. Doch so genau wollte er es gar nicht wissen. Obwohl – nach seinem ersten Besuch hatte er für einen Augenblick daran gedacht, die Männer zu verpfeifen. Aber was brachte das? Er hatte schon genug Probleme. Außerdem hatte er selber hier unten auch nichts mehr zu suchen. Gut, ab und zu spielte er noch mit dem Gedanken, die Truppe um ein paar Stangen zu erpressen – aber das war ihm dann doch zu gefährlich. Regelmäßig warmes Essen war nicht zu verachten, und von seinem Schnaps wollten die Gastgeber auch nichts abhaben. Sein Magen knurrte, und das Vibrieren in der Bauchdecke trieb ihn weiter vorwärts.

Er erreichte die Schienengabelung. Ein hell erleuchteter Zug ratterte heran, vorbei und davon, während er nach links abbog und die nur selten genutzte Betriebsstrecke entlanglief, an der auch das blinde Tunnelstück lag, in dem seine Fidschis Quartier bezogen hatten. Er kannte sich gut hier unten aus. Was hieß gut? Hervorragend! Schließlich war Rudi Koslowski in seinen besten Zeiten einer der herausragenden Streckenläufer der Berliner Verkehrsbetriebe gewesen. Offiziell und mit orange leuchtender Signalweste. Heutzutage schlich er in gedecktem Grau aus ausgemusterten Beständen der Nationalen Volksarmee durch die Unterwelt, und auch die rosa Ohrwärmer trug er nicht wegen der Sicherheitsvorschriften. Aber damals, das waren noch Zeiten gewesen!

Bis der Suff ihm auch das vermasselt hatte. Zunächst wurde er von seinen Vorgesetzten zur Betreuung gelegentlicher Besuchergruppen abgeschoben. Journalisten, Politiker und Touristen. Dann feuerte man ihn, weil er diese Gruppe aus Bonn, darunter auch einige Bundestagsabgeordnete, in einen nicht gesicherten Waisentunnel geführt hatte. Ein übergewichtiger Politiker war dabei durch die angefaulte Stufe einer Holztreppe gebrochen und hatte sich fünf Meter tiefer auf dem Betonboden einer verlassenen Schildvortriebskammer das Wadenbein gebrochen. Er erinnert sich noch ganz genau: Er hat den Fettwanst nicht im Auge, weil er selber gerade damit beschäftigt ist, mittels dramatischer Gesten und Worte zu verdeutlichen, wie dazumal bei den Tunnelbauarbeiten die riesige Schildvortriebsmaschine in die offene Kammer hinabgelassen wurde. Er zeigt dabei auf die Fläche in der Decke, die man später wieder zubetoniert hat, und versucht, die enorme Bohrmaschine für die Nichttechniker vorstellbarer zu machen, indem er das bewährte Bild vom mechanischen Maulwurf strapaziert, der langsam eine Röhre durch die Erde frisst – da passiert plötzlich dieser blöde Unfall. Bei anschließenden Rechtfertigungsversuchen war seine legendäre Schnapsfahne wenig hilfreich gewesen. Na ja, das war alles Geschichte. Die neuen Kollegen kannten ihn gar nicht mehr. Das hatte auch seine Vorteile.

Er konnte das Streckentelefon erkennen, das zwanzig Meter voraus im Schein der Neonleuchten an der Tunnelwand hing. Ab und zu juckte es ihn, den Hörer abzuheben und sich beim zuständigen Stellwerk zu melden. Der Hunger trieb ihn vorwärts. Der gut begehbare Betonstreifen, der neben dem Gleistrog verlief und im Ernstfall genügend Platz für eine Person zwischen Zug und Tunnelwand bot, ging zu Ende. Er wechselte zwischen die Schienen und lief über die Holzschwellen weiter. Es war mühsam, denn der Schwellenabstand lag knapp unter normaler Schrittweite, dadurch kam man ins Trippeln. Die engen Gefahrenstellen waren mit weiß-rot-weißen Wandstreifen markiert, die jedem Fußgänger signalisierten, in dieser Zone besser nicht stehen zu bleiben.

Weiter voraus leuchtete ein königsblaues Signallicht, das einen Notausstieg markierte. Während auf der inzwischen weit zurückliegenden Hauptstrecke ein Zug vorbeirumpelte, passierte er eine Treppe, die, wie er wusste, nach oben, in den verlassenen

Rohbau einer geplanten Station mit einem nie in Betrieb genommenen Kassenhäuschen, führte. Es war jetzt nicht mehr weit bis zum blinden Tunnel. Hinter der an dieser Stelle ein Meter dreißig dicken Betonmauer lag eine weitverzweigte Bunkeranlage. Aber das alles interessierte ihn im Moment nicht sonderlich. Er hatte nur Hunger.

7

Als Tony Rojana aus der Soi Wanit auf die Ratchawong Road kam, sah er zwei Gestalten, die sich an seinem Toyota zu schaffen machten.

Er bewegte sich bereits im Laufschritt, denn um es zu dieser Tageszeit im Wagen in einer Stunde von Chinatown zum Indra Hotel zu schaffen, brauchte es nicht weniger als ein Wunder. Wie eine Dampflock schob er sich auf die Ganoven zu. Den Mittelgewichtler, der das Schloss der Beifahrertür untersuchte, rammte er mit einem Bodycheck, der dem Mann den Seitenspiegel in die Nieren trieb. Den Hänfling am Kofferraumschloss schickte er mit einem Schwinger in die Reisstrohballen. Der Mittelgewichtler gab nicht auf, und Rojana erledigte ihn mit einem Aufwärtshaken. Der Schlag warf den Mann gegen einen Stapel Autoreifen, der bedrohlich wankte, dann kippte und den Geschlagenen unter sich begrub. Dazu war das laute Jammern des Händlers zu vernehmen, der sich nicht aus seinem Laden traute.

Rojana würdigte keinen der Männer eines weiteren Blickes und ging zur Fahrertür. Dort wartete schon der Verkehrspolizist und lächelte ihm selbstzufrieden entgegen, ohne dabei die Trillerpfeife aus den Zähnen zu lassen.

„Verpiss dich“, knurrte Rojana.

Die nikotingelben Zähne des Uniformierten gaben die Pfeife frei, und sie fiel, bis die Kordel sie vor der Brust stoppte. „Falsch geparkt“, stellte er fest. Den Autostrom, der mit gellendem Hupkonzert zum Stillstand kam, ignorierte er, und den Diebstahlversuch hielt er wohl für erledigt.

Rojana baute sich vor dem Uniformierten auf und deutete

mit dem Daumen in den Stau. „Kümmer dich um die Blechlawine."

Der Polizist blieb gelassen. „Ich habe Feierabend. Vielleicht kannst du mich ein Stück mitnehmen?" Er rückte den Revolver an seiner Hüfte zurecht.

Um keine weitere Zeit zu verlieren, beschränkte Rojana sich auf ein knappes Nicken zur Beifahrertür. Der Typ wollte geschmiert werden. Das konnte er ihm auch unterwegs ausreden. Mit Hilfe eines Verkehrspolizisten kam er sogar schneller durch den Mittagsverkehr. Noch bevor sein Beifahrer Platz genommen hatte, ließ er die Sirene des Toyota aufjaulen, zauberte ein Megafon aus dem Fußraum hinter seinem Sitz hervor und drückte es dem Mann in die Hand.

Verblüfft glotzte der Polizist das Megafon an.

„Bringt mehr als deine Pfeife." Rojana öffnete die Scheibe auf der Beifahrerseite per Knopfdruck. „Los, mach deinen Job!" Zur Bekräftigung ließ er die Sirene erneut aufheulen.

Zögernd schob der Uniformierte das Sprachrohr ins Freie und brüllte – erst verhalten, dann mit zunehmender Freude – die Normalsterblichen in bester Konvoibegleitermanier an, links ranzufahren.

„Say-say-say!" quäckte es aus dem Megafon.

Rojana ließ die Sirene jubeln.

Nach zwanzig Minuten brachte der Toyota es immerhin auf vierzig Kilometer pro Stunde.

Rojana sah auf die Uhr und grinste den Polizisten aufmunternd an. Der Mann arbeitete gut. Normalerweise hätte er die Kröte direkt zum nächsten Revier gefahren, um dort Anzeige zu erstatten. Unter den gegebenen Umständen zog er eine angemessene Entschädigung in Betracht.

Die Psyche eines Polizisten gab Rojana keine Rätsel auf.

8

Das alte Gemäuer in der Keithstraße 30 sah an diesem hellen Wintertag einigermaßen freundlich aus, auch wenn die Nachmittagssonne langsam an Kraft verlor.

Romy Asbach stand auf dem gegenüberliegenden Gehsteig und starrte auf die Front mit den grob behauenen Steinen und den altmodisch hohen Fenstern. Unter der Hausnummer hing das grüne Schild mit dem Wappen des Berliner Bären im goldenen Polizeistern. Delikte am Menschen. Ihr ehemaliger Arbeitsplatz. Wie oft hatte sie die Eingangshalle betreten und den vertrauten Zivilisten im Auskunftsschalter gegrüßt, bevor sie die Freitreppe in den ersten Stock hinaufgestiegen war? Wie oft hatte sie einen Blick auf die runde Uhr geworfen, die mit ihren goldenen Zahlen auf einem schwarzen Ziffernblatt wie ein Symbol unter der Decke hing? Was trieb sie her? Die Erinnerung daran, ein gut Teil ihres Handwerks in dieser Dienststelle gelernt zu haben – oder die Bitterkeit darüber, gerade hier eine erste empfindliche Niederlage erlitten zu haben? Damals war ihr kein Fehler unterlaufen. Sie war an der Politik gescheitert. Die Amis hatten sie an das Besatzungsrecht erinnert, das in Westberlin galt. Eine Deutsche war von einem GI vergewaltigt und erwürgt worden. Nicht von dem Schwarzen, der lange unter Verdacht stand. Und kaum hatte sie den weißen Täter überführt, nahm ihr die Militärpolizei den Fall aus der Hand und setzte den Mann in einen Flieger nach Frankfurt am Main und weiter nach New York.

Sie ging zu ihrem Opel, der am Randstein parkte, stieg ein und fuhr los.

Die Alliierten hatten sich in jenen Tagen in allen Bereichen die Oberste Gewalt bewahrt. Dazu gehörte auch die Befehlsbefugnis über die Berliner Polizei. Obwohl die Stadt unter den westlichen Verbündeten stillschweigend wie ein Land der Bundesrepublik behandelt wurde, übte die Regierung in Bonn keine *legal authority* über das Gebiet aus. Angehörige der Schutzstreitkräfte genossen Immunität und waren der deutschen Strafverfolgung entzogen, wenn ihre Vorgesetzten keine ausdrückliche Genehmigung erteilten. Sie hatte ihre Genehmigung jedenfalls nicht bekommen.

Heutzutage lagen die Dinge anders. Was sie damals als Einschränkung empfunden hatte, war auch mit vielen Vorteilen und Erleichterungen bei der Verbrechensbekämpfung verbunden gewesen, wie sie nach dem Fall der Mauer schmerzlich erfahren sollte. Nun war der frühere Hochsicherheitstrakt plötzlich offen und jeder Gangster wollte rein, in der Gewissheit jederzeit wieder rauszukönnen, und zwar mit der Beute. Er konnte sogar dableiben und jede Art von Gewinn transferieren. Im guten alten Westberlin hatte sich nicht mal organisierter Autodiebstahl gelohnt.

In Kreuzberg nahm sie den Mehringdamm in Richtung Flughafen Tempelhof, bis die Naziarchitektur am Platz der Luftbrücke vor ihr auftauchte. Sie parkte und ging zum Eingang des Polizeipräsidiums. Auch hier nur alte Erinnerungen. Nebenan, bei der 7350. Fliegerhorstgruppe der US-Luftwaffe, hatte sie den Vergewaltiger und Mörder gefunden. Leider ohne ihn verhaften zu können.

Aber wie hatte schon jener Udo Wetzlaugk, einer ihrer Lieblingsautoren zum Alliierten Recht, so treffend formuliert? *Freilich ist einzuräumen, dass die komplizierte Berliner Gemengelage herkömmliche Definitionen überfordert; sie versagt sich der verbreiteten deutschen Neigung, unzweideutige Formeln zu prägen und anzuwenden.* Der Satz galt damals wie heute. Die neue Mischung aus Osteuropäern, Russen, Asiaten und dem vorderen Orient hatte es in sich.

Zügig marschierte sie zur Gedenkstätte, durch die leichte Biegung der Eingangshalle, vorbei an den Säulen vor den bunten Glasfenstern. Vor dem Pult blieb sie stehen. Unter der Plexiglashaube lag das aufgeschlagene Erinnerungsalbum. Franziska Winter lächelte sie an. Heute war Franziskas Todestag. Nicht, dass dieses ganz spezielle Datum etwas am Ritual geändert hätte. Wenn möglich, kam sie jede Woche für eine Gedenkminute vorbei.

Auf dem Foto sah Franziska genau so aus, wie sie sie in Erinnerung behalten hatte: gut gelaunt und optimistisch. Eine loyale Kollegin, auf die Verlass gewesen war – bis ihr ein Zuhälter aus kurzer Distanz zweimal in den Kopf geschossen hatte. Sie selbst war nicht rechtzeitig zur Stelle gewesen und machte es sich immer noch zum Vorwurf. Zwar hatte sie dem Luden noch mit einem Schuss den rechten Oberschenkel zerschmettert und ihm in die Eier getreten, bevor Zeugen auftauchten, aber das war auch noch heute nur ein schwacher Trost. Im entscheidenden

Moment hatte sie Franziska nicht zur Seite gestanden. Sie hatte versagt, als es darauf ankam. Und eine wie Franziska fehlte ihr jetzt, bei diesem elenden Alleingang in ein ungewisses Ende.

Sie holte das Fläschchen aus der Jackentasche und nahm ein paar Rescue-Tropfen. Dann las sie zum wiederholten Mal die kunstvoll geschriebenen Zeilen, die sachlich, aber ein wenig beschönigend über die Todesursache informierten. Natürlich stand da *Pflichterfüllung*. Das Wort durfte auf keinen Fall fehlen. Sie inspizierte das Blumengebinde neben dem Pult und betrachtete den Schriftzug an der Wand.

SIE GABEN IHR LEBEN IM DIENST FÜR DEN MITBÜRGER.

Links daneben der Bundesadler, rechts der Berliner Bär.

Romy Asbachs Blick fiel erneut auf die Blumen, und ihr schlechtes Gewissen regte sich. Sie würde welche zum Friedhof bringen, sobald sich Zeit fand.

Der Friedhof.

Die Beerdigung.

Auch so ein bitterkalter Tag. Die Totengräber mussten die Grube mit Hilfe eines Presslufthammers ausheben, um gegen das beinharte Erdreich anzukommen. Ein Trommelwirbel erklang, als sie mit fünf Kollegen den Sarg schulterte und aus der Friedhofskapelle trug. Die Uniformierten des Musikkorps marschierten dem Trauerzug voraus. Die Angehörigen hatten auf einem offiziellen Begräbnis bestanden.

Bevor der Sarg in die Grube hinabgelassen wurde, hielt der Direktor des Landeskriminalamtes eine Rede. „Franziska Winter gab ihr Leben im Dienst für die Mitbürgerinnen und Mitbürger..." Sie war dem kleinen Mann im dunklen Anzug dankbar, die Aufgabe übernommen zu haben. Man hatte sie gebeten, es zu tun. Sie hatte abgelehnt. Auch letzte Worte konnten ausgebliebene Taten nicht mehr ersetzen, und es war besser, den Mund zu halten. Während der Rede spürte sie den Blick des Polizeidirektors. Sie sah ihn an, und er schaute weg. Er war in Uniform gekommen, und seine goldenen Sterne glänzten matt im schwarzen Meer der Trauer.

Als sie den Sarg langsam absenkten, spielte die Kapelle „Ich hatte einen Kameraden". Als letzte Tat warf sie noch eine Schaufel Erde auf Franziskas Sarg und spürte dabei ein Ziehen im rechten Zeigefinger.

Sie schüttelte sich. Es war alles nur eine Frage des Druckpunkts. Sie verspürte das erneute Verlangen nach Rettungstropfen, drehte der Gedenkstätte den Rücken zu und machte sich auf den Weg. Die Zeit drängte. Die Tage um Weihnachten und den Jahreswechsel waren nur eine Galgenfrist. Spätestens Anfang Februar nahm der Untersuchungsausschuss seine Sitzungen wieder auf.

Es blieben ihr nur noch wenige Wochen, um etwas für sich zu tun.

9

„Ich bin Hakka-Chinese und thailändischer Staatsbürger, Tony." Yang lächelte. „Ich darf Sie doch so nennen?"

Rojana widersprach nicht. Er kannte die Art Lächeln nur zu gut. Wenn einer wie James Yang Zähne zeigte, war das kein Hongkong-Blitz aus Edelmetall und Diamanten, sondern ein mattes Glänzen. Wie Elfenbein. Siamesisch, aber eben doch eine Spur härter als bei einem hundertprozentigen Thai. Die lächelten mit einer Herzlichkeit, die pure Selbstverteidigung war. Nicht zu lächeln hieß, jemanden ernst ansehen, und das war gefährlich nahe am bösen Blick. Also war Vorsorge geboten, wenn man Missverständnisse und Konflikte vermeiden wollte. Chinesen hingegen wollten nicht unbedingt jeden Konflikt vermeiden. Selbst das Babyhaifischlächeln, das Thais an der Schwelle zum Affektmord zustandebrachten, konnte nicht mit der Zehn-Milliarden-Baht-Version mithalten, die James Yang durchs Gesicht zuckte. Rojana hatte so seine Theorien über das Lächeln – und was ihn selbst anging, war er dem Erbe seines US-Latino-Vaters verpflichtet: Er grinste.

„Rund ein Viertel der Chinesen in Bangkok sind Hakka", sagte Yang.

Rojana kannte seine Chinesen. Die größte Gruppierung, gut die Hälfte, sprach Tae-chiew, der Rest Kantonesisch, Hinan und andere Dialekte.

Yang forderte die Bedienung mit dem endlos langen Schlitz im Kleid auf, Khun Tony grünen Tee nachzugießen, damit er die Happen, die sie mit Stäbchen aus den Bastkörbchen hoben, besser runterbekam.

Was Khun James als Imbiss servieren ließ, war ganz nach Rojanas Geschmack. Winzige, in Teig verpackte Köstlichkeiten von scharf bis süß, von Fisch bis Schwein. Genau das Richtige zum späten High Noon, weil sie das Herz nicht belasteten. Im pompösen Peking-Barock des Ming Palace war es kühl wie in einem Iglu. Die lackierten Holzflächen glänzten wie schwarzes Eis. Sie saßen einsam auf einer der höheren Ebenen über der verwaisten Bühne. Der Speisesaal war die Art Palast, die Rojana aus einer Szene seines Lieblingsvideos kannte. „Im Jahr des Drachen" von Michael Cimino. Triaden-Gangs zersägen Dekoration und Gestühl mit giftigen Feuerstößen aus Minimaschinenpistolen, während eine Sängerin aus Schanghai ins Mikrofon lamentiert und die Mehrzahl der Gäste sich, in Tischtücher verheddert, zwischen Resten von Ente und Rind in den Teppichboden unter den Tischen duckt, teils wimmernd, teils kreischend. Aber das war Kino. James Yang war Realität. Essen und Geschäfte hatten sich in Ruhe und Gelassenheit zu entwickeln. Sir China-Cool und das Rundauge aus Puerto Rico. Zwei Männer in der majestätischen Weite asiatischer Innenarchitektur. Dazu zehn Bedienstete, die sich dezent im Hintergrund hielten. Rojana seufzte, leckte sich die Lippen und musterte den nächsten Happen.

„Ich wurde in Bangkok geboren und pflegte mein Hakka noch in der Sonntagsschule", sinnierte Yang. „Meine beiden Töchter und die beiden Söhne besuchten die chinesische Grundschule. Heutzutage geht da kaum noch jemand hin." Er kratzte sich mit dem überlangen Nagel seines kleinen Fingers am Ohrläppchen. „Aus Angst, später die Hochschule in Thai nicht zu schaffen."

Rojana wartete auf eine Wende des Gesprächs, hin zu spannenderen Themen – wie zum Beispiel Pornografie.

Aber noch wollte James Yang die andächtige Stille des Lokals nicht entweihen. „Assimilierung und die Ausbeutung der Vorzüge und Fähigkeiten anderer Völker war seit jeher bewährte Thaipolitik", philosophierte er weiter. „Schon General Chakri, dem Begründer der heutigen Dynastie, gelang es, mit Diplomatie und materiellen Zuwendungen, die damalige Chinesenkolonie davon zu überzeugen, sich etwas weiter südlich und östlich am Fluss anzusiedeln, nachdem er ihr eigentliches Terrain mit Hilfe der Astrologen zum Bauplatz für den königlichen Palast und die dazugehörige Tempelanlage auserkoren hatte. So entstand Sampeng..."

Rojana beherrschte sich. Er hatte mindestens so viel Thaiblut in den Adern wie Sir James und war ebenfalls in Bangkok zur Welt gekommen. Er kannte die Geschichte seines Landes und war kein Analphabet. Und was Chinatown war, wusste er auch. Lord Buddha war Zeuge.

„Siam wusste schon immer, wozu Chinesen gut sind. Fleißige Arbeitskräfte, die Gewinn machen, den auch die Regierung abschöpfen kann. Es kamen damals viele von uns ins damalige Siam, und sie kamen ohne Frauen. So wurde der Teint der Einheimischen mit der Zeit heller." James Yang nippte vorsichtig am Tee. „Sino-Thai, das steht für Wohlstand, Tony."

Und weil meine Mutter sich einen Latino ausgesucht hat, bin ich leider nicht ganz so weiß geworden – das willst du mir doch sagen. Was erzählte ihm dieser Hai eigentlich? Was sollte das ganze Gesülze vom Fortschritt? Es war an der Zeit, Kontra zu geben. „Die chinesischen Brüder haben zwar damals ihre Schwestern zu Hause gelassen, aber dafür haben sie ihr Opium und die Kriminalität mitgebracht. Der Handel wurde von Geheimgesellschaften organisiert, deren Gangs sich bald richtige Kriege lieferten. Soviel ich weiß, hat König Nangklao in den guten alten Tagen bei einer Razzia in der Provinz mal an die dreitausend Gangster auf einen Schlag hochnehmen und hinrichten lassen. Er wollte das Übel sofort ausmerzen. Scheint ihm aber nicht ganz gelungen zu sein."

„Ich höre heraus, Sie wollen zum eigentlichen Anlass unseres Treffens kommen." Mit einer Geste ließ Yang die Bedienung wissen, die Tafel sei aufgehoben. „Lassen Sie uns das in meinem Büro besprechen."

„Gehört Ihnen der Laden hier?"

„Leider nicht. Ich bin Juwelier."

„Juwelier?"

„Ganz recht. Mein Hauptgeschäftszweig, wenn Sie so wollen,

Tony. Ich besitze alleine in Bangkok zwei Dutzend Schmuckläden und bin im An- und Verkauf von Rohedelsteinen tätig. Meine Hauptgeschäftsräume liegen zwei Stockwerke tiefer. Der Weg sollte also nicht allzu unbequem für Sie werden."

Die Bedienung brachte die Reste der Mahlzeit in Plastiktüten verpackt und reichte sie dem Gastgeber, nachdem er die Rechnung abgezeichnet hatte. Die Chinesin ging voraus, um sie zum Ausgang zu führen, während der Rest des Personals Spalier stand und sich in Verbeugungen erschöpfte.

Rojana gönnte sich noch eine Überdosis wohlgeformte Beine. Für einen Moment spürte er jene Müdigkeit, die einen aufs Opiumbett zwingen kann. Weiße Haut unter schwarzer Seide. „Was ist mit Platin?" fragte er, um sich abzulenken.

„Das kaufen nur die Japaner", antwortete Yang, während sie den Aufzug bestiegen. „Die Thais stehen auf Gold. Sie wollen volle vierundzwanzig Karat, und die wollen sie sehr schwer und sehr weich. Sie sind da eigen. Obwohl sich alle Welt nach widerstandsfähigeren Varianten sehnt. So hat beispielsweise das Forschungsinstitut für Edelmetalle und Metallchemie in Schwäbisch Gmünd – das liegt in Deutschland – vor gut zehn Jahren erste Untersuchungen über das Härten von Gold mittels kleiner Mengen Titan durchgeführt. Erfolgreich. Farbe und Härte stimmten. Strapazierfähigkeit und Haltbarkeit wurden erhöht..."

„Panzergold", grunzte Rojana dazwischen.

„Ganz recht. *New Gold Alloy 990*, die Krupp-Version. Beeindruckt aber unsere einheimischen Kunden nicht." James Yang schüttelte betrübt den Kopf und führte Tony Rojana aus dem Aufzug zu seinem Juwelierladen.

Die Angestellten begrüßten Boss und Begleiter freundlich, nahmen die Tüten mit den Essensresten entgegen, und widmeten sich wieder einer Gruppe japanischer Touristen.

„Der Laden existiert seit nunmehr fünfundzwanzig Jahren", sagte James Yang nicht ohne Stolz.

Tony Rojana musterte das Juweliergeschäft. Das Teakholz gab dem Raum Charakter. Nur der Plastikweihnachtsbaum störte.

„Der Indra-Komplex war die erste Anlage in Bangkok, die Hotel, Restaurants, Einkaufszentrum und Großkaufhaus kombinierte", fuhr Yang fort, während sie langsam an den Vitrinen vorbeigingen. „Deshalb habe ich mich damals hier niedergelassen. Während des Vietnamkrieges lief das Geschäft besonders gut. Alleine in der Region um das Indra gab es an die zwanzig Juwelierläden. Vor allem Touristen und GI's kamen als Kunden rein. Damals wurde mehr gekauft, aber auch weniger Geld dabei ausgegeben. Heutzutage sind die Läden über die ganze Stadt verstreut, und die Kundschaft ist ein Gemisch aus Urlaubs- und Geschäftsreisenden. Sie kaufen weniger, aber dafür teurer ein."

„Und ich dachte, die chinesischen Geschäftsleute sitzen seit jeher geballt in Chinatown." Rojana blieb stehen und betrachtete eine Goldhalskette mit blauen, roten und grünen Steinen.

„Die Juwelierläden in Sampeng werden vor allem von der Landbevölkerung besucht. Vor allem, wenn sie Geschenke für Hochzeiten einkaufen. Die kennen es nicht anders. Aber mittlerweile ist ganz Bangkok fest in chinesischer Hand. Die Thais sind zwar gut für die Staatsverwaltung. *Sabei, sabei.* Die Chinesen aber taugen für Handel und Geschäft."

Und Latino-Thais sind die geborenen Sensationsreporter, ergänzte Rojana insgeheim und sagte: „In jedem Klischee steckt ein Kern Wahrheit, Khun James."

„Natürlich wird alles moderner und auch internationaler." Yang führte Rojana ins Hinterzimmer. „Thailand hat das Potential, der größte Schmuckexporteur der Welt zu werden. Hätte uns diese ganze Wirtschaftsmisere nicht zurückgeworfen..." Er seufzte. „Die Branche verzeichnete schon damals Zuwachsraten von zwanzig Prozent. Wir haben nicht nur billige, sondern auch kunsthandwerklich hochqualifizierte Fachkräfte in Design und Verarbeitung zu bieten."

Rojana sank in einen Sessel und sah zu, wie sich der Juwelier an seinen Schreibtisch setzte. Das Zimmer war spartanisch eingerichtet. Nur der Gebetsaltar und das goldgerahmte Porträt des Königs hatten etwas Dekoratives.

James Yang nahm die Brille ab und putzte sie andächtig mit seiner Krawatte. „Es ist keine zehn Jahre her, da träumten wir alle von einem Gemopolis östlich von Bangkok. Die Metropole der Edelsteine. Wir träumen immer noch davon, denn Rückschläge müssen überwunden werden. Ausländische Investoren werden mit einer extrem günstigen Steuerpolitik umworben. Unser Land exportiert pro Jahr knapp siebzehntausend Kilogramm Gold über die *Authorized Gold Dealers* und zwei weitere lizensierte Importeure. Die Steine, die von weltweit anerkannten Profis geschliffen, poliert und gefasst werden, stammen aus diversen Quellen."

Ein Angestellter brachte zwei Gläser mit Eistee.

Während Yang leise weitersprach, schlich sich ein Glanz in seine Augen, der seine Begeisterung unterstrich. „Blutrote Rubine aus heimatlichen Vorkommen an der Ostküste in Chantaburi und Trad. Eisblaue Saphire aus Kanchanaburi." Er setzte die Brille wieder auf. „Aber auch importierte Saphire aus Australien, Burma, Kambodscha und Sri Lanka, Diamanten aus Südafrika und Smaragde aus Kolumbien, Sambia, Brasilien und Pakistan."

„Aber die Nutten in Ihren Filmen tragen billigen Modeschmuck."

Yang kostete den kalten Tee. „Wissen Sie, Tony, ich hätte mit meinen Gewinnen auch lieber Hollywoodfilme produziert. Großzügig ausgestattete Werke mit gehobenem Anspruch. Aber die Zeiten sind nicht so. Selbst die Japaner sollen sich dabei schwer tun, wie man hört. So bieten wir den Kunden eben solide Alltagsware, die sie offenbar schätzen."

„Titten, Ärsche, Schwänze und Eier."

„Wenn Sie es darauf reduzieren wollen."

„Würde ich gerne, aber leider geht es bei diesem Geschäft auch um Kinder."

„Genau dieses Missverständnis wollte ich mit Ihnen besprechen."

„Wird auch Zeit."

„Sie sollten nicht haltlos provozieren. Das bringt Sie nicht weiter."

„Ich? Provozieren?"

„Aber Tony. Wir beide wissen doch: Einen Backstein hinwerfen, um einen Jadestein zu erlangen!"

„Jade?"

„Altes chinesisches Strategem."

„Ich denke, Sie sind inzwischen Thai?"

„Auch als Wurm-Fisch-Strategem oder als Gib-nimm-Strategem bekannt. Jemandem etwas Minderwertiges hinwerfen, um ihm etwas Wertvolles zu entlocken."

Rojana nahm eine etwas bequemere Haltung im Sessel ein.

„Khun Tony, ich bekenne mich als Produzent zu jeder Art perverser Praktiken mit Erwachsenen, die man verfilmen kann. Aber ich bitte Sie, mir zu glauben, dass ich nichts, aber auch gar nichts mit dem Missbrauch von Kindern und Jugendlichen zu tun habe. Sollten sie wider Erwarten der Religion Ihres karibischen Vaters angehören, schwöre ich sogar auf Jesus Christus."

Rojana schwieg sich aus.

„Wir versorgen einen eingefahrenen und ausgesprochen konservativen Markt mit Anregungsmitteln. Ich glaube sogar, mit einer Medizin, die unseren Globus weniger kostet als zerriebene Rhinozeros-Hörner oder Viagra. Der arme Roger Wayday, den Sie wohl in Verdacht haben, besonders tief im Sumpf des Kindesmissbrauchs zu stecken, tut nichts anderes, als willige blonde Touristinnen aus dem Westen anzuwerben, die gutes Geld verdienen wollen. Sie glauben nicht, Tony, wie viele dieser Frauen bereit sind, es mit einem drahtigen Muay-Thai-Boxer oder einem kräftigen Inder zu treiben, wenn die Kasse stimmt."

„Als Nächstes erzählen Sie mir noch, ihre Videos seien jugendfrei."

„Jugendfrei nicht, Tony. Aber von Erwachsenen für Erwachsene. Ich bin selbst Vater von vier Kindern. Sie sind bei mir und meinen Leuten mit Ihrem Kinderschutzprogramm an der falschen Adresse."

Rojana fühlte sich plötzlich müde. Es musste das gute Essen sein.

„Aber ich möchte Ihnen trotzdem, auch im Hinblick auf den störungsfreien Verlauf unserer recht harmlosen Aktivitäten, einen Deal vorschlagen, Tony." James Yang fuhr sich mit seinem sorgsam kultivierten Fingernagel durchs Haar. „Sie lassen uns und unsere Geschäfte in Ruhe. Dafür gebe ich Ihnen Informationen über die Herrschaften, nach denen Sie suchen."

Rojana stimulierte sich mit einigen Schlucken Tee. Das Getränk war noch eiskalt. Er spürte ein leichtes Stechen in den Schläfen.

„Übrigens könnte ich auch einem Ihrer besten Freunde eine große Hilfe sein."

„Und wer soll das sein?"

„Wie ich höre, begibt sich ein gewisser Surasak Meier – auch unter seinem Spitznamen Farang bekannt – bald auf eine schwierige Reise ins Land seines Vaters."

„Davon weiß ich gar nichts." Es rutschte Rojana raus, bevor er darüber nachdenken konnte.

„Nun", fuhr Yang genüsslich fort, „in gewissen Kreisen zirkulieren wichtige Informationen besonders schnell."

Rojana revanchierte sich mit einem breiten Grinsen. „Kann ich bei Ihnen die Aufnahme in diesen Klub beantragen?"

Yang beließ es bei der Andeutung eines Lächelns und betrachtete interessiert die Wand über Rojanas Kopf. „Richten Sie Ihrem Freund Farang bitte etwas von mir aus, Tony."

„Lassen Sie hören."

„Im Osten lärmen, im Westen angreifen!"

Rojana zog es vor, weitere Erklärungen abzuwarten.

„Auch als Scheinangriffs-Strategem bekannt. Geht auf den Beamten und Historiker Du You zurück."

„Schlage dort zu, wo der Feind es nicht vermutet", fasste Rojana seine Erkenntnis zusammen.

„So ist es, Tony."

10

Als Farang bei Wat Arun an Land ging, sah er kurz auf die Armbanduhr.

Das Express-Boot, das er normalerweise nahm, dümpelte nahe der Memorial Bridge mit Motorschaden am Ufer, und so hatte er ein Speedboat anheuern müssen, um die Verspätung in Grenzen zu halten. Das helle Dröhnen des Zwölfzylinders klang ihm noch im Ohr, als er den Tempel der Morgendämmerung passierte. Wie gewohnt wanderte sein Blick über die glitzernden Porzellanscherben, die das Gemäuer zierten, während die Ruhe langsam auch auf ihn übergriff.

Der Fahrer, ein Hauptmann im Ruhestand, wartete bereits neben der Limousine des Generals. Der Jaguar glänzte wie frisch poliert. Farang brachte die letzten Meter im Laufschritt hinter sich und zog dabei die Anzugjacke über und den Krawattenknoten fest. Der Fahrer nickte zufrieden und riss die Tür zum Fond auf.

Die Fahrt war kurz. Man hätte die Entfernung auch zu Fuß zurücklegen können, aber General Watana bestand auf seinen Ritualen. Als sie eintrafen, stand er vor dem Freiluftkäfig im Garten seines Anwesens und musterte seinen Lieblingspapagei.

„Ich liebe dich“, krächzte der Vogel.

Der General lächelte milde.

Der Papagei legte den Kopf zur Seite. Da kein Beifall kam, tänzelte er über die Käfigstange näher zum Gitter, schimpfte „Schlafmütze“ und wetzte seinen Schnabel.

Watana gab sich amüsiert.

Auch Farang musste schmunzeln. Der alte Mann hatte dem Federvieh Lao beibringen wollen. Leider hatte der Vogel keinerlei Fortschritte gemacht. Und so hatte der General die Ausbildung an Farang abgegeben, um es mit Deutsch zu versuchen.

Vom nahen Fluss klang beruhigend das Tuckern der Schlepper herüber, die ihre Lastkähne vorbeizogen. Nur gelegentlich gellte der frisierte Motor eines Schnellbootes durch die Vormittagsstille von Thonburi. Durch den Blätterwald der Tropenpflanzen gedämpft, fiel Sonnenlicht in den Garten. Und während über dem Karpfenteich mit den wild wuchernden Lotosblüten eine Wolke Stechmücken hing, verharrten die restlichen vierzehn Papageien stumm und wie in Trance im Geäst des Käfigs. Sogar der langhaarige Affe mit den hellgrauen Augen dämmerte im Halbschlaf hinter seinen Gitterstäben und schien zu überlegen, ob er seine Banane schälen, oder die dafür nötige Energie für kühlere Tageszeiten aufsparen solle.

„Wie geht es dir, mein Sohn?“

Der alte Herr wandte sich seinem Besucher zu und wartete, bis Farang ihn mit der gebotenen Höflichkeit – einem stummen, von einer ehrfürchtigen Verbeugung begleiteten Wai – begrüßt hatte.

„Gut, Pa, ausgezeichnet.“ Farang lächelte. „Und wie geht es Mutter?“ Diese Frage war fester Bestandteil des wöchentlichen Besuchsrituals. *Mutter* war die letzte Frau des Alten gewesen. Jeder wusste, dass sie schon lange tot war. Aber niemand wagte es, dem General, der seine verstorbene Hauptfrau nach wie vor für anwesend erklärt hatte, zu widersprechen.

„Sie lässt sich entschuldigen. Es geht ihr heute nicht so gut", richtete Watana besorgt aus.

„Grüße sie bitte von mir, und wünsche ihr gute Besserung."

„Danke, mein Sohn. Du weißt, sie schätzt dich, und freut sich über jeden Besuch, den du mir abstattest. Komm..."

Sie gingen auf die Veranda und nahmen Platz.

Farang schaute dem Fahrer zu, der inzwischen Gärtnerarbeit verrichtete. Der Hauptmann a.D., die Vögel, der Affe, die Karpfen im und die Mücken über dem Teich waren die einzigen Lebewesen, die den alten Mann täglich umgaben – die Geckos im Haus nicht zu vergessen. Und über allem schwebte die Witwe. Die Hartnäckigkeit, mit der Pa sie in Ehren hielt, ließ die Nebenfrauen vergessen, mit denen sie sich zu Lebzeiten hatte abfinden müssen. Sie hatte Stil bewiesen, und der Alte dankte es ihr auf diese Weise.

Farangs Mutter war leider nur eine der Nebenfrauen gewesen, und bedauerlicherweise war der General auch nicht sein Vater, auch wenn der Alte immer für seine Nebenfrau und selbst für deren Sohn gesorgt hatte. Was man von Herrn Meier nicht gerade sagen konnte. Sein leiblicher Vater hatte Mutter nie geheiratet. Trotzdem hatte Farang auch als Unehelicher, stets trotzig auf dem deutschen Familiennamen bestanden, obwohl er offiziell für eine ganze Weile mit Otrakul, dem Nachnamen seiner Mutter, vorlieb nehmen musste. Jahre später hatte er wütend seinen Pass verbrannt und für die Neuausstellung des Dokuments eine kleine kosmetische Korrektur ins Auge gefasst, die ihm eine Menge Bestechungsgeld wert gewesen war. Pa vertrat jedoch die Meinung, es müsse nicht immer Geld sein. Beziehungen und Einfluss taten es auch. Und von beidem hatte ein General in Thailand eine Menge. „Also dann: Surasak Meier", hatte der alte Mann geseufzt, „wenn es denn sein muss und dich glücklich macht". Auf den neuen Pass hatte Pa jedoch nur noch einen sehr flüchtigen Blick geworfen. Wohl aus schlechtem Gewissen, denn schließlich hätte er den Sohn seiner Nebenfrau auch einfach adoptieren können. Doch dazu hatte er sich dann doch nicht durchringen können. Es war ihm nicht vorzuwerfen. Der Alte war jetzt nur noch Witwer, und sein Familienleben war endlich überschaubar. Mit der Erinnerung an seine verstorbene Gattin konnte er in Ruhe und Harmonie leben, und fleischliche Begierde schien er nicht mehr zu verspüren. Es würde für General Watana keine Kinder mehr geben – weder gezeugte noch angenommene. Pa lebte mit einem Geist. Das reichte.

Es stank nach Vogelmist.

Der Hauptmann düngte die Orchideen, und Pa hatte die Augen geschlossen, schlief aber nicht.

„Du hast am Telefon ein Problem erwähnt", sagte Farang.

Pa öffnete die Augen. „Ja, tatsächlich, fast hätte ich es vergessen. Es geht um einen Mönch."

„Ein Mönch?"

Farang machte keinen Hehl aus seinem Zweifel.

General Watana nickte. „Ja. Ein Ausländer. Einer von diesen Drogenabhängigen. Er hat im Nordosten eine Entziehungskur gemacht. Diese Mönche haben ihn gerettet, und er ist aus Dankbarkeit im Kloster geblieben. Jetzt will er sich dem Orden erkenntlich zeigen und eine größere Summe Geld spenden."

„Eine *größere* Summe?"

„Es geht um etwa eine Million US-Dollar."

Das förderte Farangs Konzentrationsfähigkeit.

„Ich hatte ein Gespräch mit dem Obersten Patriarchen. Er bat mich zu sich. Eine große Ehre, wie du dir denken kannst."

Farang schwieg. Der General beim Thai-Papst. Das war bemerkenswert.

„Der Abt des Klosters will das Geld, aber nichts mit der Angelegenheit an sich zu tun haben. Die Spende scheint nicht ganz...", Watana räusperte sich, „...sauber zu sein. Deshalb hat er sich an die Oberste Heiligkeit gewandt und um Rat gefragt."

„Und, was hat sein Chef empfohlen?" Ohne Zweifel war eine pragmatische Lösung gefunden worden.

„Der Patriarch sagt, die guten Werke, die mit einer solch beträchtlichen Summe finanziert werden können, sind das höhere Gut. Böse Taten, mit denen das Geld möglicherweise erwirtschaftet wurde, dürfen dem Guten nicht erneut im Wege stehen."

Farang nickte. Genau *so* hatte er sich das vorgestellt. Sein Respekt für Religion und Philosophie hatte sich schon immer in Grenzen gehalten. „Und welches Problem führte zu deiner Audienz, Pa?"

„Der Mönch ist Deutscher. Er hat deinen Namen ins Spiel gebracht, hat es wohl sogar zur Bedingung gemacht, dich anzuwerben. Und es hat sich, wie du weißt, auch in höheren Kreisen herumgesprochen, dass...", der General räusperte sich wieder dezent, „...uns ein enges Vertrauensverhältnis verbindet, das aus manch erfolgreicher Arbeit resultiert, die du für mich erledigt hast."

Daran gab es keinen Zweifel. Von einer untreuen Nebenfrau, die Farang – selbst noch ein Teenager – für ihn umgebracht hatte, über die finanzielle Starthilfe, die der Alte ihm gewährt hatte und die lukrativen Einsätze, die er ihm heute noch gelegentlich zuschusterte, bis zur schützenden Hand, die Pa bei Bedarf über ihn hielt. Sie hatten sich nie im Stich gelassen – und jetzt kam sogar seine Heiligkeit und brauchte einen Ausputzer.

„Ich wurde gebeten, dich um Hilfe zu bitten", fuhr Pa bedächtig fort.

Natürlich konnte sich seine Heiligkeit nicht direkt an einen wie Farang wenden. Da musste schon der Mentor als Dolmetscher einspringen. „Wobei?"

„Es scheint nicht ganz einfach zu sein, an das Geld zu kommen."

„Wo liegt das Problem?"

„Das solltest du am Besten mit dem Spender besprechen. Vorausgesetzt, du stehst zur Verfügung."

„Zweifelst du daran?"

Pa lächelte. „Ich dachte mir, dass du zustimmst, und habe ihn schon zu einem Treffpunkt bestellt. Er wartet auf dich.

„Wo?

„Wat Arun."

Im Tempel. Wo auch sonst? Ein angemessener Ort für ein Treffen mit einem Kahlkopf.

„Er sagte, er wartet ganz oben auf dich. Damit ihr möglichst ungestört bleibt."

Farang seufzte. Auch das noch. Die ganzen Stufen. Und das bei der Hitze.

11

Romy Asbach stieg vor dem „Sukhothai“ aus dem Opel, ignorierte die Berliner Winterkälte und freute sich auf das Essen.

Diese Vorfreude konnte auch der Anblick des schwarzen Jeep Cherokee nicht dämpfen, der am gegenüberliegenden Randstein parkte. Sie versuchte, den Wagen auszublenden. Das Szenario war ihr nur zu gut bekannt. Edgar Wong saß hinter dem Steuer und rauchte Kette, während Henry Sung gelangweilt auf dem Beifahrersitz hockte und stumm und verbissen an seinen Fingern zog und bog, bis die Gelenke knackten. Entweder versuchten die beiden Chinesen nach wie vor den unbeugsamen Gastronom kirre zu machen, oder sie hatten ihn schon so weit und boten ein bisschen Show, absolvierten eine Pseudo-Wachschicht, damit der neue Kunde sich angemessen „beschützt“ fühlte. Sollten sie nur. Es war nicht mehr ihre Zuständigkeit.

„Vorläufig“, sagte sie leise zu sich selbst, um sich Mut zu machen. „Nur vorläufig!“

Sie ging auf das Restaurant zu. Es schneite nicht mehr, und das einzeln stehende Gebäude lag wie ein in Zuckerwatte gepacktes Schwarzwaldhaus zwischen den schwer beladenen Nadelbäumen. Auch das exotische Reklameschild über dem Eingang konnte den urdeutschen Gasthauscharakter nicht mildern. Von außen repräsentierte das „Sukhothai“ noch ganz seinen Wirt und die ehemals „Märkischen Stuben“. Die neue Inneneinrichtung trug hingegen die Handschrift seiner Frau Ay-Mai. Wann immer Romy Asbach das Restaurant betrat, fühlte sie sich sofort zu Hause – wie damals, in Bangkok.

Kaum war sie im Lokal, hatte Theo Runke sie auch schon im Visier und setzte seine Einssiebzig, unterstützt von hundertzehn Kilogramm, in Bewegung, um den ungebetenen Gast rechtzeitig abzufangen. Romy Asbach hatte mit nichts anderem gerechnet. Sie blieb stehen und lächelte dem Dicken mit dem Babygesicht und der Vollglatze mütterlich entgegen. Auf diese Weise konnte sie ihn richtig auf die Palme bringen. Es war immer das gleiche Ritual. Er bemühte sich redlich, ihr den Pitbull zu machen, aber seine Gesichtszüge gaben es nicht her. Er war nur ein freundlicher Rottweiler mit Gewichtsproblemen.

„Ay-Mai ist nicht da“, zischte er.

„Ich bin nur zum Abendessen hier.“

„Ich habe Ihnen doch gesagt, wir wollen Sie hier nicht mehr sehen.“

„Wir?“ Romy Asbach gab sich amüsiert. „Hat deine liebe Frau dir inzwischen eine Alleinvertretungsvollmacht ausgestellt?“ Um ihn zu quälen, erhöhte sie die Lautstärke ein wenig. „Und seit wann siezen wir uns eigentlich, Theo? Ist ja ganz neu.“ Sie schüttelte den Kopf und ging auf einen freien Ecktisch zu.

Runke räusperte sich nervös, warf einen besorgten Blick zu den wenigen deutschen Gästen, die schon so früh am Abend den Weg in sein Lokal gefunden hatten, folgte ihr zum Tisch und zog ihr wie im Reflex den Stuhl zurück.

„Danke.“ Bevor sie Platz nahm, zog sie die Seemannsjacke aus. Er half ihr, brachte die Jacke zum Kleiderständer und kam zum Tisch zurück. Sie sah ihm in die Augen. „Wieder Ärger mit Wong und seiner Truppe?“

Runke bemühte sich um eine verständnislose Miene. „Karte?“

Sie ließ ihn in Ruhe und seufzte. „Wäre zur Abwechslung nicht schlecht. Sonst esse ich schon wieder dasselbe.“

Er ging zur Anrichte, holte eine Speisekarte und überreichte sie, als sei Frau Asbach eine seiner liebsten Gäste. „Singha?“

„Du weißt doch, dass ich im Dienst nicht...“ Sie brach ab, lachte leise und nickte. „Warum nicht?“

Für einen Augenblick drückte Theo Runkes Blick Mitgefühl aus. „Ich könnte mich auch nicht so leicht an ein Berufsverbot gewöhnen.“

„So weit ist es noch nicht.“ Sie widmete sich der Karte. „Noch heißt es *einstweilig*.“

Runke nickte nachdenklich, bedeutete der in dezentem Abstand wartenden Bedienung, sich um die Bestellung zu kümmern, und verschwand in der Küche.

Als die junge Thai das Bier brachte, hatte Romy Asbach sich für ein rustikal-scharfes Gericht aus dem siamesischen Nordosten entschieden und gab es unter Einsatz der wenigen Brocken Thai, die sie noch beherrschte, in Auftrag. Das Mädchen wusste die Anstrengung zu schätzen und lächelte besonders herzlich, bevor es sich zurückzog. Für einen Moment sah Romy ihre Freundin vor sich. Genau so hatte auch Ay-Mai sie angelächelt – offen und mit Hingabe. Ihr Blick fiel auf die große Wassermelone, die auf der Anrichte bereitstand. Fleißige Hände hatten ein filigranes Muster in die grüne Schale geschnitzt, durch das rotes Fruchtfleisch schimmerte. Die blau-weiße Glasur des chinesischen Porzellantellers, auf dem das Kunstwerk ruhte, rundete das Arrangement mit kühler Eleganz ab. Um den Tellerrand waren Stückchen aus Papaya und Kürbis angeordnet, die ebenfalls liebevoll verziert waren. Der Anblick erfüllte sie mit Sehnsucht nach glücklicheren Tagen in einer fremden Welt. Nie war sie so erfolgreich mit ihrer Arbeit gewesen wie dort, nie verliebter, nie zufriedener. Vielleicht war alles auch nur einfacher gewesen. Aber wenn, dann ganz im Sinne der Thais, für die Zufriedenheit ein hohes Gut war, ganz im Gegenteil zu diesem vermessenen und sehr teutonischen Anspruch immer gleich *glücklich* sein zu wollen. Die Deutschen griffen gerne stur nach den kalten Sternen, während die Siamesen fröhlich im warmen Wasser plantschten. Nie war es in Bangkok, in Krung Thep, der Stadt der Engel, auch nur einen einzigen Tag so bitter und kalt gewesen wie hier, in der neuen Hauptstadt Berlin, der Reinkarnation Preußens.

Das Essen aus dem Issan, der ländlichsten und ärmsten Gegend Thailands, wärmte Romy – und wenn es brannte, löschte sie mit Singha-Bier. Sie hatte bereits gezahlt und war im Aufbruch begriffen, als Karl-Montri an ihren Tisch kam. Karl, wie ihn seine Eltern in weiser Selbstbeschränkung hier zu Lande riefen, war der achtjährige Sohn von Ay-Mai und Theo Runke.

„Hallo, Romy." Der Junge lächelte und gab ihr einen Kuss.

„Montri-Schatz." Sie hatte schon in Bangkok mit ihm gespielt, als er noch ein Baby gewesen war. Sie musterte den Bengel mit Wehmut. Sie mochte ihn. Aber er war auch lebendes Zeugnis einer Entscheidung gegen sie. „Schule okay?"

„Die Schule ist große Scheiße", antwortete der kleine Eurasier trocken und grinste.

Ja, er grinste. Das war kein authentisches Thailächeln mehr, und seine Ausdrucksweise zeigte, was aus einem siamesischen Knaben aus gutem Elternhaus wurde, wenn er im freien Westen aufwuchs. Der Kuss gab noch Hoffnung, auch wenn er ihn ihr in Thailand nicht gegeben hätte, schon gar nicht in der Öffentlichkeit.

Go east young man, dachte sie, *go east!*

„Mama ist in der Volkshochschule."

„Was lernt sie denn?"

Der Junge lachte. „Sie doch nicht. Sie gibt Unterricht – in Thai."

„Gut." Sie war froh, dass Ay-Mai einen neuen Job gefunden hatte. Es linderte ihre Schuldgefühle, denn sie selbst hatte die Freundin unfreiwillig arbeitslos gemacht. Einer eigenen Tätigkeit nachzugehen war wichtig, um nicht als Frau Restaurantbesitzer und Teil der Lokal-Folklore zu verkümmern.

„Soll ich sie von dir grüßen?"

„Sicher... tu das."

Der Junge bemerkte den ungehaltenen Blick seines Vaters und trollte sich.

Romy Asbach schlüpfte in ihre Jacke, nickte Theo Runke knapp zu, und verließ das Lokal. Der Jeep stand noch am selben Fleck. Die vier Flaschen Singha taten ihre Wirkung. Entschlossen ging sie auf die Fahrertür zu und klopfte an die Scheibe.

Nach einer demonstrativ langen Weile glitt die Scheibe nach unten, und Edgar Wong zeigte seine nikotinverfärbten Schneidezähne.

„Der gewohnt deprimierende Anblick", begrüßte sie den Chinesen. „Du solltest in einem Werbespot für Kloschüsseln auftreten, Edgar."

„Warum lässte dir überhaupt auf die Schlampe ein?" meldete sich Henry Sung aus dem Dunkel.

Die Mischung aus Kiez-Berlinesisch und Alltagsdeutsch war Asbach vertraut. Erstaunlicherweise hatte Henry sein *r* gut im Griff.

„Habe ich mit der Dame geredet?" fragte Edgar Wong seinen Partner.

„Aber det Fenster aufgemacht."

„Gehört sich auch so", ging sie dazwischen. „Wollte euch auch nur in Erinnerung bringen, die Dame des Hauses in Ruhe zu lassen."

„Wir sind hier, um sie zu beschützen!“ Wong zog an seiner Kippe.

„Hassen Haftbefehl?“ höhnte Henry.

Sie ignorierte Sung. „Du solltest den Zwerg neben dir mal daran erinnern, dass es auch in diesen Breiten so was wie informelle Kanäle und Lösungen gibt, Edgar. Wenn ich jemandem die Eier abschneiden will, dann brauch ich dafür keinen Richter.“

Edgar blies Rauch aus und schnaubte dabei nachdrücklich. „Wer hat Ihnen denn so schmutzige Ausdrücke beigebracht, Lady Asbach? Wir waren bislang der Meinung, Sie hätten sich in Bangkok ein bisschen Kultur angeeignet.“

„Bei de Sitte“, brachte sich Henry erneut ein.

„Ich war nie bei der Sitte, Kleiner. Ich habe mich die meiste Zeit mit Leichen beschäftigt.“

„Ist das eine Drohung?“ Wong betrachtete den überlangen Nagel am kleinen Finger seiner linken Hand, als sei er das Zentrum des Universums.

„Die Ankündigung eines empfindlichen Übels“, zitierte sie das Strafgesetzbuch.

Das überforderte Wong. Er gab seine stoische Haltung auf und wurde giftig. „Frier dir den Arsch ab, Lady!“ verabschiedete er sich und betätigte den Fensterheber.

Noch bevor die Scheibe ganz schloss, zeigte Romy Asbach den Chinesen den Finger. Dann stapfte sie zu ihrem Opel. Jeder weitere Schritt in der frostkalten Nacht machte sie etwas nüchterner.

Hatte sie sich da eben zum Affen gemacht?

Sie lachte laut.

Nein! Sie hatte sich nur Luft verschafft. Manchmal war Bier eben doch die bessere Medizin als Dr. Edward Bachs Rettungstropfen.

12

Die Spitze des Mittelturms ragte rund hundert Meter über dem Flussufer in den blassblauen Himmel, und Millionen von Scherben aus Porzellan, Keramik und Glas, die ihn verzierten, glitzerten in der Sonne.

Farang blieb am Fuß einer der vier Treppen stehen, über deren Stufen man den Turm besteigen konnte, der für den Berg Meru stand, das irdische Abbild der dreiunddreißig Himmel. Der höchste Himmel wurde von einem Ring von Dämonen bewacht. Irgendwo da oben, auf einer der schmalen Terrassen, wartete der Mann, mit dem er verabredet war. Für einen Moment genoss er die andächtige Stille im Wat Arun. Der Tempel der Morgendämmerung trotzte der Hektik der Außenwelt. Vier kleine Türme, in deren Nischen Reiterfiguren des Phra Pai standen, begrenzten die Anlage. Der Windgott persönlich sorgte für Ruhe. Und so wehte mit der Brise vom Fluss nur ein Hauch von Verkehrslärm auf das Gelände. Den Innenhof bewachten mächtige Yaksa-Dämonen. Als Kind hatte er oft genug das Lied über den Kampf zwischen den Dämonen des Wat Arun und des Wat Po gesungen. Er warf einen letzten Blick in den Pavillon am Fuß der Treppe, in dem ein Abbild Buddhas von Naga, der siebenköpfigen Schlange, bewacht wurde. Dann begann er den Aufstieg.

Es waren nur wenige Touristen auf den steilen Stufen unterwegs – und noch weniger Gläubige. Die Scherbenhaut mit ihrem Blumenmuster bestand zum Großteil aus wertvollem chinesischen Porzellan, und Farang stellte sich vor, wie zu Zeiten des damaligen Herrschers gehorsame Untertanen auf Anordnung des Königs ihr zerbrochenes Geschirr ablieferten, weil den Bauherren das Dekorationsmaterial ausgegangen war. Ohne Zweifel hatten einige besonders Gläubige ihre Schätze absichtlich zerdeppert, um sich Meriten zu erwerben. Ein paar Australier kraxelten die Stufen hinunter. Sie hielten sich am Geländer fest und scheuten den Blick in die Tiefe, um ihre Schwindelgefühle zu bekämpfen. Der Abstieg war die Strafe für einen herrlichen Ausblick. Farang nickte ihnen zu und strebte weiter nach oben.

Der Mann in der safrangelben Robe hatte zum Schutz gegen die Sonne einen schwarzen Regenschirm aufgespannt. Er wartete am oberen Treppenende und betrachtete die Rüssel des dreiköpfigen Elefanten, der den Gott Indra trug. Als er das Keuchen vernahm, drehte er sich um.

Farang kam sich vor wie ein Höfling, der auf dem Bauch die

letzten Meter zum Thron kroch. Die Treppe war kurz vor dem Ziel extrem steil, und der Mann mit dem Schirm stand direkt über ihm. Es gab keine Hoffnung auf eine helfende Hand. Man durfte den Mönch nicht berühren.

„Guten Tag, und Danke für's Kommen."

War da ein leichter Berliner Akzent zu hören? Es war eine Weile her, seit Farang mit jemandem Deutsch gesprochen hatte. „Guten Tag", erwiderte er höflich, als er endlich auf der Aussichtsterrasse stand, tief durchatmete und sich gegen die Brüstung lehnte. Die Luft hier oben war frei vom Modergeruch des Flusses. „Ein ausgefallener Treffpunkt, den Sie sich ausgesucht haben."

Der Mönch lachte und sagte: „Hier oben hat man einen guten Überblick und sieht die Dinge rechtzeitig auf sich zukommen."

Farang schenkte der grandiosen Aussicht über die Stadt keine Beachtung.

Weder die trägen Windungen des Chao Phraya, noch die orangen Flecken aus glasierten Dachziegeln, die nicht wenige Tempeloasen im Betonchaos beiderseits des Flusses markierten, fanden seine Aufmerksamkeit. Nur den Höhenwind, der etwas Kühlung brachte, registrierte er mit Dankbarkeit. Der Mönch hielt seinen Schirm offenbar mit Bedacht schräg, und so spendete er auch ihm etwas Schatten.

„Ich bin Thomas Kramer", stellte sich der Mann vor. „Und ich freue mich, dich zu sehen. Es liegt mir sehr viel daran, gerade dich für unser Vorhaben zu gewinnen." Schlechte Zähne nahmen dem Lächeln den Glanz.

Der heilige Thomas bekämpfte seinen schlechten Atem mit Pfefferminz. Farang fragte sich, ob das Du, das dem Mann so selbstverständlich über die Lippen ging, etwas mit der neuen Rolle als Mönch zu tun hatte, oder nur an saloppe Umgangsformen zwischen Kennern des Milieus anknüpfte. Er hatte den Deutschen inzwischen erkannt. Es war immer wieder erstaunlich, welch großen Unterschied Kopfbehaarung und Augenbrauen machten. Ohne sie veränderte sich das Aussehen eines Menschen beträchtlich. Der Stoppelschatten über der Kopfhaut war von einem bläulichen Schwarz, wie bei einem Thai. Auch die Augen waren dunkel – aber rund. Gesicht und Körper waren abgehärmt. Als der mittelgroße Mann noch muskulöser und sehniger gewesen war, hatte er mit oder für Gustav Torn gearbeitet. Farang erinnerte sich genau. Er hatte beide oft zusammen gesehen. Es musste schon einige Jahre her sein. Torn, den deutsche Boulevardblätter zeitweise mit dem Titel „Pate von Pattaya" geadelt hatten, war schon seit mehr als einem Jahr verschwunden, zumindest aus Thailand. In Wahrheit war Torn nur eine mittlere Größe gewesen. Ein gelernter Zuhälter, der sich mit ein paar brutal ausgeführten Auftragsmorden genug Respekt an der Ostküste verschafft hatte, um in aller Ruhe Frauen und Kinder auszubeuten. Von einheimischen Strohmännern gedeckt, war er als Besitzer einiger Zweisternehotels, Großrestaurants und Nachtbars zu beträchtlichem Reichtum gekommen. Alle Geschäfte waren auf die Bedürfnisse seiner deutschen Landsleute abgestimmt. Tagsüber Sonnenbad und Massage am Pool. Abends Eisbein, Sauerkraut und Bier. Nachts Mädchen entjungfern und Bengels knallen. Soweit Farang sich erinnern konnte, war Torn nie etwas nachzuweisen gewesen, auch wenn alle Welt über seine Machenschaften Bescheid wusste. Verdacht auf Menschen- und Rauschgifthandel. Der Polizei war es jedenfalls nicht gelungen, den unerbetenen Gastarbeiter aus dem Verkehr zu ziehen. Es war die straff organisierte und skrupellose Sino-Thai-Konkurrenz, die ihm schließlich die rote Karte gezeigt hatte. Abreise oder das Leben. Das Ultimatum war nicht ohne Wirkung geblieben.

„Ich erinnere mich an Sie, Thomas. Ich wusste zwar nicht, wie Sie heißen, aber ich hatte gelegentlich in Pattaya zu tun."

„Glücklicherweise sind wir uns damals nie ins Gehege gekommen..." Thomas Kramer strich sich mit der freien Hand über den Schädel. „Und wie du siehst, hat sich seitdem einiges geändert."

„Wie haben Sie zu Gustav Torn gestanden?"

Kramer schien die Frage befürchtet zu haben. Er lachte bitter. „Ich war sein Partner. Auch wenn er mich wie einen Angestellten behandelt hat. Er war der Macher. Ich war der Buchhalter. Er scheffelte das Geld, und ich hielt es zusammen. Gustav war nie besonders gut, was Zahlen anging."

„Also Finanzchef." Farang glaubte, etwas gehört zu haben. Er sah flüchtig die Stufen hinunter, entdeckte aber nichts. „Dann waren Sie doch in einer starken Position."

„Deshalb wurde ich ihm auch unheimlich. Er machte mich systematisch abhängig – mit Drogen – bis er mich endlich loswurde und die Geschäfte aufteilte. Er übertrug sie auf drei andere Personen, die er gegeneinander ausspielen konnte."

„Noch bevor seiner Karriere in Pattaya ein Ende gemacht wurde?"

Kramer nickte. „Ich hing danach einige Monate in Bangkok rum. Das Zeug brachte mich beinah um. Dann hörte ich von diesem Tempel im Nordosten. Alle warnten mich. Die Kur sei brutal. Ich solle mir das nicht zumuten. Aber ich habe es trotzdem getan. Und – ich habe es überlebt, wie du siehst." Stolz klang durch.

Farang konnte nicht umhin, zu lächeln. „Und jetzt ist Buße und Reue angesagt?"

„Ich habe mein Leben geändert. Ich brauche nicht mehr viel. Aber da ist noch Geld, um das ich betrogen wurde. Torn hat es. Es gehört mir. Ich will es für eine gute Sache verwenden."

„Sie möchten also dieses Drecksgeld, das mit Süchtigen und Kinderfickern gemacht wurde, reinwaschen, indem Sie es in den Tempelbetrieb reinvestieren?"

„Ist das so verwerflich?"

Farang hielt sich an die Auslegung des Obersten Patriarchen. „Nein, wohl nicht. Den Opfern hilft es nicht mehr. Aber vielleicht kommt ein Teil des Geldes bei anderen Bedürftigen an, die es verdient haben."

„Das sehe ich auch so."

Rotorendröhnen erfüllte die Luft, kam näher und wurde für einige Minuten unerträglich laut, bevor der Helikopter mit Kurs auf das Hauptquartier der Königlichen Marine weiterflog.

„Wie sind Sie ausgerechnet auf mich gekommen?"

„Du bist Gustav nie in die Quere gekommen. Er kennt dich nicht. Und du bist nun mal zur Hälfte Deutscher, sprichst die Sprache sehr gut, kannst dich da bewegen..."

„Wo?"

„Berlin."

Da steckte Khun Gustav also.

„Außerdem garantiert die Beteiligung von Patriarch und General einen seriösen Ablauf. Es geht um eine Menge Geld."

„Sie meinen, auf diese Weise traue ich mich nicht, mir die Beute selbst zu spenden."

Kramer schenkte sich die Antwort.

„Was dieses Almosen angeht..." Farang lehnte sich mit der Schulter gegen das Gemäuer. „Mal abgesehen von den Schwierigkeiten bei der Beschaffung – welche Bedingungen hat seine Heiligkeit bei dem Deal gestellt?"

„Er ist damit einverstanden, unserem Tempel die Hälfte für den Drogenentzug zukommen zu lassen."

„Wie großzügig. Und der Rest?"

„Ein Tempel in Südthailand kümmert sich um AIDS-Opfer. Die sollen die andere Hälfte bekommen."

„Also nur edle Motive."

Der Mönch schaute über den Fluss zum anderen Ufer, den Blick fest auf die entfernten Konturen des Großen Palastes und des Wat Phra Keo, dem Tempel des Smaragdenen Buddha, gerichtet. „Ich kann deine Zweifel verstehen. Aber ich habe inzwischen gelernt, das Gute für möglich zu halten."

13

Als Farang die Darling Bar betrat, gingen ihm noch die Abschiedsworte von Mönch Kramer durch den Kopf.

„Was ihr sie *tun* heißt, ist hervorragend. Was ihr sie *glauben* heißt, ist dumm", solle König Mongkut über den christlichen Glauben gesagt haben, als er mit der fremden Religion in Berührung kam. Eins stand jedenfalls fest: Thomas Kramer war wild entschlossen, sich Meriten zu erwerben. Und wie es aussah, sollte ein gewisser Surasak Meier dabei gegen Honorar die Dreckarbeit übernehmen. „Gib mir Bedenkzeit", hatte er den Mönch vertröstet. Das war neu. Zögern war nicht seine Art. Um einen Aufschub hatte er noch nie gebeten.

Erst nachdem die Tür mit dem aufgemalten Union Jack und dem festlichen Gesteck aus Mistelzweigen hinter ihm ins Schloss gefallen war, gelang es ihm, Safranroben und Bußaktionen ganz aus seinen Gedanken zu bannen. Satte Basslinien und scharfe Bläsersätze übertönten auch das letzte Tempelglöckchen mühelos.

Earth, Wind & Fire. Auch im Inneren der Bar war Weihnachtsdekoration Trumpf. Auf den ersten Blick tanzte die erste Schicht bereits. Aber es war noch früher Nachmittag. Normalerweise lief um diese Zeit nur leise Musik, während Fußballspiele und Boxkämpfe über die Videoschirme flimmerten. Deshalb war er schließlich hier.

Ted „Hitchcock" Thatcher saß auf seinem Stammhocker neben der Kasse, beobachtete die Girls aufmerksam und winkte ihm zur Begrüßung flüchtig zu. Der Engländer hatte – den enormen Leibesumfang ausgenommen – kaum Ähnlichkeit mit dem Meister des Spannungsfilms. Aber die Thais liebten es, sogar einem Wikinger große Ähnlichkeit mit Alain Delon nachzusagen. Ihre Vergleiche dienten der Aufwertung und waren als Kompliment gedacht. Farang nahm an der Theke Platz, die die Tanzfläche umrahmte. Bei näherem Hinsehen sah er den einen oder anderen unbeholfenen Tanzschritt. Hitchcock testete wieder mal Nachwuchs. Trotzdem brachte er ihm eilig ein Bier und entschuldigte sich: „Sorry, es ist gleich vorbei. Zwei meiner Mädchen sind zur Konkurrenz abgewandert. Ich brauche dringend Ersatz."

Farang wedelte mit einer Hand, um die Duftwolke des Lavendel-Rasierwassers zu verscheuchen und sah zu, wie der Engländer persönlich zum Mischpult watschelte, die Lautstärke runterfuhr und laut in die Hände klatschte. Dann warf Hitchcock das erste Boxvideo in den Rekorder, um den Gast bei Laune zu halten. Die Girls blieben zögernd und erwartungsvoll neben den Chromstangen stehen. Hitch winkte sie zu sich. Zögernd stiegen sie von der Tanzfläche. Alle hatten hübsche Gesichter und waren gut gebaut. Ihre Haut war noch frisch, und die Verlegenheit und das gedämpfte Gekicher echt und unverdorben. Farang widmete sich dem Bildschirm. Er wollte nicht sehen, welche Mädchen bei der Auswahl vor Freude lächelten und welche über ihr Unglück weinten. Zu lachen hatten sie alle nichts. Was die einen für ihr Glück halten mochten, war für die anderen nicht unbedingt Pech, vielleicht sogar eine Gnade.

Im Nachhinein war er froh, dass Nit das Tanzen gerade noch rechtzeitig aufgegeben und sich eine Nudelküche zugelegt hatte. Sie hatte damals sogar ein wenig zugenommen – bevor sie kurz darauf dieser heimtückischen Krankheit zum Opfer gefallen war. Er vermisste sie. Für ihn blieb sie die unbestrittene Nummer Eins.

„Unsere ausländischen Kunden haben Anspruch auf die komplette Show", sagte Hitchcock, nachdem er sein neues Personal ausgewählt hatte, „und sie haben eine gewisse Vorstellung davon, wie Thaifrauen auszusehen haben, die nicht unbedingt den hiesigen Auffassungen entspricht."

„Soll heißen, du suchst Girls aus, die dir eigentlich gar nicht gefallen." Farang trank einen Schluck Bier. „Das glaube ich nicht. Du bist Europäer, Hitch. So weit kann dein Geschmack nicht von dem deiner Landsleute entfernt sein."

Hitchcock schmollte. „Nun hör mal. Ich bin seit – ich weiß nicht wie lange – hier in Bangkok."

Farang sah auf die Uhr. „Wo Tony nur bleibt? Ich will endlich die Aufzeichnung vom Boxkampf sehen. Lange warte ich nicht mehr auf ihn."

„Manchmal habe ich den Eindruck, er ist nur noch hinter diesen Kinderschändern her." Der Engländer schüttelte den Kopf. „Er ist wie besessen von dem Thema."

„Schreib seinem Chefredakteur einen Leserbrief."

„Es soll Familienväter geben, die auch fünf Kids haben, ohne alles so verdammt persönlich zu nehmen, wie Tony."

„Seit er damals diesen perversen Reismühlenbesitzer aus Chonburi im Royal Orchid Hotel hochgenommen hat, ist unser Freund Überzeugungstäter, Hitch. Daran werden auch wir beide nichts ändern."

Als Rojana schließlich eintraf, lief das Video mit dem Weltmeisterschaftskampf im Halbschwergewicht bereits.

„Wir konnten schließlich nicht ewig warten. Der Fight geht über alle zwölf Runden", sagte Farang zur Begrüßung.

„In der wievielten sind wir jetzt?"

„In der sechsten."

Rojana musterte die Weihnachtsdekoration. „Wusstest du, dass Misteln gut gegen hohen Blutdruck sind, Hitch?"

Hitchcock ignorierte die Bemerkung und servierte ihm ein Bier. Inzwischen waren noch einige andere Gäste erschienen, um das Sportprogramm zu sehen. Spätestens mit Runde acht verkam der Kampf zu einem Gewürge aus Klammern, Halten und Schlagen, Kopfstößen und Tiefschlägen. Die Gäste verloren die Lust und gaben dem Alkohol und der Unterhaltung den Vorzug, bis Hitchcock das Video ganz stoppte und die Musik etwas lauter drehte. Wenn die Champs nichts zu bieten hatten, fing die Happy Hour eben früher an als gewöhnlich.

„Irgendwas Neues in Sachen Mädchenmörder?" erkundigte sich Farang bei Rojana. „Wie ich höre, haben sie heute Morgen im Wat Pathum Khonka schon das vierte Opfer gefunden. Der Tempel als Leichendeponie! Scheint seine Masche zu sein."

„Keine neuen Erkenntnisse. Dafür hat sich heute Mittag zufällig ein neuer Kontakt mit der Halbwelt aufgetan."

„Halbwelt?"

„James Yang und die Seinen."

„Das ist Unterwelt, Tony."

„Ich höre, du willst verreisen?"

„Ich verreisen? Wohin?"

„Deutschland."

„Wer erzählt denn sowas?"

„Die Unterwelt."

Farang musterte den Schaum auf seinem Bier.

„Das gibt dir wohl zu denken", stichelte Rojana.

Farang zeigte dem Engländer seine leere Bierflasche. „Noch ein Kloster, Hitch."

„Und für mich noch ein Singha!" Rojana spielte eine Weile mit den neun Buddhaanhängern an seiner goldenen Halskette. „Und – ist was dran?"

„Mir liegt ein Angebot vor, das ich nur schwer ablehnen kann..."

Rojana drückte sein Mitgefühl mit einem Grunzen aus.

Farang schaute den Mädchen der ersten Schicht zu, die sich für den Einsatz fertig machten. Nase pudern. Augenbrauen nachziehen. Lippenstift auftragen. Nummer Sieben hatte einen neuen Tanga. Eine neongelbe Winzigkeit, die von den anderen Go-go-Girls ausgiebig bewundert wurde. Keine der jungen Frauen hatte die Klasse, die Nit gehabt hatte. Mit einem stolzen Lächeln sah er auf seine Armbanduhr.

„Noch früh am Tag", gab Rojana zu bedenken.

Farang ging nicht darauf ein. In letzter Zeit war er häuslich geworden. Er dachte an seinen Stammplatz in Nits kleinem Lokal, das inzwischen von ihrer Schwester geführt wurde. Eine gemütliche Ecke, in der er noch häufig den Abend verbrachte, aß, trank, Zeitung las und seinen Erinnerungen nachhing. Früher einmal hatte er von diesem Stammplatz aus seiner ganz persönlichen Nummer Eins bei ihrer neuen Arbeit zugesehen. Die Gäste hatten die Wirtin geliebt. Nit Apisuk war eine gute Gastgeberin gewesen. Und was ihn besonders zufrieden machte: Die Kunden waren wegen der schmackhaften Nudelsuppe und anderen Schlemmereien gekommen, und nicht, um seinem Mädchen auf Titten und Hintern zu starren. Damals hatte er ernsthaft daran gedacht, sich an der Erweiterung des Lokals zu beteiligen. Er hatte da so seine Ideen – auch jetzt noch. Es war wie ein Vermächtnis.

„Was hältst du davon, wenn ich mich ganz zurückziehe, und ein Delikatessen-Restaurant aufmache?“ fragte er Rojana.

Tony riss erschrocken die Augen auf. „Du? Delikatessen?“

„Ich wollte immer schon ein Lokal mit einer ausgefallenen Spezialität eröffnen. Irgendein exotisches Tier, das Feinschmekker aus aller Welt anzieht. Etwas Besonderes eben.“

„Du meinst, wie diese giftigen Kugelfische. Das kochen die Japaner doch schon.“

„Zu teuer im Einkauf. Es muss was Preiswerteres sein. Ich denke an Ratten.“

Rojana schluckte. „Ratten?“

„Ist in Südchina sehr populär. Die haben dort bis zu dreißig verschiedene Gerichte auf der Speisekarte. Ratten-Kebab. Geschnetzelte Ratte mit Frühlingszwiebeln und Ingwer. Gedünstetes Rattenfilet in Limonensoße mit grünem Spargel...“

„Hör auf!“ Rojana stand der Ekel im Gesicht.

„Ein ganz normales Fleisch, wie jedes andere, Tony. Es kommt nur auf die Zubereitung an. Ich rede von Gourmet-Qualität. Ratte soll sehr zart und aromatisch sein. Nur mit der Haut gibt es Probleme.“

„Mit der Haut?“

„Die Köche kriegen sie nicht knusprig gebraten. Sie bleibt zäh wie Gummi.“

„Na also.“ Rojana grinste zufrieden. „Dann doch lieber Ente.“

„Ich rede von sauberen Tieren vom Land, nicht von verseuchten Stadtratten.“

„Natürlich.“

„Soll sogar gut gegen Rheuma sein. Das Fleisch enthält viel Protein und wenig Cholesterin.“

„Hast du das jemals mit Nit besprochen?“ Rojana räusperte sich. „Ich meine, als sie noch...“

„Sie konnte sich nicht so recht für den Gedanken begeistern.“

Rojana schnaufte erleichtert. „Sie hatte eben Klasse.“

14

„Und Sie meinen, es war nichts drin?“

„Was heißt ich *meine*. Das Ding war absolut leer. Ich gebe meiner Freundin den Dosenöffner. Sie schneidet den Deckel auf – und: Fehlanzeige!“

Der Verkäufer hatte sich noch nicht entschieden, ob der Vorfall, den ihm die energische Rothaarige schilderte, peinlich sein sollte. Die junge Frau trug einen einteiligen Thermoanzug, der wie nasser Asphalt glänzte, dazu braune Pelzstiefel und ein schwarzes Stirnband. Ihre grünen Augen funkelten kampflustig über der kleinen aber kräftigen Nase, die etwas schief im Gesicht stand. Zum Glück waren keine anderen Kunden im Laden. Ohne Zeugen war er fest entschlossen, nicht so schnell aufzugeben. Seine Berufsehre stand auf dem Spiel. Auf die Idee mit den Konservendosen war er verdammt stolz.

„Eine Pleite – und das an ihrem Geburtstag.“

Er nickte und rückte seine Brille gerade. „Ich kann Sie gut verstehen. Gut, dass es nicht unter dem Weihnachtsbaum passiert ist...“

„Es wird keinen Baum geben.“

„Oh...“

„Viel wichtiger wäre gewesen, dass meine Freundin das Geschenk in der Dose gefunden hätte.“

„Ich verstehe.“ Er befingerte seine Krawatte. „Was war es denn?“

„Sie meinen, was es hätte sein sollen?“

Der Verkäufer nickte ergeben.

„Einer von diesen kleinen Pinguinen." Sie deutete auf einen Korb, in dem noch drei einsame Plüschtiere saßen. „Ich habe ihn ausgesucht und bezahlt, und während ich noch was anderes zu besorgen hatte, sollten Sie den Vogel mit dem Ding da in die Dose einschweißen." Sie zeigte auf eine altertümliche Maschine mit Zahnkränzen und einer Handkurbel.

„Das ist eine Falzmaschine", stellte er vorsichtig richtig und gab dabei innerlich auf. „Ich weiß nicht, wie das passieren konnte. Darf ich Ihnen einen Ersatz anbieten?" Seine Hand flatterte über das Angebot auf dem Ladentisch.

„Sie dürfen."

Die junge Frau schaute gelangweilt auf fünf Teddybären, sechs Enten, ein Dutzend Delfine, ein Restpaar Wollsocken, diverse Duftseifen und Horoskope. Die winzigen Parfumflakons hatten sich nicht besonders gut verkauft. Es war noch ein ganzer Korb voll da.

„Was darf es denn sein?"

Sie sah ihn erstaunt an. „Natürlich ein Pinguin."

Er räusperte sich. „Selbstverständlich." Er griff nach einer offenen Konservendose und packte die Kurbel der Falzmaschine. „Vielleicht darf ich diesmal unter ihren Augen..."

„Die Dose haben wir noch."

Resigniert ließ er die Kurbel los.

Die Rothaarige zog ihre Winterhandschuhe aus und betastete alle drei Vögel mit zärtlicher Hingabe. Es machte ihr sichtlich gute Laune. Sie zupfte an Schnäbeln und Flügeln und stieß dabei leise Laute aus. Dann hellte sich ihre Miene auf. „Den da!" Sie hielt den kleinen Kerl mit dem gelben Streifen am Kopf kurz hoch, wartete nicht lange auf Zustimmung und verstaute ihn vorsichtig in ihrem Rucksack.

Der Verkäufer versuchte es mit einem Scherz. „Sieht aus, als ob er eine Skibrille trägt.

„Das ist ein Gelbaugen-Pinguin", stellte die Rothaarige klar.

„Sie kennen sich aus."

„Das ist richtig."

„Wie gesagt, es ist mir wirklich peinlich..."

Die junge Frau lächelte. „Schon vergessen." Das Lächeln ging in ein freundliches Grinsen über. „Wir versuchen es Ostern nochmal."

15

Als Heliane Kopter mit ihrem Pinguin den Laden verließ, nahm sie die nächste Rolltreppe.

Das Einkaufszentrum war vor den Weihnachtsfeiertagen völlig überfüllt. Behände schlängelte sie sich bis zum Ausgang. Auf den wenigen Metern zur U-Bahnstation schnitt ihr der Wind ins Gesicht. Sie nahm es gelassen. Seit sie diese norwegische Gesichtsschutzcreme benutzte, hatte der Winter keine Chance. Eine angemessene Vorbereitung war alles.

Bevor sie im Schacht verschwand, warf sie noch einen Blick hinüber zur Humboldtshöhe. In der Dunkelheit war der Hügel nur noch als Kontur wahrnehmbar. Trotzdem zog er sie magisch an. Die Reste des ehemaligen Flak-Bunkers waren zum größten Teil zugeschüttet und bepflanzt. Aber was nutzte die Tarnung schon. Sie kannte sich mit Bunkern aus. Bei Tageslicht hatte man stets den Eindruck, die Brücke eines torpedierten Schlachtschiffes rage zwischen den Bäumen in den Himmel über Gesundbrunnen.

Während der Zug der U-Bahnlinie 8 Richtung Neukölln schoss, gedachte Heliane Kopter – wie immer auf dieser Strecke – der Frau, die hier unten ihr Leben verloren hatte und die sie nicht vergessen konnte.

An der Station Leinestraße stieg sie aus. Vor der mit Graffiti beschmierten Mauer des St.-Thomas-Kirchhofs lungerten zwei dick vermummte Araber mit Kampfhunden herum. Die Tiere zitterten vor Kälte. Männer und Pitbulls beobachteten gelangweilt eine Horde Jugendlicher, die ein Fahrrad demolierte. Die Kids warfen den Drahtesel mit lautem Gejohle gegen die rotbraunen Ziegelsteine. Dann trampelten sie auf Rahmen und Reifen herum, bis die Speichen aus den Felgen sprangen. Ein Schlauch platzte. Einer der Hunde zerrte erschrocken an der Leine. Es brachte ihm eine Tracht Prügel ein. Heliane unterdrückte ihre Wut. Sie packte die Tragriemen ihres Rucksacks fester und ging eilig weiter. Wenn der Winter weiter so extrem blieb, standen die Chancen des Pitbulls schlecht. Wer fror und Angst hatte, wurde abserviert und ersetzt. Wahrscheinlich durch einen Husky. Schlittenhunde kamen in Mode.

Bis zu ihrer Mietwohnung waren es nur wenige Minuten Fußweg. Aus der Eckkneipe torkelte ein Betrunkener. Die Tür fiel hinter ihm ins Schloss. Unsicher blieb er vor einem Haufen aus zusammengeräumtem Schnee und Eis stehen. Er schwankte, öffnete den Hosenschlitz und pinkelte erst auf seine Schuhspitzen und dann in den Schnee. Dampfend fraß der Urin ein gelbes Muster ins Weiß.

Die Kneipentür flog erneut auf, und eine dralle Frau brüllte. „Du altet Dreckschwein, hinten raus iss Klo!"

„Jezz hör schon uff", lallte der Mann und taumelte mit offenem Reißverschluss zurück ins Warme. „Wasse ma da hinten, Elfriede?"

„Ick? Uff det Männerklo?"

„Een Dreckloch is det, sach ick dir."

„Trotzdem Drecksau. Ick will jezz sofort nach Hause."

„Hier is doch unsa Zuhause!"

Die Kneipentür fiel hinter dem Paar ins Schloss.

Vor dem Hauseingang zu Helianes Altbauwohnung streute der türkische Hausmeister Asche auf den vereisten Gehsteig und nickte ihr freundlich zu. Seine Kinder spielten auf der Treppe des Vorderhauses und begrüßten sie mit freudigen Rufen. Die sechsjährige Tochter rannte ihr entgegen und packte sie bei der Hand. Die dunklen Augen glänzten erwartungsvoll. „Wann gibst du mir wieder Unterricht, Heli?"

„Im Moment habe ich leider keine Zeit, Sevim", vertröstete sie das Kind, das neben ihr herhüpfte und sie bis zum Hof begleitete. „Und außerdem ist dein Deutsch schon *sehr* gut."

„Nein, nein", protestierte die Kleine. „Du hast nur keine Lust."

Heliane Kopter lachte.

Im Hof ließ das Mädchen ihre Hand los, lief am Fahrradständer vorbei zu den Mülltonnen und stemmte den Deckel des blauen Containers einen Spalt breit hoch. „Der ist heute geleert worden. Du kannst also wieder viel Papier wegwerfen." Sie lachte fröhlich.

„Tschüs." Heliane winkte, bevor sie im Hinterhaus verschwand und im Rucksack nach dem Briefkastenschlüssel suchte.

„Dein Rad verrostet!" rief die kleine Türkin noch. Dann gab sie es auf und lief zu ihren Geschwistern zurück.

Auf dem Weg in den vierten Stock sah Heliane Kopter die Post durch. Nichts Weltbewegendes. Im Treppenhaus roch es nach Grünkohl. Hinter einer Wohnungstür bellte ein Hund und wurde energisch zur Ordnung gerufen. Wie immer erlosch die Treppenbeleuchtung auf den letzten Stufen vor ihrer eigenen Wohnungstür, und wie immer fluchte sie. Dieser blöde Zeittaktschalter hatte sie auf dem Kieker.

16

James Yang befahl seinem Hakka-Chauffeur, zwischen den Ambulanz- und Leichenwagen auf dem Hof der „Hua Kiaw Pon Teck Sieng Tung Foundation" zu parken.

Das Verwaltungsgebäude der Stiftung lag im Herzen Chinatowns. Es war kurz vor sieben Uhr morgens, als Farang aus dem Fond der klimatisierten Volvo-Limousine stieg und James Yang über Hof und Phlap Phla Chai Road zum gegenüber gelegenen Tempel folgte. Chinesische Schriftzeichen und flaschengrün glasierte Keramikdrachen glänzten matt im ersten Tageslicht. Yang passierte das sitzende Löwenpaar und die roten Lampions der Eingangspforte. Farang schloss zu ihm auf und folgte ihm weiter, vorbei an sandgefüllten Bronzebecken, in denen brennende Fakkeln und glimmende Räucherstäbchen steckten, und an einem Sortiment schäbiger Plastikeimer, die zehn gelben Wachskerzen als Halter dienten. Die Kerzen waren fast einen Meter hoch und dick wie Ofenrohre. Farang musterte flüchtig eine junge Frau, die ein Bündel Stäbchen an einer Öllampe anzündete, bevor sie sich zum Gebet begab. Er mochte den Geruch aus Wachs, Harz und Dufthölzern.

Im inneren Bereich des Tempels lag ein Kassenraum. Hinter den Gitterstäben des Schalters hockten zwei uralte Chinesen mit schütteren Bärten. Vor ihnen lagen dicke Quittungsblöcke. Ein bandagierter Halbstarker, der aussah, als habe er nur knapp einen Motorradunfall überlebt, kaufte einen Gutschein für einen Sarg und spendete ihn für mittellose Opfer.

„Frisch erlebtes Unglück macht demütig." Yang entrichtete ebenfalls seinen Obolus.

Die Quittung, die einer der Greise durch das Gitter schob, war aufwendig bedruckt wie eine kostbare Urkunde. Ein Freifahrschein ins Jenseits. Mit einer höflichen Dankesbezeugung nahm Farang die Informationsbroschüre der Stiftung entgegen, die ihm der andere Greis reichte. Die alten Männer hatten ihn als Fremden erkannt und behandelten ihn wie einen Touristen. Er war ihnen zu groß, hatte zudem runde Augen und war behaart wie ein Affe.

Farang fühlte sich durchaus wie ein Tourist, denn James Yang nutzte das von Tony Rojana vermittelte Treffen, um dem Berlinreisenden einen Schnellkurs in Sachen Chinatown und einige lebenswichtige Informationen zu verabreichen.

„Bangkok", waren Yangs Worte gewesen, während der Hakka-Fahrer sie im Morgengrauen an den endlosen Fronten der stählernen Scherengitter vor den noch geschlossenen Chinesenläden entlangchauffiert hatte, „das ist ein siamesischer Körper mit buddhistischer Seele, in dem ein Chinesenherz schlägt."

Inzwischen unterhielten sich die Greise angeregt mit Khun James. Ihre Muttersprache war Farang so fremd wie die Schriftzeichen, die ihm beim Durchblättern des Prospekts unter die Augen kamen. Nur die Zahlenkolonnen konnte er entschlüsseln. Einige Fotografien zeigten neben verstümmelten Unfalleichen auch zahlreiche Rettungsfahrzeuge und ländliche Friedhöfe, die vermutlich mit den Almosen finanziert wurden. Farang klappte die Broschüre zu. Neben dem Schalterkäfig stand eine Vitrine mit Amuletten, die gegen milde Gaben für einen Krankenhausausbau zu erwerben waren. Aberglaube zwang ihn, wenigstens einen kleinen Anhänger zu kaufen, was James Yang und die beiden Alten mit Wohlwollen registrierten.

„Die Stiftung kümmert sich nicht nur um Verletzte, sondern auch um die Bestattung der Toten", betonte Yang mit gedämpfter Stimme, während er Farang zum Altar mit dem Standbild der Gründermönche führte.

Um ein Haar wäre Farang über einen der Jutesäcke mit Reis-

und Kleiderspenden gestolpert, die im Gang lagen.

„Wie Sie sehen, handelt es sich hier tatsächlich um eine gemeinnützige Einrichtung..." Yang schwieg einen Augenblick und wartete Farangs beifälliges Nicken ab, bevor er in deutlich düstererem Ton fortfuhr: „Ganz im Gegensatz zum *Bund der Mildtätigen*!"

„Die Mildtätigen...?"

„Ganz recht. Eine Verbrecherbande, mit der Sie es bald zu tun bekommen werden."

Farang stellte nicht gerne eine dumme Frage nach der anderen und zog es deshalb vor, weitere Erläuterungen abzuwarten. Er schaute einer Gruppe alter Frauen zu, die vor einem Heiligenschrein lagerte. Einige beteten, andere plauderten miteinander. Eine der Betenden warf ein Paar Glückshölzer in die Luft. Sie fielen klappernd auf die Kacheln und blieben neben einer Porzellanschale mit Lotosblüten liegen.

Ein Seitenschrein war dem Anführer der Höllendämonen gewidmet, was James Yang zu inspirieren schien. „Dieser so genannte Bund der Mildtätigen operiert in Berlin, und er hat absolut nichts mit Barmherzigkeit und Dienst am Mitmenschen zu tun. Ganz im Gegenteil. Deshalb liegt mir daran, Sie vorher mit einer Einrichtung wie dieser hier bekannt zu machen. Damit Ihnen die Unterschiede klar sind." Yang lächelte. „Es ist keine leichte Mission, die Sie vor sich haben."

„Wenn ich den Auftrag übernehme..." Er hätte gerne noch mehr über die Mildtätigen erfahren, hielt sich jedoch bedeckt und folgte dem Chinesen zum Ausgang.

James Yang lächelte, als sie die Straße überquerten. „Sie werden es tun."

„Was macht Sie so sicher?"

Sie stiegen in den Volvo. Der Fahrer schien zu wissen, wo es hingehen sollte. Langsam rollte der Wagen vom Hof und fädelte sich in den Verkehr ein.

„Sie sind Thai. Sie haben Respekt vor dem Alter und ein gutes Gespür für Hierarchie. Wenn General Watana Sie um etwas bittet, dann wissen Sie, was Sie zu tun haben."

Farang ließ die Schmeichelei stoisch über sich ergehen.

„Ich bin informiert. Natürlich hat Watana daran keine Schuld.

Das muss ich sicher nicht betonen. Wir haben unsere eigenen Quellen. Und...", Yang machte eine wohlkalkulierte Pause, „wir haben noch eine Rechnung mit Gustav Torn offen."

„Was haben *Sie* mit Torn zu tun?"

„*Wir* haben ihn damals nach Hause geschickt."

„Dann sind Sie ihn doch los."

„Leider nicht. Er macht uns auch in seiner Heimat das Leben schwer."

„Erzählen Sie mir nicht, dieser kleine Zuhälter bereite Ihrer Gesellschaft Probleme."

James Yang seufzte. „Ich habe ja Ihrem Freund Tony bereits davon erzählt."

„Gut, Sie wollen nichts mit Kinderschändern und Frauenhändlern zu tun haben, um in Ruhe andere Geschäfte verfolgen zu können. Wenn Ihnen so sehr am Jugendschutz und der Befreiung der Frau gelegen ist, lassen Sie Torn doch von Ihren Chinesenfreunden vor Ort aus dem Verkehr ziehen. Das dürfte doch nicht allzu schwierig sein."

„Ganz so einfach ist es nicht", klagte Yang.

„Wieso?"

„Torn hat sich mit den Vietnamesen verbündet." Yang rang sich ein Lachen ab, das wie heiseres Bellen klang. „Mit den *Mildtätigen.*"

Daher wehte der Wind also. „Der Feind meines Feindes ist mein Freund."

„Genau so ist es."

„Die Vietnamesen sind tatsächlich in Berlin aktiv?"

„Der Hund scheißt dahin, wo schon Dreck ist."

„Was habe ich damit zu tun? Wie Sie wissen, soll ich Gustav Torn für eine gute Sache viel Geld abnehmen. Oder ist es etwa *Ihr* Geld?"

„Nein, nein", wehrte Yang großzügig ab.

Der Fahrer hupte ein Dreirad aus dem Weg.

„Wenn ich reise...", Farang räusperte sich. „Ich sage: *wenn* – dann nur als Buchprüfer und Kassierer für einen wohltätigen Zweck."

„Natürlich. Wir wollen Ihnen auch lediglich unsere volle Unterstützung anbieten. Es ist in unserem ureigenen Interesse."

„Was haben Sie davon, wenn ich Torn das Geld abnehme?"

James Yang rückte seine Krawatte mit einer zierlichen Handbewegung auf der Knopfleiste seines Hemdes zurecht. „Alles, was Gustav Torn und seinen mildtätigen Freunden schadet, ist von Nutzen für uns."

Farang wartete auf weitere Erklärungen, aber Yang bot vorerst keine an. Tony Rojana hatte in den letzten Tagen auffallend häufig von diesen *Strategien* gefaselt. Natürlich waren sie auch Farang nicht unbekannt. *Mit dem Messer eines anderen töten.* Auch als Strohmann-, Alibi- oder Stellvertreter-Strategem bekannt. Die alte Kriegskunst, einen Gegner durch fremde Hände auszuschalten.

„Entschuldigen Sie, wenn ich Sie mit einem zweiten Tempelbesuch quäle, aber hier habe ich eine ganz persönliche Angelegenheit zu erledigen", sagte Yang sanft. „Es wird nicht lange dauern."

Der Fahrer parkte auf dem Hof des Wat Mangkhon, und Farang folgte Yang zum Tempeleingang. Zwei Kriegerstatuen bewachten den Vorraum. Sie hatten Rauschebärte und waren mit Schwert und Pfeil und Bogen bewaffnet. James Yang wollte ihn offenbar mit allen Mitteln auf eine schwere Schlacht einstimmen.

In einem Nebenhof kam Yang zu seinem ganz persönlichen Anliegen. In einem pyramidenförmigen Kachelofen verbrannten Gläubige scheinbar wertloses Papiergeld. Auch Abbilder und Modelle materieller Güter wurden vorsorglich ins Jenseits befördert. Ganze Einfamilienhäuser und Mercedes-Benz-Karossen aus Papier und Karton gingen den Weg durch die Flammen und wurden zu Asche. Während Yang seine Opfer brachte, musterte Farang einen Kanister mit der Aufschrift *Flying Deer Brand.* Das Erdnussöl speiste die Lampen.

Er ging ein paar Schritte und sah sich um. Vor dem Altar des Gesundheitsheiligen hockte eine alte Chinesin. Sie murmelte Gebete und schüttelte eine Blechdose mit Stäbchen vor ihrer Brust. Zwei der Hölzer lösten sich aus dem Strauß und stiegen langsam höher, bis sie herausfielen. Die Anzahl gab die Nummer der Medizin vor, die in der Tempelapotheke neben dem Altar erhältlich war. In großen Gläsern und kleinen Schubladen lagerten Pilze, Knollen, Wurzeln und andere Kräuter und Heilstoffe.

Yang kam herbei und sah auf die Uhr. „Halbneun. Zeit fürs Geschäft!" Im Hinausgehen fragte er eher beiläufig: „Spielen Sie Schach?"

„Schach? Na ja..." Farang konnte seine Überraschung nicht ganz verbergen. „Sehr selten und sehr schlecht."

„Dann achten Sie ganz besonders auf die Dame."

„Die Dame..."

„Richtig. Sie kennen sie sogar. Sie heißt Romy Asbach."

„Diese blonde Deutsche?"

„Genau die. Sie ist seit einigen Jahren wieder in Berlin. Natürlich arbeitet sie dort nicht mit uns zusammen. Aber sie macht den Mildtätigen das Leben schwer. Und das freut uns natürlich." Yang war amüsiert. „Wer weiß – vielleicht treffen Sie die Lady ja..."

Als sie wieder in den klimatisierten Volvo stiegen, fiel Farang ein riesiger Ofen im Hof auf.

„Ist der zur Müllverbrennung?"

„Ja, aber auch für größere Opfergaben." James Yang zeigte ein beinhartes Chinesenlächeln. „Manche Häuser und Automobile, die sich die Leute so wünschen, sind eben sehr groß."

17

Heliane Kopter hörte ihren Anrufbeantworter ab.

Hallo Helikopter, hier Georgia Brand von deiner geliebten AG Hades. Ich hoffe, es geht gut. Folgendes: Erstens – ab Neujahr firmieren wir nicht mehr als Arbeitsgruppe, sondern als eingetragener Verein. Hades e.V.! Hört sich gut an, was? Ich erinnere aus diesem Anlass nochmal an unsere kleine Silvesterfete im Zivilschutzbunker. Einladung hast du. Hoffen, dich zu sehen. Du darfst uns auch weiter mit Fragen nerven. Zweitens – die Begehung in der Dresdener Straße ist endlich genehmigt. Wir ziehen das gleich nach den Feiertagen durch. Tag und Uhrzeit erfährst du noch rechtzeitig. Treffpunkt wird wohl das Café am Oranienplatz sein. Bis dann... ehe ich es vergesse, überlege dir doch bitte, ob du nicht eingetragenes Mitglied werden willst. Wir brauchen eine wie dich, bis dann.

Der Mehrfachton signalisierte, dass keine weiteren Nachrichten vorlagen.

Heli ging in ihr Zimmer und streichelte dem Gelbaugen-Pinguin auf dem Klavier den Kopf. Natürlich wäre sie gerne Mitglied in Georgias Verein geworden, aber sie zog es vor, ihre journalistische Unabhängigkeit und Neutralität zu bewahren. Lustlos musterte sie das Chaos aus Notizzetteln, Stadtkarten, Bau- und Streckenplänen und aufgeschlagenen Büchern, unter dem die Tastatur ihres Computers begraben war. Ihr Zimmer, das war vor allem ein Arbeitsraum mit einem großen Schreibtisch, Bücherregalen und Archivschränken. Auch das Klavier diente meist nur als Ablage für Stapel gedruckter Werke, und sogar der Kleiderschrank war mit Papieren und Archivboxen aus Karton beladen. Die Schlafecke bestand aus einem großen Futon, der auf den weiß gestrichenen Holzdielen lag und mit einem halben Dutzend Kissen und drei Steppdecken ein gemütliches Lager bildete. Der Arbeitssessel am Schreibtisch und der Klavierhocker waren die einzigen Sitzgelegenheiten im Raum. Besucher mussten in der Regel mit der Küche vorlieb nehmen – es sei denn, sie durften auch ins Bett.

Sie gähnte und öffnete die schmale Balkontür, um kurz durchzulüften, bevor sie sich hinlegte. Der Winter schnitt kalt ins Zimmer. Durch die kahlen Äste der Pappeln waren einige erleuchtete Fenster im Mietblock auf der gegenüberliegenden Seite des Friedhofes zu erkennen. Sie schimmerten schwach wie tiefhängende Sterne zu ihr herüber. Der Himmel war bedeckt, und Pulverschnee rieselte leise in die leeren Blumenkästen. Die Stahlgerüsttürme, deren Signalscheinwerfer die Einflugschneise zum Flughafen markierten, standen gestaffelt wie kleiner werdende Wachposten zwischen Grabsteinen und verwildertem Gehölz. Die Toten kamen nicht zur Ruhe. Nicht nur wegen des Fluglärms. Zwischen den Gräbern marodierten schon seit geraumer Zeit Banden. Erwachsene und Jugendliche. Sie lieferten sich Schlägereien, randalierten, dealten mit Drogen und hetzten für Wetten ihre Kampfhunde aufeinander. Letztes Frühjahr war sogar ein Flugzeug beim Landeanflug mit Leuchtspurmunition beschossen worden. Einige Nachbarn munkelten zudem von schwarzen Messen, die angeblich auf dem Gottesacker zelebriert wurden. Und über alledem lauerten schon die Aasgeier. Spekulanten, die elf Hektar neues Baugelände witterten. Wenn es nach denen geht, dachte sie, kann der Kirchhof ruhig weiter zur Müllhalde verkommen, bis sich nur noch eine Gesamtsanierung als Endlösung aufdrängt – und wenn der innerstädtische Flugbetrieb eines Tages tatsächlich eingestellt wird, werden sie das Gelände inklusive Bodenschätze endgültig platt machen und im Baustellenlärm ertränken.

Sie schloss die Balkontür und zog sich aus. Bevor sie ins Bad ging, warf sie einen Blick auf die gerahmte Fotografie der Frau, die auf dem abgewetzten Pappkoffer stand, der ihr als Nachttisch diente.

Großmutter.

Auf dem Koffer, der sie so oft in den Bunker begleitet hatte.

18

Das Hotel in der Bucht von Phang Nga gehörte nicht zu den feinsten Adressen.

Mit den Luxusherbergen der weiter südlich gelegenen Insel Phuket konnte das Gasthaus nicht mithalten. Es lag in den Mangroven am ölig-grünen Brackwasser, und bei Ebbe stank die Gegend nach verrottetem Fisch. Ein marodes Tropenidyll, das mehr mit dem Amazonas gemein hatte, als mit dem nahen Touristenparadies und seinen weißen Stränden.

„Ich hoffe nur, Sir James hat dir keine Märchen erzählt." Farang trottete an der Seite Tony Rojanas den verlassenen Gang im ersten Stock entlang. Die Zimmermädchen hatten die Etage bereits abgearbeitet. Es roch nach Putzmittel. Die Geschäftsleute unter den Gästen waren schon früh mit ihren Aktenköfferchen nach Phang Nga ausgeschwärmt, und die wenigen Touristen waren in Mietbooten zum obligaten Tagesausflug aufgebrochen. Erst zur James-Bond-Insel, auf der einige Szenen von „Der Mann mit dem goldenen Colt" gedreht worden waren. Dann in die Grotten von Ko Thalu, dem Capri Thailands. Und schließlich zu frisch gefangenem Lobster, Garnelen und Fisch mit Curryreis in ein Muslim-Fischerdorf, das ganz auf Holzstelzen errichtet, über dem Wasser am Fels klebte. Er kannte die Route. Er hatte die Tour vor Jahren mit Nit gemacht.

„Warten wir es ab." Tony hatte die gesuchte Zimmernummer bereits im Auge.

Die Suite war dauervermietet, und wenn James Yang nicht gelogen hatte, fungierte sie als Geschäftsbüro. Eine Art Etappe hinter der Front. Man war hier ungestört, und Phuket mit seinen zahlungskräftigen Kunden war nicht aus der Welt. Mit diesem Ziel war der Boss des Unternehmens, begleitet von zwei Mitarbeitern, vor zehn Minuten aufgebrochen. Sie hatten sie ziehen lassen. Es ging jetzt nicht um Konfrontation. Noch nicht. Es ging zunächst um Beweismaterial. Und in verwaisten Büroräumen ließ es sich ruhiger arbeiten. Farang postierte sich neben der Tür.

Tony musterte noch einmal den leeren Gang und zog den Zweitschlüssel aus der Hosentasche. Bevor er ihn ins Schloss steckte, klopfte er kurz und trocken an die Tür.

Farang hatte ein leichtes Sakko übergezogen - wie üblich, wenn er seine belgische Geliebte am Körper trug. Er öffnete den Jackenknopf, damit sie atmen konnte. Die FN HP35 war eine sensible Waffe. Man musste sie nicht erst groß befingern. Sie kam schnell.

Tony hatte es nicht mit Pistolen. Er war ein Revolvermann, trug ihn zwischen den Nieren im Hosenbund unter dem Hawaiihemd. Was auch hinter dieser Hotelzimmertür auf sie wartete – sie waren gerüstet. Farang war sicher, der Schnellere zu sein. Er hatte beide Hände frei, um Tony bei Bedarf Feuerschutz zu geben. Aber jenseits der Tür blieb es erwartungsgemäß still. Er sah, wie Tony den Zugang zur Suite öffnete.

Die drei Räume waren trostlos eingerichtet wie das ganze Hotel, die Spermaflecken in der Wäsche auf dem Doppelbett so feucht wie die Stockflecken an den Wänden. Die Hintertür führte auf eine Feuertreppe, an deren Stufen der Rost nagte. Sie endete direkt über den Mülltonnen im Hinterhof. Kein Schreibtisch. Keine Bürogeräte. Nur Telefon, TV und Video.

„Bestens!" Tony schnaufte erleichtert durch. „Kein Computer. Dann hätten wir nämlich jetzt Probleme, an die Daten zu kommen. Passwörter zu knacken ist nicht mein Ding." Er nahm die Wühlarbeit auf. „Ich hatte gehofft, dass die Typen in ihrer Filiale für Phuket-Touristen noch die gute altmodische Methode bevorzugen."

Die Akten mit den Originalen des Angebotskataloges und der Kundenkartei der Besucher, die einmal oder regelmäßig entsprechenden Bedarf auf Phuket angemeldet hatten oder anmeldeten, lagen in einem Wandschrank. Der Katalog zeigte Fotos von nackten Mädchen und Jungen. Kein Kind war älter als vierzehn. Die Kunden-Kartei war nach Ländern geordnet.

Tony interessierten nur die Kunden. Er brachte seine Minox in Anschlag und sicherte die Daten - Blatt für Blatt. Als er bei Deutschland ankam, sagte er: „Davon stelle ich dir einen Satz Kopien zur Verfügung. Da sind Politiker und andere Bonzen dabei. Man kann nie wissen, wofür das da drüben in Sibirien irgendwann mal gut ist."

„Auf der Landkarte liegt Sibirien eher über uns."

„Mach du nur deine Witze. Wenn du dir die ersten Frostbeulen holst, wirst du noch an mich denken."

19

Am frühen Nachmittag mietete Farang ein Boot mit Führer.

Tony hielt Wort und kam mit.

Wenn man es genau nahm, waren sie wegen Bobby Quinn im Süden. Seit der Amerikaner als Leibwächter bei Admiral Yod angeheuert hatte, sah sich das Trio nur noch in größeren Abständen. Aus dem wöchentlichen Herrenabend in der Darling Bar war ein Treffen pro Monat geworden. Diesmal hatte Quinn eingeladen, und der Admiral bestand darauf, seine Jacht zur Verfügung zu stellen. Doch bis zum Abend war noch Zeit, und Farang wusste das Angenehme mit dem Nützlichen zu verbinden.

Der Außenborder tuckerte über weit verästelte Wasserwege durch dichte Mangroven, vorbei an Fischerdörfern, hinaus zu den vorgelagerten Inseln, deren Kalksteinformationen wie üppig bewachsene Zuckerhüte aus dem zunehmend salziger und klarer werdenden Wasser herausragten. Die frische Brise, die über die Türkisfluten strich, und der klarblaue Himmel, ließen den muffigen Mangrovendschungel bald vergessen.

Nach einer Stunde passierten sie Ko Mak, eine Palmeninsel mit breitem Sandstrand, der hell leuchtete und zum Baden einlud. Aber das war für Touristen. Der Bootsführer hatte klare Weisung. Er steuerte ein anderes Ziel an. Es vergingen noch gut vierzig Minuten, bis unter den zahlreichen Inseln eine auftauchte, deren Kontur dem Doppelhöcker eines Kamels glich. Wenig später war ein goldglänzender Kegel zwischen den Hügeln zu erkennen. Der Turm gehörte zu einem Tempel, der am Fuß des Höckers lag. Nach und nach wurden auch die anderen Gebäude der Anlage sichtbar. Aus einem Schornstein stieg gelblicher Rauch auf, und Farang sah fasziniert zu, wie er sich im blauen Himmel verlor.

„Das muss das Krematorium sein“, rief er Tony laut zu, um den Außenborder zu übertönen.

Die Landungsbrücke ragte verlassen ins Wasser. Kein Mensch kümmerte sich um die Ankömmlinge, als sie ans Ufer kamen und die leichte Steigung zum Tempel erklommen. Als sie nach wenigen Minuten die Gebäude erreichten, kam ihnen ein Trauerzug entgegen. Er wurde von vier Mönchen angeführt. Ihnen folgte eine Prozession Gezeichneter. Viele waren bis auf die Knochen abgemagert und von Geschwüren entstellt. Die Kräftigsten trugen einen Holzsarg. Die Schwächsten hatten kaum Kraft, ihr eigenes Gerippe ohne Stolpern zum Krematorium zu schleppen. Farang blieb neben Tony stehen und wurde Zeuge, wie der Sarg in den Flammen verschwand.

„Der Tag ist nicht fern, an dem auch ich diesen Weg gehen werde.“ Der Mönch, der lautlos hinter ihnen aufgetaucht war, sah noch einige Sekunden ins Feuer, bevor er sie anlächelte. Es war eine gut gemeinte Geste, die ihm zu einem maskenhaften Grinsen geriet. Die Gesichtshaut spannte wie Pergament über den Wangenknochen. Die Augen lagen tief in den Höhlen. Nur wenige Zahnstummel ragten aus dem kranken Zahnfleisch, und das ausgetrocknete Lippenpaar war kaum auszumachen. „Der Abt erwartet Sie“, fügte der Mönch hinzu, bevor ihn ein Hustenanfall durchschüttelte.

Farang verspürte den Wunsch, den Mann zu stützen. Rechtzeitig besann er sich auf das Berührungsverbot. Der Mönch drehte sich um und ging quälend langsam voran. Sie folgten ihm zögernd. Farang war jeden Moment darauf gefasst, den Mönch in der Sonnenglut stürzen zu sehen.

Schließlich erreichten sie das kühle Hauptgebäude. Der Abt kam ihnen entgegen. Sie begrüßten den stämmigen Vorsteher des Tempels mit angemessener Demut, während ihr Führer sich zurückzog. Nachdem das übliche Ritual aus tiefen Verbeugungen und vor der Stirn gefalteten Händen erledigt war, gab sich der Abt als moderner Vertreter seines Standes zu erkennen. Er war ungezwungen und weltoffen, führte die Gäste herum und informierte sie umfassend. Er hatte genug Erfahrung mit einheimischen Offiziellen und ausländischen Spendern gesammelt.

Farang blieb vor einer Buddhafigur stehen. Sie war überlebensgroß, aber nur ihr Kopf war noch zu sehen. Er ragte aus einem Berg weißer Stoffbündel hervor. Jedes Bündel war mit Schriftzeichen markiert. Am Fuß des Bündelberges reihten sich Urnen aus Bronze im Dutzend auf.

„Das ist die Asche verstorbener Patienten. Leider haben die Angehörigen sie noch nicht abgeholt", sagte der Abt. „Wir haben nicht genug Platz hier. Weder für die Toten, noch für die Kranken."

„Wie viele Kranke beherbergt der Tempel?" fragte Tony.

„Gut zweihundert. Das sind zweihundert von abertausend Bedürftigen. Mehr können wir im Moment leider nicht tun. Wir haben schon jetzt eine Warteliste von rund fünftausend Personen."

Farang hatte die Artikel, die Tony ihm gegeben hatte, sorgfältig gelesen. Für die Kritiker war der Tempel eine Art Leprastation am Ende der Welt, ein Abfallhaufen für todgeweihte Kreaturen, deren Familien ihre Pflicht nicht mehr erfüllten und Schande auf sich luden. Auch die buddhistische Geistlichkeit hatte ein Imageproblem, denn unter den Infizierten befanden sich zunehmend mehr Mönche. Und selbst der einfache Mann auf der Straße wusste inzwischen: die Robenträger hatten sich das Virus nicht durch Pflegetätigkeit geholt. Der Respekt, den die Mönche genossen, erlitt Schaden. Für die Befürworter des

Tempels war er ein Vorbild sozialer Fürsorge. Die Kapazität der Krankenhäuser reichte nicht aus. Der Staat war überfordert. Und auf die heiligen Werte und Pflichten der Familie war in modernen Zeiten zunehmend weniger Verlass.

„Eine Zeit lang glaubten die Leute auf den Nachbarinseln und dem Festland, unsere Moskitos würden alle Welt anstecken. Einige glauben das auch heute noch." Der Abt lächelte nachsichtig. „Einige Dörfer haben uns sogar für eine Weile kein Essen und kein Geld mehr gespendet, obwohl wir dringend auf diese Gaben angewiesen sind."

Sie erreichten eine Krankenstation, auf der zwei junge Männer in hellblauen Kitteln Patienten wuschen. Die Pfleger taten ihre Arbeit behutsam und mit Geduld, und trotzdem machte Farang sich Sorgen um die fragilen Körper der Kranken. Er musterte die durchscheinenden Wesen, als kämen sie von einem anderen Stern. Dabei waren es seine Landsleute. Auch wenn einige nur noch ein Hauch ihrer eigenen Seele waren.

„Wer zahlt die Pfleger?" fragte Rojana.

„Ein Teil des Gehalts wird vom Gesundheitsministerium aufgebracht. Der Rest wird aus internationaler Hilfe bezahlt." Der Abt führte sie in den Innenhof. „Wir haben trotz allem nicht genug Pfleger. Auch dafür reicht das Geld leider nicht."

Im Hof machte eine Gruppe Gymnastik. Diese Patienten waren noch nicht sichtbar von der Krankheit gezeichnet. Während sie rhythmisch auf- und niedersprangen, fiepte es in der Robe des Abts. Er lächelte in die überraschten Gesichter seiner Gäste, zog ein Handy aus den Tuchfalten und entfernte sich einige Schritte, um mit gedämpfter Stimme zu telefonieren.

„Und", fragte Tony, „bringt dich dieser Besuch weiter?"

Farang schwieg und betrachtete die leeren Holzsärge, die an einer der Hofwände gestapelt waren. Schon während des Rundgangs hatte er überall auf dem Grundstück Särge bemerkt – neben den Schlafsälen der Mönche, vor der Krankenstation, sogar hinter der Küche. Hunderte von neuen Särgen.

„Sie haben große Vorräte angelegt", stellte Tony fest.

„Damit kein Kranker vergisst, dass er nur auf Zeit hier ist."

Der Abt kam zurück, und noch bevor er das Telefon wegstecken konnte, streckte Farang die Hand danach aus. Während

Tony und der Abt interessiert zuschauten, wählte er eine Nummer.

Das Handy roch nach Gewürznelken.

Als er Verbindung mit Thomas Kramer hatte, musterte Farang erneut die Särge und sagte: „Ich habe es mir überlegt. Ich übernehme den Auftrag."

20

Während das Boot in der Abenddämmerung zurückkehrte, hockten sie stumm auf ihren Bänken.

Der Bootsführer steuerte die letzten Meilen durch die Mangroven mit besonderer Vorsicht. Mit zunehmender Ebbe waren ab und zu Schleifgeräusche unter dem Rumpf zu hören. Der Außenborder tuckerte bei niedriger Drehzahl sehr leise.

„Fehlt nur noch, dass wir in diesem Sumpf hängen bleiben." Tony warf einen Blick auf seine Armbanduhr, bevor er wieder in Fahrtrichtung starrte.

Farang sah immer noch Särge.

Tony warf erneut einen Blick auf die Uhr. Sie waren nicht in Eile, aber es schien ihm das Gefühl zu geben, Navigation und Fahrzeit beeinflussen zu können. Er drehte sich um. „Hey, du stehst wohl noch unter Schock?"

„Gibt dir das nicht zu denken, Tony?"

„Was?"

„Diese Todgeweihten."

„Du stehst tatsächlich unter Schock. Ich fasse es nicht. Seit wann wirst du weich, wenn du Tote siehst?"

„Das sind keine normalen Toten."

„Was willst du mir damit sagen? Haben wir Zombies besichtigt?"

„Du weißt genau, was ich meine. Das hat nichts mit einem natürlichen Tod zu tun. Und auch nicht mit Gewalt. Das ist wie ein Fluch."

„Also für mich ist das mehr eine Frage von Sex und Blut und Gummis. Angeblich soll das Zeug vom Affen auf den Menschen übertragen worden sein."

„Tony Rojana steht natürlich mal wieder voll über allem." Farang stierte in die Dunkelheit.

„Jetzt werde bitte nicht sentimental."

„Man macht sich so seine Gedanken."

„Du solltest dir lieber überlegen, was mit dir passieren soll, wenn es dich in Sibirien erwischt. Soviel ich gehört habe, verbuddeln deine deutschen Halbbrüder ihre Gefallenen unter der Erde."

„Du machst einem richtig Mut."

„Urne oder Sarg, Amigo?" Tony lachte leise.

Farang lachte nicht.

Wie so oft fiel Tony sein Mangel an Feingefühl viel zu spät auf. Bedrückt schwieg er eine lange Weile. Dann fragte er behutsam: „Du machst es doch nicht etwa wegen Nit?"

Farang gab keine Antwort.

„Sie ist nicht *daran* gestorben", insistierte Tony.

„Virus ist Virus."

Dazu fiel Tony offenbar nichts mehr ein.

Wenig später schlug der Bootsrumpf dumpf an die Pier, und der Steuermann musste bezahlt werden.

Als sie die Hotellobby betraten, lief dort, wie jeden Abend, das Video des 007-Films, der die Gegend berühmt gemacht hatte. Die Touristen sahen sich die Schauplätze ihres Ausfluges noch einmal mit Roger Moore als Hauptdarsteller an. An der Bar saß der Unternehmer, der seine Geschäfte aus dem Büro in der Suite im ersten Stock betrieb, und begoss seinen Tagesumsatz mit einigen Doppelten.

21

Die Tontauben zerbarsten in der Luft, bevor Bobby Quinn die Flinte hören konnte.

Admiral Yod setzte die Waffe ab, offenbar zufrieden mit seiner Leistung. Das Achterdeck war sein bevorzugter Sportplatz. Kein Schießstand und kein Golfkurs konnte da mithalten. Der Admiral liebte es, vor dem späten Frühstück noch ein paar Akzente zu setzen, und wenn er traf, war er besonders hungrig.

Quinn applaudierte dezent und nahm seinem Boss die Schrotflinte ab.

„Wo bleiben unsere Gäste?“ fragte der Admiral.

Noch bevor der Amerikaner antworten konnte, war das Beiboot zu hören. Das Motorengeräusch wurde lauter.

Yod trat zur Reling und suchte die Dünung ab, bis er das Baby des Mutterschiffs im Blick hatte. Die „Royal Bismarck“ war eine stattliche Motorjacht, und ihr Dingi war ein würdiger Ableger. Es pflügte forsch durch die Wellen, und das Chrom blitzte dabei in der Sonne. Der Admiral lächelte voller Stolz.

„Ich werde Tony und Farang in Empfang nehmen, während Sie duschen und sich umkleiden“, sagte Quinn höflich und schaute dabei auf die Gummilatschen, die der Alte an den nackten Füßen trug.

Erst jetzt wurde Yod bewusst, dass er noch im Bademantel unterwegs war. Er nickte knapp, verschwand unter Deck und rief: „Lass die Jungs nicht verhungern. Fangt schon ohne mich an.“

Quinn sah seinem Arbeitgeber nachdenklich nach. Der Admiral ging auf die Achtzig zu. Zwar hielt er seine kompakte Figur noch gerade, und im sauber gescheitelten Haar war keine Spur Grau zu erkennen, aber seit kurzem verlor er ab und an den Überblick.

Wenig später kamen Rojana und Farang an Bord. Quinn musste grinsen, als er den Reporter sah. Tony hatte sich in Schale geworfen. Ganz in weiß. Leinenschuhe, weite Bundfaltenhose, Polohemd. Er sah aus wie ein Walross, das sich auf den Centercourt von Wimbledon verirrt hat. Farang trug keine Jacke. Man war unbewaffnet, wenn man den Admiral besuchte. Das dunkelblaue Stehkragenhemd, das der Eurasier über den Chinos trug, betonte den Thai in ihm. Die drei Freunde verzichteten auf den üblichen Wai und angedeutete Verbeugungen und begrüßten sich betont lässig in westlicher Manier.

„Dein Boss gibt dir zu viel zu futtern.“ Tony beugte sich zu Quinn herab und schlug ihm leicht mit dem Handrücken gegen den Bauch. „Wenn du so weitermachst, steigst du noch in meine Gewichtsklasse auf. Aber vergiss nicht: du bist nur halb so groß wie ich.“

„Und seit er Blazer trägt, kann man gar nicht mehr die prächtige Tätowierung auf seinem Bizeps sehen." Farang knetete Quinns rechten Oberarm.

„Verarscht mich nur." Er ging voraus. „Kommt! Der Alte braucht noch eine halbe Stunde, aber Brunch steht schon bereit. Wir können anfangen." Im Schatten des Segeltuchdachs waren Büfett, Tisch und Stühle aufgebaut. Eine erfrischende Brise sorgte für erträgliche Temperaturen. Quinn ordnete Selbstbedienung an, und während sie zulangten, erkundigte er sich bei Farang: „Und du wirst als Einmann-Eingreiftruppe nach Europa abkommandiert?"

„Das scheint sich wie ein Lauffeuer zu verbreiten."

„Tu bloß nicht so überrascht. Du weißt doch, General Watana und mein Chef telefonieren täglich miteinander."

„Alte Strippenzieher." Tony schob sich ein Würstchen in den Mund.

Quinn bestrich seinen Pfannkuchen mit Ahornsirup. „Je älter unsere Ruheständler werden, desto ausführlicher widmen sie sich dem Klatsch."

„Dann weißt du doch bestens Bescheid, und ich muss dir nicht nochmal alles erzählen." Farang wandte sich ab, schlenderte, den Teller mit Rührei in der Hand, bis zum Bug und aß im Stehen, während er über das Wasser sah.

Tony sah Farang einen Augenblick zu, schüttelte den Kopf und konzentrierte sich wieder auf sein Essen.

„Hat er was?" fragte Quinn.

„In letzter Zeit ist er schon etwas seltsam. Fantasiert ununterbrochen von einem Rattenimbiss. Ich fürchte, er wird Nits Tod nie überwinden – tut einfach so, als sei sie noch da. Was das angeht, nimmt er allmählich die Züge seines Ziehvaters an. Der General muss ihn mit dieser Manie infiziert haben. Wenn du mich fragst: Die beiden spinnen komplett." Er sah Quinn in die Augen. „Und der Alleingang, den er vorhat, macht mich auch nicht glücklich. Ich mache mir Sorgen, Bobby. Hier zu Lande sind wir für ihn da, wenn es hart auf hart geht und er uns braucht. Aber allein in der Fremde..."

„Wir sind nicht seine Kindermädchen, Tony. Er hat schon ganz andere Sachen ohne uns erledigt."

„Er braucht eine neue Frau."

Quinn lachte. „Das kann in Thailand nun wirklich nicht so schwierig sein."

„Nicht was du denkst. Ich meine etwas Festes. Eine solide Angelegenheit."

„Ich glaube, Tony, du bist der Einzige von uns Dreien, der so was braucht. Eine Ehefrau. Ein paar Kinder. Das ist nichts für Farang und mich, sieh es endlich ein."

„Quatsch!"

Farang holte sich einen Nachschlag am Büfett und setzte sich zu seinen Freunden. „Könnt ihr euch noch an diese deutsche Blondine erinnern?"

„Blondine?" Tonys Blick signalisierte Quinn ein Hab-ich's-nicht-gesagt?

„Romy Asbach", half Farang nach.

In Tonys Augen schimmerte so etwas wie Erkenntnis. „Die Herbe, die wie dieser berühmte Hollywoodstar aussah? Ich komme jetzt nicht auf den Namen der Schauspielerin – die Blonde war jedenfalls zwei Jahre lang Beraterin an der Deutschen Botschaft."

„Genau", bestätigte Farang. „Die Frau vom BKA."

„B–K–A?" fragte Quinn.

„Bundeskriminalamt", antwortete Farang. „Das ist in Deutschland das selbe wie euer FBI."

„Die Dame und ihr Kollege haben jedenfalls erfolgreich mit dem hiesigen ONCB zusammengearbeitet." Tony sah Quinn an, als sei eine zweite dumme Nachfrage nicht gestattet.

Quinn spielte mit. „*Office of Narcotics Control Board.*"

„Bravo!" Tony schüttelte den Kopf. „Wenn ich mich doch nur an den Namen der Schauspielerin erinnern könnte..."

Farang sagte: „Ich fand sie übrigens gar nicht so herb."

„Man munkelte, sie hätte was mit Frauen." Tony verabreichte die Information, als erkläre sich damit alles, und grübelte weiter dem Namen nach, der ihm nicht einfallen wollte.

Quinn saugte an seiner Unterlippe.

Tony kam die Erleuchtung. „Jessica Lange!"

„Jessica?" Quinn bedachte Rojana mit einem besorgten Blick. „Jessica Lange? King Kong? Wenn der Postman zweimal klingelt?"

Tony nickte zustimmend.

„Ich weiß nicht, was an der herb sein soll." Quinn sah Farang an, als rechne er mit Unterstützung. „Ich meine, sie ist älter geworden, wie wir alle – aber *herb*?"

„Tony hat etwas verworrene Kriterien, was blonde Frauen angeht", stichelte Farang. „Mit Asiatinnen und Latinas kennt er sich gerade noch aus, aber bei blauen Augen verliert er den Überblick."

Tonys Protest ging im Lärm eines Motorboots unter, das an der Steuerbordseite der „Royal Bismarck" vorbeidröhnte und einen fetten Touristen am Fallschirm durch die Bucht zog. Der Mann, der wie eine Fliegerbombe in den Gurten hing, segelte unverschämt nah über das Achterdeck der Jacht und veranlasste Quinn zu einer anzüglichen Bemerkung über die fällige Anschaffung von Luftabwehrraketen.

„Und was ist nun mit der Blonden?" nahm Tony den Faden wieder auf.

Farang sah dem Mann am Fallschirm nach. „Es ist durchaus möglich, dass ich in Berlin über sie stolpere."

„Vergiss es", beschied ihm Tony, „sie ist nicht dein Typ!" Er wandte sich an Quinn. „Und was machen die Geschäfte so, Bobby?"

Tony spielte mal wieder auf die einträglichen Schmuggelaktionen des Admirals an. „Zigaretten sind nicht mehr so lukrativ." Quinn schenkte Kaffee nach. „Dafür nach wie vor Raubkopien aller Art. Der Alte hat sich fast ganz zurückgezogen. Er kassiert praktisch nur noch seinen Anteil und lässt die anderen machen. Dafür hat er natürlich auch ein wenig Macht eingebüßt. Aber er will sich über kurz oder lang ganz aufs Altenteil zurückziehen."

„Dann bist du als Leibwächter bald arbeitslos", deutete Farang die Lage.

„So schlimm ist es nicht. Er hat sich zu viele Feinde gemacht, um in Ruhe segeln und golfen zu können."

„Wo wir gerade bei Zigaretten sind...", hakte Farang nach. „Die Vietnamesen sollen in Berlin dick im Geschäft sein."

Quinn kratzte sich im Crew-Cut. „Dazu wollte ich dir sowieso was erzählen." Er trank einen Schluck Kaffee und sah zu, wie eine LTU-Maschine im Sinkflug auf Phucket zuschwebte.

„Sieht ganz so aus, als ob du dort auf einen alten Freund von mir treffen könntest."

„Freund?"

„Gegner wäre wohl richtiger, aber ich habe den Mann auch persönlich kennengelernt und den größten Respekt vor ihm – nicht nur als Soldat. Captain Nguyen Van Giang. Er war Kommandeur des Cu-Chi-Bataillons."

Quinn wusste, wovon er redete. Er hatte im Vietnamkrieg – Dank einer Körpergröße von Einsdreiundsechzig – in der berüchtigten Spezialeinheit der Tunnelratten gekämpft. Das Lateritstollensystem, das sich vom Ho-Chi-Minh-Pfad in Kambodscha bis fast nach Saigon ausdehnte, war sein Einsatzgebiet gewesen. Das dabei Erlebte bescherte ihm immer noch Albträume – aber er hatte überlebt.

„Der Captain kämpfte fünf Jahre lang unter der Erde. Er organisierte damals für den Vietcong die Verteidigung des Tunnelsystems. Er war nicht nur ein mutiger Soldat, er hatte auch als Ingenieur einiges drauf."

„Erzähl mir mehr von ihm", bat Farang.

„Sein Spitzname war: Anh Ham...", begann Quinn bedächtig.

„Anh Ham?"

„Das heißt so viel wie: Bruder Tunnel."

„Der Tunnel-Hauptmann..."

Quinn konnte Farangs leise Worte kaum hören. Trotzdem war er sicher, dass es Deutsch war.

Teil zwei

Auf das Gras schlagen, um die Schlange aufzuscheuchen

22

Der Wind kam aus dem Osten.

Er blies steif und stetig und schnitt durch die Kleidung bis in die Haut. Den Haufen Asche nahm er einfach mit, trug ihn von der obersten Plattform des Hochbunkers und zerstreute ihn schnell und ohne erkennbares Muster über dem Parkgelände und den Gleisen der angrenzenden Schnellbahntrasse.

Dieses Mal machte es der Wind ihm leicht, das Ritual zu erfüllen. Er erinnerte sich mit Scham an den batteriebetriebenen Taschenventilator, mit dem er mehr als einmal die Reste seiner besten Männer in der Oberwelt freigesetzt hatte. Oft war es nicht einfach, einen Schwur zu erfüllen. Heute hatte er den Ostwind auf seiner Seite.

Da flogen sie hin.

Nach einem Leben in Dunkelheit sahen die sterblichen Reste seiner Kämpfer das fahle Licht eines kurzen Wintertages, durchlüftet von Böen, die minus zwölf Grad Celsius zu zwanzig machten.

Der Wind hat es fortgeblasen.

So hieß es in der alten Weise aus seiner Heimat. Jedes Mal, wenn das Mädchen nach Hause kam, wurde es von seinen Eltern gefragt: „Wo ist dein Ring, dein Hemd, dein Hut?" Und das Mädchen antwortete: „Während ich die Brücke überquerte, blies der Wind sie weg." Es war eine Lüge aus Liebe, denn sie hatte all diese Dinge ihrem Geliebten gegeben – als Beweis ihrer Zuneigung.

Captain Nguyen Van Giang alias „Anh Ham" setzte den Deckel wieder auf die Urne. Er klemmte den Behälter unter den Arm, vergrub die Hände in den Taschen seiner Daunenjacke und starrte eine ganze Weile lang in das himmelblaue Schwimmbecken, das ohne Wasser tief unten im Park lag. Was suchte er hier? Was hatte der Frost ihm zu bieten? Was machte den Reiz dieser weißen Decke aus Schnee und Eis aus, die wie eine dicke Haut über seinem Reich und auf seiner Seele lag? Sein Reich war die Unterwelt. Dort war es wärmer, aber auch stickig. Seine Seele hingegen atmete und war noch bei ihm. Wie lange noch? Mochten die Ahnen es entscheiden. Er diente ihnen. Wem sonst? Noch in dieser

Nacht wollte er Rache für seine ermordeten Männer nehmen.

Die ersten Flocken taumelten durch die Nebelfetzen, die sein Atem in der bitterkalten Luft hinterließ. Er drehte sich um und musterte die verlassenen Nester in den kahlen Baumwipfeln. Sie erinnerten ihn an eine Schlagzeile in der Morgenzeitung. „Wilde Krähen fressen sich um ihre Freiheit!" Der Winter trieb die Vögel in den Zoologischen Garten. Dort schlüpften sie durch die engen Maschen der Greifvogelvoliere und fraßen ihren gefangenen Artgenossen das Futter weg. Die eigene Gier versperrte ihnen den Rückweg. Dick aufgebläht blieb ihnen nichts anderes übrig, als im Käfig zu verharren. An die hundert ungebetene Gäste leisteten den Geiern schon Gesellschaft.

Langsam ging der Captain die Brüstung entlang. Schließlich blieb er stehen und sah den Ameisen zu, die unter seinem Ausguck in das riesige Einkaufszentrum Gesundbrunnen strebten, um ihre Weihnachtsgeschenke umzutauschen. Es waren diese Deutschen, denen das Land gehörte. Sie waren so stolz auf ihre Weltstadt. Selbst diejenigen Berliner, die unentwegt auf ihre Mutterstadt schimpften, waren ihr in Hassliebe verbunden. Dabei kannten sie sie gar nicht. Sie bildeten es sich zwar ein, doch ganze Teile der Metropole waren ihnen unbekannt – und die wenigen Bürger, die etwas darüber wussten, ignorierten und verdrängten es. Ihm sollte es nur recht sein. Die Oberfläche, an der sie sich berauschten, bestand aus großen Zonen würdeloser Zementarchitektur und schmutziger Baustellen, die sich in diesem Winter in Schneehalden und Eisberge verwandelten. Die Spree floss bleigrau durch Kanäle, an deren Ufern sich Eisschollen zusammenschoben. Die öden Höhepunkte des Baustellentourismus, der Busladungen aus ganz Europa anzog, lagen aufgerissen, zerwühlt und teilgeflutet mitten im Herzen der Stadt, bedeckt von Gerüsten, Wohncontainern und Kränen, wie ausgebombte Vergnügungsparks, in denen die Ruinen des Fortschritts unter Puderzucker-Make-up verrotteten.

Und da, tief unter ihm, hetzten die Bewohner der Oberwelt von einem Termin zum nächsten – sogar in ihrer Freizeit. Sie zogen es vor, in Eile voranzukommen, wohin auch immer. Sie hielten das für Leistung, bewegten sich immer schnell und gestresst auf etwas zu, über das sie nicht näher nachzudenken schienen. Getriebene, vereint in Bewusstlosigkeit. Sie beteten das Geld an und beriefen sich auf den Zeitgeist.

Der Captain lächelte.

Er wusste, was ein Geist war.

Ein Geist hatte nichts mit der Gegenwart zu tun. Ein Vietnamese achtete die Geister, so wie er die Ahnen verehrte. Die Vergangenheit war die Zukunft. Diese Deutschen verstanden nichts. Ihr Zeitgeist war eine kurzlebige Ratte. Aber so war das mit den Christen. Sie hatten Angst vor dem Teufel. Mit Recht. Der Teufel schlief nie. Aber Gott schlief am Sonntag.

23

Vorsichtig stieg Heliane Kopter die Stufen hoch, dem signalrot leuchtenden Schalterknopf entgegen, denn wieder hatte ihr der verhasste Zeittaktschalter einen Streich gespielt.

Sie spürte etwas und verharrte.

Ein Schatten. Er bewegte sich.

Die Flurbeleuchtung flackerte wieder auf.

„Ich hoffe, ich habe Sie nicht erschreckt", sagte der Mann mit einem fremden Akzent und lächelte. Er schien auf sie gewartet zu haben.

Der Fremde war verpackt wie ein mehrfach isoliertes Heizungsrohr. Alles, was gegen Kälte gut war. Was die pelzbesetzte Kapuze vom Gesicht freigab, wirkte auf den ersten Blick eine Spur mongolid.

„Ich heiße Farang", sagte er. „Tony Rojana schickt mich."

Einen Moment zögerte sie, dann öffnete sie ihre Wohnungstür und bat den Besucher mit einer Geste herein.

„Tony? Mein Gott, das ist eine ganze Weile her..." Sie zog das Stirnband vom Kopf und schüttelte ihre Kupfermähne in Form.

Während sie aus den Stiefeln stieg, verlor sie den Besucher nicht aus den Augen. Er stand in der engen Diele – wie ein Kosmonaut, der gerade auf dem Mond gelandet war. Nur die Kapuze hatte er vom Kopf gestreift. Er sah jetzt gar nicht mehr so asiatisch aus. Die Haarfarbe war nicht das erwartete Blauschwarz sondern ein tiefes Dunkelbraun – so wie die Augen. Für einen Mann aus Thailand hatte er einen starken Bartwuchs. Er war sauber rasiert. Trotzdem sah sie den Schatten in seinem Gesicht. Sie schätzte Tonys Freund auf Mitte dreißig.

„Aber legen Sie doch bitte ab", forderte sie ihn freundlich auf.

Er steckte die Handschuhe in die Tasche und knotete den Seidenschal auf, der über der Kapuze um den Hals gewickelt war. Danach zog er erst den Anorak und dann den Mantel aus und befreite sich schließlich von den gefütterten Schnürschuhen mit der dicken Profilsohle.

Sie ging in die Küche. „Wir müssen uns leider hier hinsetzen. Ich mache uns einen Tee. Ist Tony noch bei dieser Zeitung?"

Er folgte ihr auf dicken Wollsocken. Heliane taxierte ihn erneut mit einem kurzen Blick, während sie den Wasserkessel füllte. Ohne die Verpackung wirkte er groß und schlank. Er nahm am Tisch Platz. „Ja. Es ist seine Lebensaufgabe", hörte sie ihn antworten, als sie die Gasflamme höher stellte. „Er hat mir erzählt, sie beide kennen sich über die Arbeit..."

„Richtig. Ich habe damals eine Reportage in Pattaya gemacht, für eine hiesige Zeitung, und Tony war dabei sehr hilfreich. Ein guter Kollege. Ohne ihn hätte ich bei der Sache alt ausgesehen." Sie stellte Tassen auf den Tisch. „Farang? Ist das Ihr richtiger Name?"

„Meine Freunde nennen mich so."

„Dein Spitzname?" Sie lächelte. „Ich darf doch *du* sagen?" Sie setzte sich zu ihm.

„Ja."

„Woher kannst du so gut Deutsch?"

„Mein Vater war Deutscher."

„Dann bist du nicht zum ersten Mal hier?"

„Richtig."

Sie kümmerte sich um das kochende Wasser, brühte den Tee auf und stellte die Kanne auf den Tisch.

„So oft war es aber nicht." Er wärmte seine Finger an der Kanne. „Ich habe auch keinen deutschen Pass", fügte er hinzu, als erkläre dies alles.

„Du nimmst sicher auch keinen Zucker." Sie schenkte ein.

Er lächelte. „Meine Mutter war Thai."

„Deine Eltern sind tot?"

„Ja."

„Bis auf den Akzent ist dein Deutsch wirklich beeindruckend. Ich wollte, ich könnte auch nur einen Bruchteil davon in Thai."

„So gut, wie du denkst, ist es nicht. Ich verstehe fast alles, aber das Sprechen fällt mir schwer. Die Praxis fehlt. Ich gehe viele Umwege. Ich kann nicht geradeausreden."

„Das gibt sich mit jedem Tag, den du wieder hier bist."

„Ich hoffe."

„Bestimmt!"

„Ich sage zum Beispiel: Das Holz *jammert*, um Probleme mit der Aussprache zu vermeiden."

„Es jammert?"

„Manche Wörter bekomme ich nur schwer raus. Er konzentrierte sich. „Kna-*r*-*r*-en." Er lächelte. „*Velly good!*"

Heliane lachte.

Er schlürfte leise Tee.

„Ach – entschuldige bitte." Hastig setzte er die Tasse ab und huschte in die Diele. Sie hörte, wie er in den Manteltaschen herumkramte. Er kam mit einer kleinen Schachtel zurück. „Ein Geschenk von Tony." Er hielt es ihr hin. „Fast hätte ich es vergessen."

„Danke."

Irgendwo im Haus brüllte ein Fernseher auf. Es dauerte einige Sekunden, bis er leiser gestellt wurde.

Heliane lächelte verlegen. „Es ist nicht die beste Wohngegend." Vorsichtig öffnete sie das Geschenkpapier des Päckchens und hob den Deckel ab. „Ach, ist der süß!" Sie hielt freudig überrascht eine Hand vor den Mund und hob mit der anderen einen winzigen Pinguin ans Licht. Die Figur war kunstvoll geschnitzt. Das Material war weißgelb und glänzte matt. Das dämpfte ihre Freude.

„Gefällt es dir nicht?"

Sie zwang sich zu einem höflichen Lächeln. „Doch, doch. Khun Tony hat es sicher gut gemeint..." Sie verstummte.

„Er sagt, du liebst diese Tiere."

Heliane Kopter nickte. Dann sah sie Farang ernst an. „Das ist Elfenbein, nicht wahr?"

„Einhundert Prozent echt!" bestätigte er stolz. „Made in Thailand."

24

Die fünf Vietnamesen hockten im gelben Licht der Wachskerzen um den Gaskocher und aßen ihre Nudelsuppe.

Die improvisierte Schnellküche mit den Notlagern aus Schlafsäcken, Decken und Reisstrohmatten lag am toten Ende eines blinden Tunnels. Das Teilstück war nie fertig gestellt worden, und nur die nackte Betonröhre zog sich einige hundert Meter unter der Erde entlang bis zu einem vergessenen Notausstieg. Parallel dazu verlief eine voll ausgebaute Trasse, die aber nur selten zu Betriebsfahrten genutzt wurde. Gelegentlich wurden einige Wagons überführt. Die meiste Zeit herrschte Ruhe. Einen guten Kilometer entfernt führten die Gleise einer aktiven U-Bahnlinie vorbei, deren gedämpftes Rumpeln im Zeittakt der Züge erklang.

Am Ende der Röhre schlug Blech auf Beton. Das Klappern hallte von weitem durch den kahlen Tunnel. Nur einer der Männer hob witternd den Kopf, dann aß auch er weiter. Es war wohl wieder dieser Deutsche. Wahrscheinlich war er im Suff über eine leere Bierdose gestolpert. Er suchte sie jetzt fast jeden Abend auf, wie eine Ratte, die den Duft der Suppe in der Nase hatte. Eine Ratte mit rosa Ohren. Als der ungebetene Besucher zum ersten Mal hier unten aufgetaucht war, hätten sie ihn beinah abgeknallt. Aber er war harmlos. Er war nur arm, krank und hungrig. Ihm zu helfen, bedeutete, sich auf einfache Art Meriten zu erwerben. Außerdem schien er sich unter der Erde gut auszukennen. Das konnte noch einmal nützlich sein, wenn er sich vorher nicht um den Verstand oder zu Tode soff. Wo blieb er heute nur?

Wieder ein Geräusch und die Ahnung einer Bewegung.

Diesmal hoben auch die anderen vier Männer den Kopf. Was sie sahen, war nicht der Deutsche mit den rosa Ohren.

Ein plötzlicher Luftzug brachte die Kerzenflammen zum flackern, und nur die stahlblaue Gasflamme des Kochers zischte unbewegt weiter, während fünf Schüsse laut im Tunnel widerhalten.

25

„Noch eine Tasse Tee?"

Farang nickte und musterte die helle Narbe auf Helianes Stirn. Sie passte zu dem schief zusammengewachsenen Nasenbein.

Sie schenkte ihm nach.

„Du bist also gar nicht mehr bei der Zeitung?"

„Schon seit einem Jahr nicht mehr. Ich habe mich beurlauben lassen, um an einem Buch zu arbeiten."

„Ein Buch?"

Sie lächelte sparsam. „Der Traum jeder Journalistin – irgendwann ein richtiges Buch schreiben..."

„Worüber?"

„Sagen wir... Architektur. Stadtgeschichte. Sowas in die Richtung..."

Sie wollte nicht darüber reden. Er ließ es auf sich beruhen und gab ihr Gelegenheit das Thema zu wechseln. Es war ein guter Zeitpunkt, um zu seinem Anliegen zu kommen.

„Und du? Was treibt dich nach Berlin?"

„Der Mann, mit dem du dich damals in Thailand beschäftigt hast."

Die Stirnnarbe verschwand zwischen Falten. „Torn?"

„Richtig."

„Ein Typ, an den ich mich gar nicht gerne erinnere." Sie zögerte einen Augenblick. „Gustav Torn galt damals als der heimliche Herrscher von Pattaya. Der übliche deutsche Größenwahn. Wenn unsere Touristen etwas erobert und besetzt haben, brauchen wir irgendwann auch unsere eigenen Paten. In Thailand, in Mallorca..."

Farang trank einen Schluck Tee und schwieg.

„Mein damaliger Chefredakteur wollte unbedingt was über ihn machen. Und es musste natürlich von einer Frau geschrieben werden. Unter der Hausnummer Frauenproblematik. Thai-Mädchen, Prostitution, Drogen und Sexmafia. Unsere Jungs, die das Geld unten als Reisende einzahlen und oben als Gangster wieder abschöpfen. Ich fürchte, er wollte nur einen weiteren Beweis für den weltweiten Erfolg der sozialen Marktwirtschaft."

Vor dem Fenster dröhnte ein Flugzeug durch die Nacht. Für eine Sekunde konnte Farang Positionslichter erkennen.

„Wieder so ein Nachzügler." Heliane Kopter sah auf die Uhr und machte keinen Hehl aus ihrem Ärger. „Um diese Zeit darf der gar nicht mehr landen." Sie bemerkte seinen fragenden Blick. „Der Flughafen Tempelhof liegt direkt nebenan. Mitten in der Stadt! Er wird hoffentlich bald dichtgemacht."

„Hat die Reportage damals was bewirkt?"

Sie starrte in ihre leere Tasse. „Hierzulande jedenfalls nicht. Torn läuft, soviel ich weiß, frei rum." Sie lächelte ihn an. „Aber vielleicht indirekt bei euch. Ihr seid den Drecksack schließlich los."

Farang bezweifelte einen Zusammenhang. Die Thai-Chinesen, die Gustav Torn die Grenzen aufgezeigt hatten, handelten nicht uneigennützig.

„Mister Jeraman – so ließ sich Torn damals gerne nennen – war sich seiner jedenfalls sehr sicher und gab sich kooperativ. Er lud mich sogar mit einem Fotografen in seine Burg ein. Eine Villa bei Pattaya mit je einem halben Dutzend Schlafzimmern und Bädern und einem gigantischen Pool, alles auf einem Sechstausend-Quadratmeter-Anwesen. Dazu Riesenmercedes, Porsche-Kabrio und diverse Motorboote. Was man halt so braucht. Und auf alles die volle Luxussteuer von fünfhundert Prozent bezahlt, wie er gerne betonte. Mitglied im Stadtrat war er auch."

Er hörte aufmerksam zu, als sei dies alles neu für ihn. Sie hatte schöne Hände. Die Fingernägel waren lackiert. Smaragdgrün. Die Farbe ihrer Augen. Was war wohl mit den Fußnägeln? Dass sie gut roch, gefiel ihm auch. Die ganze Wohnung roch gut.

Heliane hatte sich in Rage geredet. „Dieses Schwein erzählte mir in aller Ruhe und ganz genau, wie die Girls in den Dörfern rekrutiert werden, wie man sie zureitet und abrichtet und wie viele Monate es dauert, bis sie das Geld abgevögelt haben, das die Eltern für ihre Kinder bekommen."

Farang dachte an Nit.

„Er persönlich hatte mit alledem natürlich nichts zu tun, gab sich als seriöser Geschäftsmann. Beteiligungen an Hotels, Restaurants, Bars und Reiseunternehmen, alles völlig legal und sauber. Dabei ermittelten die Behörden in Deutschland und Thailand damals schon wegen Verwicklung in mehrere Mordfälle und wegen des Verdachts auf Rauschgifthandel, Zuhälterei und Steuerhinterziehung."

„Ohne Erfolg."

„So ist es", bestätigte sie bitter. „Und jetzt wollt ihr zur ausgleichenden Gerechtigkeit was über seine hiesigen Machenschaften schreiben, und da Tony kein Deutsch kann, haben sie dich geschickt." Sie grinste. „Geschieht dem Typ recht."

Er ließ sie in dem Glauben. „Wo kann ich ihn finden?"

„Mein Gott, ich habe mich seit Jahren nicht mehr mit solchen Typen und der Szene beschäftigt. Aber ich lese Zeitung und gucke ab und zu fern. Soviel ich weiß, macht er es jetzt ein paar Nummern kleiner und spielt den Fürst vom Stutti."

„Stutti?"

„Stuttgarter Platz. Im Stadtteil Charlottenburg. Er besitzt da angeblich ein einschlägiges Lokal und hat die Finger in allen möglichen Sachen, wie man hört. Frag mich aber nicht, was das genau ist." Sie sah ihm in die Augen. „Und ich will damit auch nichts mehr zu tun haben!"

Er spürte ihre Anspannung. „Das wird nicht nötig sein." Sie schien sich wirklich nicht mehr für das Thema zu interessieren und geizte nicht mit dem Wenigen, was sie noch über Torn wusste. Nur das Buch, an dem sie jetzt arbeitete, war ihr offenbar wichtig. Hätte sie noch für die Zeitung gearbeitet und bei der Weitergabe von Informationen gezögert, hätte er ihr als Gegenleistung das Material über die Kinderschänder angeboten, das Tony in Phuket kopiert hatte. Aber das war jetzt nicht mehr nötig. „Ich wollte nur eine Spur. Tony meinte, ich sollte dich zuerst fragen, du könntest eventuell helfen." Er lächelte. „Und er hat mal wieder Recht gehabt."

Heliane Kopter entspannte sich.

Farang stand auf. „Danke für den Tee!"

26

Mollen-Rudi schnupperte nervös.

Der Geruch, der in der Luft hing, hatte nichts mit dem vertrauten Duft köstlicher Speisen zu tun. Es roch nach angebranntem Essen.

Vom lauten Hall seiner Schritte begleitet, hastete Rudi durch den blinden Tunnel und ließ das Neonlicht hinter sich. Immer wieder witterte er, ohne stehen zu bleiben. Gelegentlich spritzte Wasser auf, das in der Bodenkrümmung zu Pfützen zusammengelaufen war. Normalerweise hätte er schon die stahlblaue Gasflamme erkennen müssen, doch nur das gelbliche Licht einiger Kerzenflammen flackerte ihm schwach entgegen.

Die Kochstelle war verlassen.

Der Topf qualmte. Es stank nach verbranntem Sesamöl und Sojasoße. Er nahm eine Kerze und leuchtete über den Herd. Der Topf war noch heiß. Auf seinem Boden bruzzelte ein braunschwarzer Rest aus Nudeln, Gemüse und Fleisch. Das Flaschengas konnte erst vor wenigen Minuten zur Neige gegangen sein. Er hob die Kerze höher, um den Lagerplatz zu inspizieren. Die Schlafstellen lagen unordentlich und verlassen da. Er öffnete den Deckel der großen Metallbox und sah den üblichen Vorrat aus frischen Lebensmitteln und Konserven. Keine Zigaretten. Schmuggelware hatte er hier unten noch nie zu Gesicht bekommen.

Im Topf zischte es laut. Erschrocken fuhr er herum und leuchtete die Tunneldecke aus, aber wie vermutet, hingen da oben nur ein paar Tropfsteine in den Betonfugen, von denen Wassertropfen zu Boden fielen. Die Stalaktiten sahen aus wie kleine Eiszapfen, aber er wusste gut genug: Hier unten waren es um die acht Grad Celsius über Null. Wäre die Feuchtigkeit nicht gewesen, die einem in die Knochen zog, hätte man den harten Winter im Untergrund noch besser ertragen können. Er setzte die Kerze ab und zog den Flachmann aus der Manteltasche. Zweimal kippte er sich eine Ladung Weinbrand hinter die Binde, und versuchte nachzudenken. Dann steckte er die Flasche weg und griff wieder zur Kerze.

Er leuchtete über den Boden und begann erneut zu schnuppern. Ein metallischer Geruch mischte sich unter den Gestank, der über der Herdstelle hing. Es war nur ein Hauch. In seinen besten Zeiten als Streckenläufer, lange bevor der Schnaps sein bester Freund geworden war, hatte er stets einen sechsten Sinn für Gefahr bewiesen. Er hatte sie förmlich gewittert. Jetzt, in diesem Moment, im verlassenen Teilstück eines blinden Tunnels, lebte dieser Instinkt wieder auf. Er spürte, wie sich ihm die Härchen auf der Haut aufstellten. Der Alkohol in Kopf und Körper schien im Bruchteil einer Sekunde zu verdunsten. Er war stocknüchtern und hatte Angst, große Angst. Noch nie hatte er sich unter der Erde gefürchtet, aber was er beim ersten flüchtigen Rundblick für die üblichen Wasserpfützen gehalten hatte, waren Blutlachen.

Vorsichtig ging er in die Hocke und hielt die Kerze über einen der dunklen Flecke. Kein Zweifel. Entweder hatten die Fidschis ein Schwein geschlachtet, oder es hatte sie selbst erwischt. Eine dunkle Ahnung sagte ihm, dass es Menschenblut war. Er hatte hier nichts mehr zu suchen. Der Hunger war völlig verflogen, und sein Magen krampfte sich schmerzhaft zusammen.

Hastig machte er sich davon.

Schon nach wenigen Metern fiel er in den Laufschritt, wurde schneller und hastete und stolperte über Schwellen und Gleise zur Oberwelt zurück, dem blauen Licht eines Notaustiegs entgegen – gehetzt von den Horden Dschingis Khans, die seine Feldküche überrollt hatten.

27

Als Farang das „Grand Vegas“ betrat, war ihm klar, dass der Türsteher ihn sofort im Blick hatte.

Der Portier war an die zwei Meter groß und zog daraus genügend Selbstvertrauen, um einen wie ihn nicht sofort abzuweisen. Großmütig schickte er den neuen Gast erst mal zur Garderobe durch, als sei dessen Frostschutzkostüm in diesem besonderen Fall das einzige Problem, auf das man ein Auge haben müsste.

Den zu dünnen Seidenschal hatte Farang sich noch vor der Landung in Frankfurt an Bord gekauft, um den Kamelhaarmantel, den er sich Jahre zuvor in Hongkong zugelegt hatte, angemessen zu ergänzen. Er hielt sich für einen Realisten. Doch sofort nach Ankunft in Berlin, war er, konfrontiert mit dem baldigen Kältetod, gezwungen gewesen, in einem Kaufhaus frosttaugliche Ausrüstung zu erwerben. Normalerweise unterschätzte er den Gegner nicht, aber beim deutschen Winter hatte er sich verrechnet. Das war alles in allem kein guter Auftakt seiner Mission gewesen. Hoffentlich war es kein böses Omen.

Die Wärmewelle aus Heizungsluft und der geballten Körpertemperatur von rund hundert Gästen, trieb ihm den Schweiß aus den Poren, bevor er ablegen konnte. Eine Weile blieb er in der Nähe der Garderobe stehen, um sich einen Überblick im Lokal zu verschaffen. Der größere der beiden Räume lag im Halbdunkel. Die roten, blauen und grünen Lichtbahnen der Deckenscheinwerfer bündelten ihre Strahlen auf dem halben Dutzend Stripperinnen, die an verchromten Metallstangen tanzten. Die Stangen waren in Kopfhöhe über den Gästen in einem Boxring mit schlaffen Seilen und poliertem Metallboden verankert. Die Frauen tanzten zu einer Rockballade. Die Musik war nicht zu laut. Er taxierte die Tänzerinnen. Alle waren gut gebaut, wenn auch für seinen Geschmack etwas zu kräftig.

Die Bar lag in einem kleineren Nebenraum, in dem die Musik nur noch die Gespräche untermalte. Hinter dem voll besetzten Rundtresen arbeiteten vier Keeper. Langsam wanderte er zu den Zapfhähnen. Hätte sich Gustav Torn im Publikumsbereich seines Nachtklubs aufgehalten, wäre es ihm nicht entgangen. Entweder war der Boss heute Nacht nicht anwesend, oder er hielt sich in den Geschäftsräumen auf. Trotzdem lohnte es sich, jedes einzelne Gesicht genau zu mustern. Eines kam ihm bekannt vor.

Natürlich hatte er sich die meisten Fotos der Kundenkartei, die er mit Tony sichergestellt hatte, nicht eingeprägt. Aber es gab eben Visagen mit Seltenheitswert. Diese hier bestach durch ein einprägsames Pferdegebiss, kombiniert mit Spanielaugen und Hamsterbacken, wobei die Statur des Mannes eher der des Nagetiers glich. Er saß auf einem Barhocker und machte einen runden Rücken. Dem beigen Safarianzug sah Farang auch aus der Entfernung die Herkunft an. Auf jeden Fall eine Schneiderei in Bangkok. Tuchqualität und Schnitt deuteten auf einen der besseren Läden in der New Road hin. Der schwarze Kaschmirschal war wohl ein Zugeständnis an die Jahreszeit.

Farang schob sich näher an den Tresen heran und bestellte ein

Pils. Nur wenig später wurde der Hocker neben dem Hamster frei, und Farang ging auf Ellenbogenkontakt.

Die braunen Augen schauten freundlich, und das Gebiss sah kerngesund und perlweiß aus. „Sie sehen aus, als kämen Sie daher, wo ich gerne und oft hinfahre."

„Krung Thep", bestätigte Farang.

„Die Stadt der Engel..." Der Mann schloss kurz die Augen. Dann gab er die verträumte Miene auf und stellte sich vor. „Heinz Haller."

„Surasak." Farang drückte ihm die Hand.

„Khun Surasak..."

„So ist es. Sie kennen sich aus."

„Ihr Deutsch ist besser als mein Thai."

Farang lächelte.

„Haben Sie unsere Mädchen schon gesehen?"

„Sie sind nicht zu übersehen.

„Und, wie finden Sie die Damen?"

„Bedrohlich groß und üppig."

Heinz Haller lachte. „Tja, ich auch, muss ich zugeben."

„Ich bin das Format nicht gewöhnt", sagte Farang in der Hoffnung, den Kinderficker aus der Reserve zu locken.

Hallers Pupillen schrumpften. Dann verdrängte er sein Misstrauen, bleckte die Zähne und wurde vertraulich. „Ja, man hat so seine Vorlieben..."

Einer der Barkeeper sagte: „Ham wa doch alle, Heinz. En bisschen wat Schönet, en bisschen wat Nettet." Er nahm das leere Champagnerglas. „Nochen Sprudelwasser?"

Haller nickte. „Und für meinen Thai-Freund noch ein Bier."

„Schöner Laden", sagte Farang zu dem Barmann.

Der Mann grinste selbstgefällig. „Läuft gut."

„Könnte bei uns in Bangkok auch mithalten."

„Na ja, bei unserem Chef." Der Keeper bemühte sich jetzt um eine möglichst klare Aussprache.

„Ihr Boss ist Asiate?"

„Nein, nein, der ist von hier."

Der Keeper ging, um sich um die Getränke zu kümmern.

Heinz Haller spann den Faden weiter. „Hat aber schon ein paar Jährchen in Pattaya auf dem Buckel, der Boss."

„Doch nicht etwa der legendäre Gustav Torn?“ Farang spielte den Überraschten und sah sich demonstrativ um. „Ich meine, bei der Größenordnung des Klubs, kann es nur einer wie er sein.“

Hallers Misstrauen kam wieder durch. „Sie kennen ihn?“

„Ich habe von ihm gehört. Stand doch oft genug bei uns in der Presse. Ich meine, die Thai-Klatschblätter.“

Haller war beruhigt. „Das stimmt.“ Er entblößte wieder sein Gebiss.

Wie polierte Klaviertasten. Farang sah weg und trank sein Glas leer, bevor der Barmann das nächste Bier brachte. „Wenn ich mich richtig erinnere, nannten ihn damals alle den Paten von Pattaya.“

Haller lachte. „Hier ist er nur der Fürst vom Stutti.“ Er prostete Farang zu und trank einen Schluck Champagner. „Ein Lude. Was man natürlich in seiner Anwesenheit besser nicht sagt. Er ist Geschäftsmann!“

„Nur ein Fürst?“

„Man nennt ihn auch den Großen Kurfürst.“

„Warum nicht König – oder Kaiser?“

„König ist man im hiesigen Milieu erst dann, wenn man anderthalb Meter unter der Erde liegt, und Kaiser wird man heutzutage in Deutschland nur noch, wenn man sehr gut Fußball spielt.“

Farang widmete sich seinem frischen Pils.

„Haben Sie den Mann am Eingang gesehen?“ fragte Haller.

„Den orientalischen Riesen?“

„Ali, sein Leibwächter. Aus Beirut und Kickboxmeister. Vor zwei Wochen versuchten sechs Albaner den Klub zu stürmen, um Schutzgeld zu erpressen. Ali schoss drei davon nieder. Eine Woche war er im Knast, dann war er wieder draußen.“

„Und Sie sind hier der Geschäftsführer, Heinz?“ neckte Farang.

Haller riss die Augen weit auf. „Um Gottes willen, ich habe damit überhaupt nichts zu tun. Gustav macht seine Geschäfte – und ich meine. Wenn er von Unternehmer zu Unternehmer einen Rat braucht, bekommt er ihn natürlich, aber sonst...“

„Aber Sie waren auch öfter in Thailand?“

„Als Tourist!"

„Und, hat es Ihnen gefallen, Heinz?"

„Natürlich, ich liebe Ihr Land, Khun Surasak. Ich liebe es genau genommen mehr als das meine. Hier ist es mir zu kalt. In jeder Beziehung." Haller tröstete sich mit einem weiteren Schluck Champagner.

Farang betrachtet die Schulterstücke des Safarianzugs über den kurzen Ärmeln. Er dachte daran, eine Bemerkung zu Jahreszeiten und passenden Kleidungsgewohnheiten zu machen, fühlte sich jedoch selbst noch nicht souverän genug bei diesem Thema.

Der Barmann kam näher, fragte nach dem Rechten, bekam seine Bestätigung und schob wieder ab.

Als der Keeper außer Hörweite war, kam Farang zur Sache. „Und vor allem lieben Sie unsere junge Generation, Heinz, nicht wahr." Er lächelte bitter. „Die Zukunft unseres Landes. Die Kinder."

Die Wangen begannen zu zittern und verloren zusehends Farbe, die Lippen pressten sich fest zusammen, und die Augen wichen zunächst erschrocken aus, um ihn dann umso verletzter anzustarren.

Geduldig wartete Farang, bis Haller sein mimisches Potential erschöpft hatte.

„Ich weiß nicht, wovon Sie reden, Khun Surasak."

„Aber, ich bitte Sie. So lange nachdenken, und dann fällt Ihnen nichts Besseres ein. Wir Thais haben ein Sprichwort. Demnach wollen Sie einen ganzen Elefanten mit einem einzigen Lotosblatt bedecken. Das geht nicht, Heinz. In Ihrer Sprache bedeutet das: Irgendwann kommt alles ans Tageslicht." Farang präsentierte sein Haifischlächeln. „Natürlich gibt es ungünstige und günstige Zeitpunkte für die Wahrheit..."

„Was sind Sie, ein Fahnder?" Haller bemühte sich, Neugierde und eine angemessene Portion Verachtung in die Frage zu legen, aber es klang nur nach Angst.

Farang hatte keine Ambitionen, Pädophile zur Strecke zu bringen. Wenn überhaupt, dann später, wenn er seine Mission erledigt hatte, als Gefälligkeit für Tony, aber nicht jetzt. Was er wollte, waren Informationen über Gustav Torn, und deshalb beabsichtigte er, Haller weiter unter Druck zu setzen. Er erinnerte sich an Heliane Kopters einfache Schlussfolgerung, was seinen vermeintlichen Job anging. Möglicherweise war das auch hier die richtige Variante.

„Wir möchten es nicht gerne publik machen, Heinz. Keiner will Ihre schmutzige Wäsche in aller Öffentlichkeit waschen.“ Wieder das Lächeln. „Oder, wie wir in Siam sagen: Sie sollten sich nicht die Eingeweide herausreißen, um damit die Krähen zu füttern.“

„Sie sind von der Presse?“

Das Maß an Panik klang viel versprechend, und Farang ließ die Frage unbeantwortet im Raum stehen.

„Ich bin ein unbescholtener Geschäftsmann.“

Farang schaute Haller direkt in die Augen. „Lassen Sie das Prominentere ausbaden! Wir haben die ganze Kundenkartei. Es sind genug Politiker dabei. Ihr Kopf muss nicht rollen.“

Eine sanfte Ballade aus dem Nebenraum unterstützte Hallers Denkarbeit. Farang winkte dem Barkeeper und bestellte die nächste Runde. Er hatte nicht vor, bei einem wie Heinz Haller in der Kreide zu stehen.

„Ich gebe nichts zu“, leitete Haller mit spitzer Stimme seine Kapitulation ein. „Was wollen Sie wissen?“

„Wie wäre es zum Auftakt mit Ihren Erkenntnissen zu Gustav Torn?“

„Ich bin doch nicht lebensmüde.“

„Dann sollten sie sich schon mal Autogrammkarten drucken lassen, Heinz. Sie werden berühmt!“

Haller riss sich zusammen. „Na gut. Er ist angeblich seit einer Woche völlig von der Bildfläche verschwunden. Man munkelt sogar, er wolle aufgeben. Alle möglichen Banden machen ihm hier seine Stellung streitig. Die meisten kommen aus den ehemaligen Ostblockstaaten. Alle versuchen, mehr oder minder brutal ihre Interessen durchzusetzen. Russische Im- und Exportgeschäfte schießen rund um den Platz wie Pilze aus dem Boden. Sieht alles bescheiden aus, doch oft ist viel Geld im Spiel.“

„Und warum ist der Laden dann noch nicht übernommen worden, wenn der Chef tatsächlich verschollen ist?“

„Angeblich hat er neue Partner, an die sich niemand rantraut. Nicht mal die Russen.“

„Was ist mit den Chinesen?"

Haller lachte. „Die spielen hier keine große Rolle. In der westdeutschen Provinz, wie man hört, aber nicht hier."

„Das werden sie gerne hören, Khun Heinz. Auf diese dezente Art und Weise beherrschen sie nämlich fast die ganze Welt."

Haller schien sich der tiefere Sinn dieser Bemerkung nicht zu erschließen. „Ich rede jedenfalls von den Fidschis", sagte er trotzig. Er bemerkte Farangs verständnislosen Blick und räusperte sich. „So werden sie jedenfalls im Osten genannt."

„Wer?"

„Na, die Vietnamesen."

„Fidschis..." Farang lächelte. „Wissen Sie Heinz, dass es Völkerkundler gibt, die behaupten, wir alle, ich meine Thais und so weiter, wären amphibische Stämme aus der Südsee?"

„Nie von gehört."

„Also Vietnamesen. Ist er bei denen?"

„Das weiß keiner. Man weiß ja nicht mal genau, wo die zu packen sind. Heute in Marzahn, morgen in Friedrichshain und übermorgen weiß der Henker wo. In dieser Stadt sollen angeblich an die dreißig Staatsanwälte gegen das organisierte Verbrechen ermitteln, aber sie haben nicht mal eine Ahnung, wo genau der Vietcong seine Stellungen hat."

„Und die Chinesen gibt es gar nicht." Farang lachte. „Wissen Sie Heinz, die Chinamänner werden gerne unterschätzt. Sie lieben es, wenn andere im Rampenlicht stehen und die Aufmerksamkeit auf sich ziehen. Die Russen sind hier gerade in Mode, wie ich höre. Die Typen scheinen es sogar zu genießen. Und was die Vietnamesen angeht – die mögen die Chinesen zwar nicht unbedingt, aber sie haben ähnlich gute Manieren, stehen auch nicht gerne im Rampenlicht. Wenn es stimmt, was Sie sagen, Heinz, dann scheinen die *Fidschis* bei den hiesigen Medien und Gesetzeshütern ebenfalls in Mode zu sein. Das wird sie nicht besonders freuen."

„Mehr weiß ich nicht."

Farang gönnte ihm eine Pause. „Was machen Sie beruflich, Heinz? Womit verdienen Sie ihr Geld?"

Hallers Miene hellte sich auf. „Sie werden es mir nicht glauben..." Er verstummte bedeutungsvoll.

„Kinderarzt?“

Beleidigt widmete sich Haller seinem Champagnerglas.

„Kommen Sie, Heinz, machen Sie es nicht so spannend. Was ist es? Sagen Sie es mir.“

„Tierleichenbestatter.“

Farang wollte es nicht glauben.

„Ich kümmere mich um die Einäscherung von Haustierkadavern.“ Haller überreichte ihm seine Geschäftskarte.

Pax Animalis.

„Und davon können Sie leben?“

„Sogar sehr gut.“ Zweifel an seinem Beruf hatten eine stimulierende Wirkung auf Heinz Haller. „Ein Markt mit Zukunft, Khun Surasak. Man wirft uns Deutschen oft ein mangelndes Verhältnis zur Dienstleistung vor, aber in diesem Fall wird der Bedarf von mir voll erkannt, und mit einem klaren Angebot beantwortet. In diesem Land gibt es sechs Millionen Katzen, fünf Millionen Hunde und fast vier Millionen andere kleine Haustiere. Etwa achthunderttausend davon segnen jedes Jahr das Zeitliche.“ Er sah den Eurasier streng an. „Sie erkennen das Potential?“

Farang nickte zögernd.

„Ich hole die Tiere zu Hause ab. Vögel, Meerschweinchen, Schildkröten, ein Pony, was Sie wollen. Vor kurzem hatte ich sogar eine Steinbacher Kampfgans. Natürlich arbeite ich auch eng mit Tierärzten zusammen.“

„Natürlich.“

„Ich weiß, den meisten Menschen kommt das alles etwas übertrieben vor. Aber was soll es? Unsere lieben Freunde haben heutzutage Friseurtermine, sie sind krankenversichert und gehen zur Psychotherapie, und im Fernsehen gibt es ganze Werbeblöcke mit Feinschmeckerfutter für die Viecher.“ Haller redete inzwischen mit gesundem Sendungsbewusstsein. „Dem Tier als Mitlebewesen Respekt entgegenzubringen, setzt sich als Grundhaltung begrüßenswerterweise immer mehr durch.“

Farang hatte gute Lust, an das Mitlebewesen Kind zu erinnern. Trotzdem simulierte er weiter Interesse an Hallers Zoo.

„Das Ganze ist natürlich auch eine Frage der Umwelthygiene. Was meinen Sie, wie viele Deutsche ihren Dackel heimlich im Garten verbuddeln? Diese wilden Beerdigungen gefährden das

Grundwasser. Es geht dabei nicht nur um das Leichengift. Nicht wenige der Kadaver haben Medikamente im Balg. Ich will hier gar nicht von möglichen Seuchen reden."

Haller legte eine kurze Pause ein, um die Bedrohung der Allgemeinheit noch deutlicher zu machen.

„Bei mir geht hingegen alles absolut sauber zu. Schon der Transport wird in auslaufdichten und geruchssicheren Plastiksäcken abgewickelt. Dann werden die Kadaver auf dreiunddreißig Grad tiefgekühlt. In einer knappen Stunde ist ein Schäferhund Eis."

„Und wie lange dauert es, bis er zu Asche geworden ist?"

„Etwa drei Stunden bei tausendfünfhundert Grad."

„Wie teuer?"

„Derzeit hundertsechzig Mark. Natürlich nur bei Sammelverbrennungen. Einzelkremierung ist fast doppelt so teurer. Ein Meerschweinchen mit Urnenservice kostet zweihundert, ein Wellensittich hundertfünfzig."

„Viel Geld für so kleine Wesen."

„Ist der gleiche Aufwand."

„Und was passiert mit der Asche?"

„Die bringe ich dem Besitzer zurück, Beileidsschreiben und Echtheitszertifikat inklusive. Im Krematorium gibt es bei Bedarf auch einen Abschiedsraum, in dem die Tiere auf Wunsch für die Besitzer aufgebahrt werden."

„Wie sind Sie gerade auf diese Idee gekommen?"

„Ich habe die Chance direkt nach dem Fall der Mauer ergriffen. Ein Kleingewerbeexperte der Treuhand hat mich damals beraten und die Anschubfinanzierung besorgt."

„Ich habe vor, irgendwann ein Restaurant aufzumachen, das auf Ratten spezialisiert ist. Für Feinschmecker."

„Ratten?"

„Sehen Sie, das finden Sie nun zur Abwechslung etwas abartig, Khun Heinz." Farang verspürte durchaus Verlangen, Haller die kulinarischen und unternehmerischen Einzelheiten zu erläutern, sagte aber: „Kommen wir zurück zu Torn!"

Der abrupte Themenwechsel verschlug Haller die Sprache.

„Wo würden Sie denn suchen, wenn Sie Gustav Torn bei den *Fidschis* finden müssten?"

„Na ja“, Haller räusperte sich. „Man hört von diesem Markt, der angeblich eine Art Drehscheibe ist...“

„Ein Markt?“

Haller nickte. „Der Vietnamesenmarkt, und dann gibt es natürlich noch die üblichen Standorte der Zigarettendealer – obwohl die häufig wechseln.“

„Das ist doch schon mal ein Anfang. Können Sie noch etwas präziser werden?“

In den nächsten zehn Minuten gab sich Heinz Haller alle Mühe, Farang zufrieden zu stellen, bis dieser ihn schließlich lobte.

„Für einen Tierleichenbestatter kennen Sie sich doch erstaunlich gut im Milieu aus, Heinz.“

Haller lächelte gequält. „Ich habe eine harte Schule hinter mir, Khun Surasak, bin im ehemaligen Arbeiter- und Bauernparadies großgeworden.“ Er zeigte Zähne. „Ich bin eine zähe Ratte.“ Kaum hatte er den Vergleich gezogen, erinnerte er sich wieder an Farangs kulinarische Vorliebe für dieses ganz bestimmte Tier. „Pardon!“

„Nichts gegen Ratten. Ist sogar mein Tierkreiszeichen.“

Haller griff erleichtert zu seinem Glas und prostete ihm zu. „Auf uns Ratten.“

Farang nickte nur knapp und sah zu, wie Haller trank. „Und was ist Ihr ganz persönlicher Traum, Heinz?“

Haller zögerte keine Sekunde. „Ein eigenes Krematorium für Tierkörper.“

„Ich denke...“

„Das letzte Glied in der Entsorgungskette fehlt mir noch, um völlig unabhängig arbeiten zu können. Ich habe zwar einen eigenen Kühlraum auf einem hiesigen Gewerbehof, aber wenn der voll ist, muss ich den Transporter beladen und auf Reise gehen. Früher ging es sogar bis nach Rotterdam.“

„Verstehe.“

„Noch habe ich keine Baugenehmigung, aber das wird schon...“

„Wissen Sie, wie man sie weich kriegt?“

Haller setzte das Glas ab und sah ihn irritiert an.

„Die Ratten!“

Haller verneinte mit einem Kopfschütteln.

Farang lächelte verbindlich. „Man versetzt sie kurz vor dem Ableben in Todesangst, damit sie Adrenalin ausschütten. Das macht das Fleisch zart."

28

Die vier vermummten Gestalten sahen wie Grönländer aus, mussten jedoch ohne Schlittenhunde auskommen.

Die Männer dampften vor Anstrengung. Paarweise zogen sie die beiden Kastenschlitten über das schneebedeckte Eis zu einer entlegenen Ecke des Schlachtensees. Die Planen über der Fracht waren millimeterdick mit Flocken bedeckt. Schneetreiben und Dunkelheit boten der Karawane Deckung. Uhrzeit und Kälte halfen, ungebetene Zeugen fern zu halten. Es war gegen vier am Morgen, und die Temperatur lag bei minus achtzehn Grad Celsius.

Das Baustellenzelt war kaum zu erkennen. Auch die Warnpyramiden, die es markierten, waren völlig zugschneit. Das Zelt lag etwa dreißig Meter vom Ufer entfernt über einer ausreichenden Wassertiefe. Die Männer hatten es bereits kurz vor Mitternacht errichtet, um dann möglichst lautlos ihrer Arbeit nachzugehen. Das Wasserloch zwischen den im Zelt gestapelten Schollen war schon wieder mit einer dünnen Eisschicht bedeckt, und als die Männer mit ihrer Ladung eintrafen, mussten sie es erneut aufbrechen. Dann zogen sie die Planen von den Schlitten und luden fünf schwarze Plastiksäcke ab. Sie waren länglich und schwer und mit Paketband umwickelt.

Die Männer schleiften die Säcke ins Zelt. Dort schnitten sie die Plastikfolie auf, packten die Leichen aus und versahen sie mit Gewichten, bevor sie Stück für Stück im Wasserloch versenkten und mit Holzstangen weit genug unter die Eisdecke schoben.

Nachdem alle fünf Leichen im See versunken waren, füllten die Männer das Loch wieder mit Eisschollen auf und zogen mit ihren Schlitten davon. Dem Frost blieben noch einige Stunden Zeit für seinen Anteil an der Arbeit. Rechtzeitig vor Anbruch der Morgendämmerung würden sie zurückkommen, das Zelt abbauen, die Warnpyramiden entfernen, gegebenenfalls etwas Schnee über den festgefrorenen Schollen verteilen und die Gefahrenstelle mit Ästen und Zweigen markieren, so wie es die Angler machten, die tagsüber ihrem Hobby nachgingen. Natürlich war es ein recht großes Angelloch, das sogar einem Spaziergänger oder einer Schlittschuhläuferin ein verwundertes Kopfschütteln wert sein konnte. Doch würde wohl kaum jemand nach Art und Größe der Fische fragen, die unter der Eisdecke überwinterten.

Die Männer wussten: Der Captain hatte allen Grund, mit ihnen und ihrer Arbeit zufrieden zu sein.

29

Am späten Morgen nahm Farang die S-Bahn bis zur Station Friedrichsfelde-Ost.

Vor dem Bahnhofsgebäude orientierte er sich kurz. Im Schneetreiben waren die Straßenschilder nur undeutlich zu erkennen. Weiße Flocken fielen dicht und weich auf schlecht geräumte Gehsteige. Eine gelbe Tram hielt auf dem Mittelstreifen der Rhinstraße. Nur eine einzige Person stieg aus, überquerte Gleise und Fahrbahn und lief eilig auf einen beleuchteten Mietblock zu, der wie der letzte Außenposten der Zivilisation durch den Schneevorhang schimmerte.

Farang ließ die Straßenbahn ziehen. Er schlug den Mantelkragen hoch, zog die Kapuze über den Kopf, und wickelte den Schal enger um den Hals. Dann marschierte er den breiten Straßenstrang entlang nach Norden, vorbei an ausgestorbenen Kleingartenkolonien und verlassenen Gewerbegebäuden. Tony hatte mit seinem Verweis auf Sibirien wohl doch nicht so ganz danebengelegen. Nur selten schob sich ein Pkw oder ein Bus mit Abblendlicht an ihm vorbei. Die Autos fuhren vorsichtig. Der letzte Streuwagen schien die Strecke schon Stunden zuvor versorgt zu haben.

Die erste Welle des Berufsverkehrs hatte er schon früh am Morgen in einem Bahnhofsimbiss am Alexanderplatz ausgesessen. Nur wenige Stationen mit der U-Bahn genügten, um ihn zur Vernunft zu bringen. Er wollte auf keinen Fall inmitten durchgedrehter Lemminge totgetrampelt werden. Seine deutschen Halbbrüder und -schwestern hetzten mit geradezu gnadenloser Energie und Konsequenz der Lohnarbeit entgegen. Getriebene, die sich tollkühn und ohne Rücksicht auf eigene und fremde Knochen die Stufen hinab in die Tiefe stürzten, als kämen die Züge nicht im Dreiminutentakt sondern nur einmal die Woche vorbei. Verpassten sie eine U-Bahn nur knapp, fluchten sie frustriert, dem Nervenzusammenbruch nahe, obwohl sich der nächste Zug bereits mit lautem Rattern im Tunnel ankündigte. Auch er hatte zunächst mitgezuckt, hatte sich anrempeln lassen und selbst die Ellenbogen ausgefahren. Er erinnerte sich, bei früheren Besuchen im Geburtsland seines Vaters, bereits nach wenigen Wochen deutliche Zeichen der Anpassung an den Tag gelegt zu haben. Er wusste nur zu genau, welche Macken man annahm, wenn man sich unter Deutschen aufhielt. Doch diesmal war er fest entschlossen, Widerstand zu leisten. Deshalb hatte er am Alexanderplatz bei Kaffee, Sandwich und Zeitung eine Pause eingelegt und abgewartet, bis der erste Ansturm der Horden sich erschöpfte.

Er überquerte die Allee der Kosmonauten und blieb einen Augenblick stehen, um die tauben Zehen zu bewegen und den Schnee aus den Profilsohlen zu trampeln. Dann zog er weiter, vorbei an Mietblöcken, die völlig leer standen und deren Fenster blind in den dunklen Tag glotzten. Neben einer Haltestelle lungerten drei junge Vietnamesen herum. Sie musterten ihn feindselig. Er ignorierte sie und stapfte weiter. Für Hunde, die den Schwanz einzogen, hatte er ein Gespür.

Nur wenig später erreichte er das abgelegene Gewerbegebiet. Er wusste nicht, ob er sich noch in Lichtenberg oder bereits in Marzahn befand. Es war auch nicht wichtig. Wichtig war das Schild mit den roten Buchstaben auf weißem Grund. *Textiliengroßhandel Giao Quan Ao – 50 Meter weiter.* Darunter hing ein Hinweis auf Vietnamesisch. Er ließ die Einfahrt zum Kundenparkplatz eines anderen Großhandels rechts liegen und wanderte weiter. Das Gelände neben der Stichstraße war verwildert. Büsche duckten sich unter ihrer Schneelast, und aus einem zugefrorenen Tümpel ragte Schilfrohr. Ein großflächiges Firmenschild der Eignergesellschaft kündigte den Gewerbehof an, von dem Haller gesprochen hatte. Der Schlagbaum neben dem Pförtnerhaus stand offen, und als er zügig das Schalterfenster passierte, schaute der uniformierte Wachmann nicht einmal von der Zeitung auf.

Auf dem Hof stand zwischen Altbauten und einem Büroneubau eine Lagerhalle mit Laderampe. Der Flachbau machte äußerlich einen verwahrlosten Eindruck, aber unter seinem Dach pulste das Leben. Vietnamesische Händler diverser Branchen hatten ihre Stände zu einem asiatischen Markt aufgebaut. Auf Farang machte das Arrangement eher den Eindruck einer trostlos kalten und abgespeckten Version heimatlicher Markthallen, aber er musste zugeben: Es war alles vorhanden, und die Atmosphäre war vertraut. Der Betonklotz vibrierte vor fernöstlicher Geschäftigkeit und Energie. Er streifte die Kapuze vom Kopf, wickelte den Schal vom Hals, knöpfte Anorak und Mantel auf und schlenderte unbehelligt durch die Gänge, vorbei an Textilien, Lebensmitteln, Kunsthandwerk, Haushaltswaren und Unterhaltungselektronik. Die Oase schien Anlaufpunkt für Großhändler und Kleinkunden zu sein: Japaner, Thai, Chinesen, Koreaner, und vor allem Vietnamesen. Kaum ein europäisches Gesicht war zu sehen.

Umso unübersehbarer war der Mann, der in besseren Zeiten als Pate von Pattaya firmiert hatte. Farang hatte die Lagerhalle gerade verlassen und in einem leer stehenden Büroraum im ersten Stock des Neubaus Beobachtungsposten bezogen, als eine Luxuslimousine auf den Hof fuhr und vor dem Eingang zum Markt parkte. Es schneite nicht mehr, und das Tageslicht mühte sich redlich, das Gelände auszuleuchten. Ein gutbetuchter Asiate stieg aus, schlug die Fahrertür zu und verschwand in der Halle. Seine Begleiterin, eine Seifenopernausgabe von Imelda Marcos, blieb auf dem Beifahrersitz hocken, klappte die Sonnenblende herunter, musterte ihr Gesicht im Schminkspiegel und kramte nach ihrem Lippenstift. Eine der hinteren Wagentüren wurde aufgestoßen, und Gustav Torn stieg aus dem Fond.

Als Großer Kurfürst war er sichtlich gealtert. Die blonde Bürste, die ihn in Thailand geschmückt hatte, war zu einer schütteren Mähne ausgewachsen, deren graue Strähnen er im Nacken zu einem kurzen Pferdeschwanz zusammengebunden trug. In besseren Tagen in Pattaya war er mit einer schlanken und hochaufgeschossenen Figur aufgefallen, die jedem Basketballer zur

Ehre gereichte, und die er stets kerzengerade hielt. Inzwischen ging er leicht gebückt, als misstraue er seinen Bandscheiben. Vorsichtig schob er die Wagentür ins Schloss, warf einen argwöhnischen Blick in die Runde, raffte seinen Lodenmantel vor der Brust zusammen und schlich wie ein Kuli in die Markthalle.

Der Anblick verleitete Farang nicht zu falschen Illusionen. Torn hatte nie auf seine Physis gesetzt. Einer wie er hatte das nicht nötig. Körperliche Arbeit, auch gewalttätige, überließ er seinen Helfern.

Kaum war Torn in der Halle verschwunden, tauchte ein unscheinbarer Opel auf und parkte neben der Laderampe. Eine Frau stieg vom Fahrersitz, wählte eine Nummer auf ihrem Mobiltelefon und ging langsam zum Heck des Wagens, während sie telefonierte. Sie trug Jeans, eine hüftlange Seemannsjacke mit Pelzkragen, Schnürstiefel und keine Kopfbedeckung. Die dicken blonden Haare, die das Gesicht wie ein Helm umrahmten, boten genug Schutz gegen die Kälte.

Sportlich wie immer!

Romy Asbach musste inzwischen Ende vierzig sein, aber er hatte sie sofort erkannt. Nachdem sie ihr Telefonat erledigt hatte, beobachtete er, wie sie erneut hinter dem Steuer des Opels Platz nahm. Für eine polizeiliche Überwachungsaktion benahm sie sich ein wenig sorglos. Keine Deckung. Kein Partner. Aber womöglich lauerte ganz in der Nähe noch eine gut getarnte Hundertschaft auf den Einsatz.

Wie dem auch war – alle Welt machte den Eindruck, geduldig auf Gustav Torn zu warten.

30

„Es ist alles vorbereitet“, sagte der greise Vietnamese mit dem Ho-Chi-Minh-Bart. Sein Französisch klang wie müdes Vogelgezwitscher, und die Geste mit der er seine Nichte mit der Teekanne entließ, war kraftlos aber eindeutig.

Als das Mädchen nach draußen ging, schwappte ein Schwall des geschäftigen Lärms aus der Markthalle in den notdürftig abgetrennten Raum hinter dem Gemüsestand, begleitet von einem kühlen Luftzug, der für einen Augenblick die Leistung des kleinen Heizlüfters minderte.

Gustav Torn nickte und nahm die Schale mit heißem Tee entgegen, die ihm der Gastgeber mit zitternden Fingern reichte. Er musterte die Altersflecke auf der Hand des Greises und gab sich mundfaul. Das war nie falsch. Spätestens in Thailand hatte er gelernt, zu gegebenem Anlass zu schweigen. Vor allem im Beisein Älterer war das wichtig. Je länger und ausgiebiger man den Mund hielt, desto besser. Es vermittelte den Eindruck, demütig zu sein. Was einem dabei im Kopf herumging, war unerheblich.

Torn ging eine Menge durch den Kopf. Wie hatte der steinalte Mann es nur geschafft, mit all dem Gemüse so viel Kohle zu machen? Zigaretten, gut, das wäre einleuchtend gewesen, aber gesundes Grünzeug, und das in Konkurrenz zu den Türken in dieser Stadt, alle Achtung. Der Greis hockte hier bescheiden in einer ärmlichen Außenstelle seines Unternehmens und gab sich als freundlicher und etwas seniler Opa. Und so nannten sie ihn auch alle: *Großvater*. Und das mit jeder Menge Respekt, daran gab es nicht den geringsten Zweifel. Opa war absolut sauber. Aber er hatte seine Verbindungen. Gott sei Dank, denn ein gewisser Gustav Torn war zurzeit dringend auf diese Verbindungen angewiesen.

Der Vietnamese schlürfte seinen Tee und schwieg, als sei alles Wesentliche schon gesagt.

Auch im hohen Alter bestand die Kunst des Lebens im bedächtigen Einüben von Geduld. Trotzdem war es Torn ein Rätsel, woher der Mann seinen Status nahm. Man munkelte, er sei ein „Moritzburger“ der damals nicht nach Hanoi zurückgekehrt sei, einer jener legendären Elitepimpfe aus Nordvietnam, die Onkel Ho Mitte der Fünfzigerjahre zu Bruder Ulbricht geschickt hatte, damit sie in jenem Ort nahe Dresden ausgebildet werden konnten. Alles Kinder verdienter Kader, die angeblich heutzutage noch „Im schönsten Wiesengrunde“ singen konnten, wenn auch mit leicht sächsischem Akzent. Aber das war natürlich alles Quatsch, konnte gar nicht sein, denn dazu war Opa nun wirklich zu alt. Diese vietnamesischen Knirpse waren damals im Alter von zehn bis fünfzehn Jahren nach Sachsen gekommen und jetzt höchstens sechzig. Großvater war ein Greis. Außerdem: wie hätte er bei einem Leben in der DDR die authentische Aura eines Mandarins entwickeln sollen? Und dass er mit allem, was kein Landsmann war, ausschließlich in Französisch verkehrte, sprach ebenfalls gegen diese Legende. Deutsch hatte Torn nie aus Opas Mund gehört, erst recht kein Sächsisch – wenn er auch vorsichtig war, was derartige Bescheidenheiten anging, ein Typ wie Opa arbeitete mit allen Tricks, und Tiefstapelei war bei diesen asiatischen Senioren geradezu eine Frage der Ehre. Die Boat-people-Variante, die auch im Umlauf war, hielt Torn für wesentlich wahrscheinlicher. Obwohl sich da auch so Einiges nicht richtig zusammenreimte.

Torn betrachtete die beiden kugelförmigen Glasvasen, die auf einem länglichen Altartisch standen. Sie dienten als Aquarien. Jede Vase beherbergte einen Kampffisch. Zwischen den Vasen war gut ein halber Meter Abstand, und der rote und der blaue Fisch nahmen keine Notiz voneinander, während ihre Flossen wie bunte Schleier im Wasser schwebten. Die Kampffische und der weinrot lackierte Altartisch waren die einzigen Dekorationsgegenstände, die dem kargen Raum eine asiatische Note verliehen, einmal abgesehen von den beiden holzgeschnitzten Reihern, die den Eingang flankierten. Die Vögel sahen billig aus, wie aus einem Folkloreladen für Touristen, aber Torn hatte sie beim Eintreten sofort bemerkt. Reiher waren Symbole der Wachsamkeit.

Nach einer derart langen und wohl ausreichenden Wartepause hielt es Gustav Torn für angemessen, konkreter auf die Mitteilung des Gastgebers einzugehen. „Ich bin froh, dass es endlich so weit ist.“ Er deutete einen Diener an.

Großvater quittierte die Ehrbezeugung mit einer leichten Neigung des Kopfes.

„Die ewigen Wohnungswechsel reichen mir auch allmählich.“ Torn milderte seine Klage sofort mit dem Hauch eines Lächelns ab. „Ich werde das Gefühl nicht los, jeder in der Stadt weiß trotzdem, wo ich stecke.“

Der Greis ging nicht darauf ein.

Torn beschäftigte sich mit seinem Tee und wartete auf genauere Instruktionen. Für Sekundenbruchteile glaubte er den penetranten Gestank reifer Durianfrüchte zu riechen. Es musste eine Täuschung sein. Thai International flog zwar inzwischen alles von der Orchidee bis zum Phuket-Hummer frisch ein, aber es war nicht die Jahreszeit für Durian.

„Morgen früh um vier auf der Bärenbrücke", sagte Großvater. „Nur Sie. Niemand sonst. Und ohne Mobiltelefon!"

„Natürlich."

Der Greis hielt Torn ein abgegriffenes Buch hin. „Nehmen Sie das hier mit. Es dient den Männern, die sie abholen, als Ausweis und Ihrem zukünftigen Gastgeber als willkommene Lektüre. Er braucht dringend Nachschub." Er lächelte zum ersten Mal.

Torn nahm das Buch. Er konnte nur die lateinischen Buchstaben erkennen, wusste aber, dass es Vietnamesisch war. Es sah einfach aus, war aber schwer zu sprechen. Trotzdem hatte er sich für alle Fälle schon ein paar Brocken von diesem Neuvietnamesisch angeeignet, das vom Regime in Hanoi unter dem Druck der Globalisierung in die Welt gesetzt wurde – was ihm im Moment aber nicht sonderlich half.

„Die Märchen der Gebrüder Grimm."

Gustav Torn war sprachlos. Eine Weile starrte er auf die Schriftzeichen. Dann bemerkte er, wie der elegant gekleidete Asiate, mit dem er gekommen war, den Raum betrat und schweigend neben der Tür wartete. Er hatte den Besuch für Einkäufe genutzt, trug zwei voll gepackte Plastiktüten. Er stellte die Tüten ab, ging zum Altartisch, und schob die beiden Glaskugeln zusammen, bis sie sich berührten. Kaum hatte er sich wieder aufgerichtet, versuchten die Kampffische auch schon, wie von bösen Geistern besessen, aufeinander loszugehen. Mit einem bösartigen Lächeln betrachtete der Anstifter das Schauspiel – bis er den strafenden Blick des alten Mannes bemerkte. Das Lächeln gefror augenblicklich, und mit unterwürfig gekrümmtem Rücken zog sich der jüngere Asiate wieder neben die Tür zurück und verharrte dort.

Torn räusperte sich. „Haben Sie noch einen Rat für mich?" fragte er Großvater zum Abschied. Auch sowas kam bei greisen Asiaten gut an. Das verächtliche Grinsen, mit dem der Mann neben der Tür den offensichtlichen Opportunismus quittierte, entging ihm nicht. Gerade der hatte es nötig. Verzogener Saigon-Adel allererster Güte. Ein dekadenter Parvenü, der einem bei jeder Gelegenheit die drei Insignien des erfolgreichen Vietnamesen vorbetete: Ein französisches Haus, chinesisches Essen, und eine japanische Frau. Die Geisha hatte er auch schon. Saß draußen im Wagen.

Der Greis entsprach der Bitte seines Besuchers mit leiser Stimme: „Das Leben wartet mit Schwierigkeiten auf. Trotzdem müssen Sie sich nach vorne bewegen. Haben Sie dabei keine Angst, Fehler zu machen, aber achten Sie darauf, dass sich die Fehler nicht häufen, und beschönigen Sie niemals Ihre Schwierigkeiten."

Gustav Torn nickte gehorsam.

„Mein Neffe wird Sie jetzt zurückbringen", beendete Großvater das Treffen.

Torn verabschiedete sich unter Beachtung aller Etikette.

„Und vergessen Sie das Märchenbuch nicht, wenn Sie zur Bärenbrücke gehen", erinnerte ihn der Greis noch einmal.

31

„Darf ich erfahren, was Sie hier zu suchen haben?" fragte der junge Mann mit der randlosen Brille.

Farang hatte dem Fenster schon beim ersten Geräusch den Rücken zugekehrt und setzte sich mit einem verbindlichen Lächeln dem strengen Buchhalterblick aus. Er hatte das Firmenschild genau gelesen, bevor er den Gang betreten hatte, und schließlich in das leer stehende Büro geschlüpft war. *Bambussplitter e.V.* war angeblich *ein eingetragener Verein für Völkerverständigung und kulturelle Begegnung.* Schon dieser weitgespannte Anspruch war Grund genug, voll auf den Asiatenbonus zu setzen.

„Ich muss mich entschuldigen", sagte er betont höflich, während er einen flüchtigen Blick aus dem Fenster warf, um Hallentor, Opel und Limousine nicht ganz aus den Augen zu verlieren, „aber ich habe mich wohl verirrt. Ich bin gerade erst aus Bangkok angekommen und – ehrlich gesagt – noch ein wenig vom Jetlag geplagt."

Der junge Mann entspannte sich. „Sie wollen zu uns?"

„Nun," spann Farang seine kleine Geschichte fort und vergaß dabei nicht, erneut aus dem Fenster zu schauen, „es sieht so aus, als hätte mir jemand die falsche Adresse gegeben, denn ich suche eine Organisation, die sich *Aprikosenhain* nennt und sich speziell mit Thailand beschäftigt."

„Die kenne ich leider nicht. Wir kümmern uns hier ausschließlich um Vietnam." Der junge Mann zog eine Tempotaschentuch aus der Hosentasche, nahm seine Brille ab und putzte sie sorgfältig.

Nicht der Hauch einer Reaktion auf die Vorgabe. Hatte dieser Asienexperte nie etwas davon gehört, dass Bambus und Aprikosenbaum unzertennliche Freunde waren? Auch die Art, wie der Mitarbeiter des Vereins „wir kümmern uns" sagte, ließ Schlimmes für die davon Betroffenen ahnen.

„Es war gar nicht so einfach, bei diesem Wetter herzufinden", fuhr Farang fort, während der junge Mann sein Outfit taxierte, als denke er über eine Neueinkleidung aus Beständen der letzten Altkleidersammlung nach.

„Das brauchen Sie mir nicht zu erzählen. Ich muss jeden Tag hier raus. Tut mir Leid, dass ihre Odyssee umsonst war und wir nicht die Richtigen sind." Er setzte die Brille wieder auf. „Ich kann Sie zur Stadtmitte mitnehmen. Ich fahre in etwa fünf Minuten Richtung Alexanderplatz." Er lachte gequält. „So weit die Schneeketten mich und meinen schneeweißen Mercedes tragen. Wenn Sie hier auf mich warten wollen... Ich hole nur meine Sachen."

„Gerne. Das ist sehr freundlich von Ihnen."

Nachdem der junge Mann gegangen war, nahm Farang die Observation wieder auf und versuchte, seine nächsten Schritte zu überdenken. Das Transportangebot war keine ernst zu nehmende Option, solange Gustav Torn noch in der Markthalle war. Torn in dieser Frostlandschaft so frühzeitig gefunden zu haben, war eine Gnade. Ausharren war jetzt das Richtige – wenn nicht hier oben, dann unten auf dem Gewerbehof. Also schnell weg, bevor sein *Helfer* zurückkam. Ein letzter Blick durchs Fenster und...

Noch bevor er den Raum verlassen konnte, schoben sich zwei Uniformierte durch die Tür. Dieser Hund hat dich verpfiffen, du Dummkopf, haderte er mit sich selbst. Soviel zum Asiatenbonus. Er studierte die beiden Männer sorgfältig. Beide machten einen athletischen Eindruck. Ihre ganze Aufmachung roch nach privater Wachschutzfirma. Die üblichen Anleihen aus amerikanischen Fernsehserien, aber keine Hunde. Das überraschte ihn, denn den deutschen Wachmann hatte er sich mit Schäferhund vorgestellt. Die Bewaffnung bestand aus Sprechfunkgerät und Schlagstock. Er lächelte zufrieden. Richtige Polizisten wären unangenehmer gewesen.

„Was gibt es denn zu grinsen?" kläffte der größere Uniformierte und verschränkte die Armen vor der Brust, um seine Souveränität zu unterstreichen. „Darf man fragen, was Sie hier suchen?"

„Die Frage habe ich vor etwa drei Minuten schon mal beantwortet."

„Bruce Lee spricht Deutsch!" sagte der Größere mit deutlicher Häme zu seinem Kollegen. Der quittierte die Feststellung mit einem Blick, in dem die geballte Erfahrung eines öden Dienstalltags voll zum Tragen kam. Er kannte die Sorte Problemfall. Ja, er kannte sie hinreichend. Es war alles so langweilig und vorhersagbar.

Farang war sicher: Die Uniformierten hatten nicht einmal den Fernseher im Aufenthaltsraum abgeschaltet, bevor sie sich auf den mühevollen Weg zu einem weiteren Routineeinsatz begeben hatten.

„Ein Witzbold, was?" fragte ihn der Wortführer.

Die Plakette auf der rechten Brusthälfte des Mannes faszinierte Farang. Sie zeigte das Logo S&S. Das goldglänzende Dienstwappen war zwar eindeutig eine Cop-Kopie, aber er konnte sich die Frage trotzdem nicht verkneifen.

„SS...?"

„Das müssen wir uns nicht gefallen lassen, Erwin", meldete sich der andere Uniformierte zu Wort.

„S *und* S", korrigierte Erwin geduldig. „Schutz und Sicherheit."

„Das beruhigt mich."

„Wir warten immer noch auf eine Antwort auf unsere Frage", stellte Erwins Partner fest und betätschelte seinen Schlagstock.

Farang schaute ein letztes Mal in den Gewerbehof. Noch hatte sich dort nichts getan, aber die Zeit drängte. Also widmete er sich wieder seinen direkten Gegnern und verpasste ihnen einen Schnellkurs in Muay Thai. Es war eine einseitige Angelegenheit. Die Männer waren nicht auf Thaiboxen eingestellt. Die Gegenwehr fiel jämmerlich aus. Farang kam nicht weiter ins Schwitzen. Nur ein Knopf platzte ihm vom Mantel, als er in die Hocke ging, um den Erfolg seiner Anstrengungen mit Ohrfeigen zu überprüfen.

Kaum hatte er sich wieder über den bewusstlosen Männern aufgerichtet, kam der mit der randlosen Brille herein, blieb mit offenem Mund in der Tür stehen und rang nach Worten.

Farang wartete den Kommentar nicht ab, zog auch ihn aus dem Verkehr, ließ ihn neben den beiden Wachmännern zu Boden sinken und schloss vorsichtshalber die Tür, bevor er die Taschen der Brillenschlange durchsuchte. Der Wagenschlüssel war eines dieser Plastikstücke, die an ein Wegwerffeuerzeug erinnern und mehr tragbarer Sender als Schlüssel sind. Die Größe des silbernen Anhängers mit dem Mercedes-Stern ließ direkte Rückschlüsse auf das Ego des Besitzers zu.

Einem der Wachmänner nahm er noch den Hauptschlüssel ab, der am Gürtel hing, dann öffnete er die Tür und spähte den Gang entlang. Die Luft war rein. Er schloss hinter sich ab und warf den Schlüssel in einen Müllbehälter im Treppenhaus.

32

Romy Asbach sah, wie der Mann, den sie insgeheim „Dressman" getauft hatte, aus der Markthalle kam.

Das Schneetreiben hatte erneut eingesetzt, und der Vietnamese beeilte sich, hinter das Steuer seiner Limousine zu kommen, während Gustav Torn ihm leicht gebeugt folgte. Die Asiatin auf dem Beifahrersitz klappte die Sonnenblende mit dem Schminkspiegel hoch. Es blieb Romy Asbach ein Rätsel, wie die Frau sich so lange mit ihrem Lippenstift hatte amüsieren können.

Der Dressman hatte bereits hinter dem Steuer Platz genommen und gurtete sich gerade an, als Romy Asbach Gustav Torn abfing. Sie stellte sich ihm in den Weg, noch bevor er die Tür zum Rücksitz öffnen konnte. Torn zwang seinen Körper in eine aufrechte Haltung und starrte auf sie herab, als könne dies allein sie aus dem Weg räumen.

Romy ließ sich nicht einschüchtern. „Sie müssen für mich aussagen“, herrschte sie den Mann mit dem grauen Pferdeschwanz an.

Torn bat den Vietnamesen am Steuer mit einer Geste, noch einen Augenblick zu warten und wandte sich ihr erneut zu. „Ich muss?“ Er lachte kurz und trocken. „Wenn das Ihre übliche Art ist, Bitten vorzutragen, wundert es mich nicht, dass Ihre Karriere den Bach runtergeht.“

„Sie halten Informationen zurück, die meinen Hals retten können“, beharrte sie auf ihrem Anliegen.

„Das mag sein...“ Torn langte zum Griff der Wagentür.

Sie ging mit dem ganzen Körper dazwischen und sah ihrem Widersacher fest in die Augen.

Torn richtete sich wieder auf, klopfte ein paar Flocken vom Ärmel des Lodenmantels und rang sich ein Lächeln ab. „Wollen Sie mit mir ringen?“

„Wenn es sein muss.“

Er schüttelte den Kopf. „Nicht mit mir. Und nicht in diesem Ton, Gnädigste.“

Aus dem Augenwinkel sah sie, wie der Dressman die Konfrontation im Außenspiegel verfolgte.

„Seien Sie nicht kindisch und machen Sie Platz.“ Torn langte erneut zum Türgriff.

Diesmal ließ sie ihn gewähren und sah mit stummer Wut zu, wie er einstieg und die Limousine langsam davonrollte. Die Winterreifen zermalmten den Schnee wie Mehl und ließen ein Nadelstreifenmuster im Hof zurück.

Sie stapfte zu ihrem Wagen und trampelte den Schnee aus dem Profil der Stiefelsohlen, bevor sie einstieg. Hinter dem Steuer kramte sie das Fläschchen mit verdünntem Bach-Blütenkonzentrat aus der Jackentasche. Sie träufelte sich einige Rescue-Tropfen in den Mund und nahm behutsam die Verfolgung auf.

Ihre Vorsicht hatte vor allem mit den abgefahrenen Sommerreifen des Opels zu tun. Den Gangster Torn und seine Komplizen kannte sie in- und auswendig. Mindestens ein halbes

Dutzend mal hatte sie ihn verhaftet und wieder laufen lassen müssen, weil diese Nutte, die sich Justitia nannte, nicht in der Lage war, Typen wie ihn ein- und für allemal hinter Gitter zu bringen. Umso bitterer war es, nun auf einen wie ihn angewiesen zu sein. Er war ihre letzte Karte, die einzige, die noch vor dem Untersuchungsausschuss stechen konnte. Es hatte sie fast eine Woche gekostet, den Mann wieder aufzuspüren, und sie hatte nicht vor, ihn aus den Augen zu lassen, bis sich die Chance bot, ihn endlich umzudrehen.

Die Gleitversuche, mit denen ihr Opel tapfer versuchte, der Limousine über die Landsberger Allee Richtung Stadtmitte zu folgen, machte Romy Asbach klar, wie schlecht ihre Chancen standen. Zum Glück war das Schneetreiben stark genug, um den Dressman deutlich unter das Tempolimit zu zwingen und ihr zudem ausreichende Deckung zu gewähren.

33

Farang war überzeugt: Selbst wenn Romy Asbach gelegentlich in den Innenspiegel sah, war sein weißer Mercedes hinter dem dichten Schneevorhang kaum zu erkennen.

Das war der Vorteil. Von Nachteil war, die Limousine mit Gustav Torn gar nicht mehr erkennen zu können und auf die Verfolgungskünste der Blondine setzen zu müssen. Der Opel vor ihm schlidderte über die Fahrbahn, als habe er magnetischen Kontakt zum Randstein. Immer wieder zog die Frau am Steuer den Wagen zur Fahrbahnmitte. So gelang es ihr, in einer Schlangenlinie auf Kurs zu bleiben.

Was Farang wesentlich größere Sorgen machte, waren die Schneeketten des Mercedes. Er hatte Geräusche dieser Art noch nie vernommen. Die hinteren Radkästen schienen sich allmählich aufzulösen. Das dumpfe Rumpeln und Rasseln erinnerte ihn an eine altersschwache Reismühle. Er hatte keine Ahnung, wo die Schmerzgrenze lag. So viel er wusste, gab es eine Höchstgeschwindigkeit für den Betrieb der Ketten. Noch war er nicht in Gefahr, das Limit zu überschreiten, denn es ging nur im Schneckentempo vorwärts. Natürlich lag der große Wagen mit dieser Ausrüstung absolut stabil. Aber trotz dieser trügerischen Sicherheit ahnte er: Sobald es aufklarte und alle vor ihm Gas gaben, standen Probleme an. Mit Sommerreifen wäre er besser drangewesen.

Die amphibische Fahrtechnik im überschwemmten Bangkok, das Schwimmen und Gleiten durch die vom Dauerregen in Kanäle verwandelten Straßen, kam den winterlichen Bedingungen hier sehr nahe. Aber das war im Mai, wenn der Südwestmonsun schwere Regenwolken über Krung Thep drückte, wenn anfänglichen Schauern Gewitter folgten, die sich bis September zu sturmgepeitschten Wassermassen verdichten konnten, die ohne Unterbrechung aus einem bleigrauen Himmel prasselten.

Hier und jetzt war es Dezember, der Himmel zwar ebenfalls grau, aber es rieselte und flockte und blieb wie geraspelter Kokos auf der Erde liegen. Weiß und schmutzig grau. Wenn in der Heimat die Fluten gegen das Bodenblech klatschten, musste man mit Gefühl im Arsch fahren, driften, langfristig ausweichen, behutsam bremsen – wie ein Bootsführer. Das wäre auch im hiesigen Winter das Richtige gewesen, aber er saß im Moment eher auf einem Traktor oder einer Zahnradbahn, wie das Rasseln und Pochen ihm in Erinnerung rief.

Wenn er den Stadtplan noch richtig im Kopf hatte, fuhr er auf der ehemaligen Leninallee stadteinwärts. Der Straßenname aus DDR-Zeiten hatte klein gedruckt und in Klammern hinter dem jetzt gültigen gestanden, und er konnte ihn sich leichter merken als Landes... oder Landsberg... oder wie die Allee nach dem Mauerfall hieß. Die nächstgrößere Querstraße musste demnach die ehemalige Ho-Chi-Minh-Straße sein. Das war, in Anbetracht seiner Mission, besonders leicht zu behalten.

Voraus schimmerte, wie im Rhythmus eines Pulsschlags, ein gelblicher Fleck durch den Schneevorhang. Für einen Augenblick hoffte Farang auf die Sonne. Zwar war ihm die kalte Heimat seines Vaters mit ihren Regentiefs nicht fremd – aber ein so brutales Schneegestöber hatte er noch nie erlebt. Deshalb kam ihm der Gedanke, die Sonne könne plötzlich, wie nach einem Wolkenbruch, wieder auftauchen, nicht ganz abwegig vor.

Erneut schlitterte der Opel bedrohlich nahe auf den Bordstein zu, bekam die Sporen und orientierte sich wieder zur Fahrbahnmitte. Das Gelb wurde ein wenig kräftiger. Es konzentrierte sich auf einen ganz bestimmten Punkt, der allmählich als Straßenkreuzung auszumachen war. Die Ampelanlage arbeitete im Notprogramm. Anstatt den spärlichen Verkehr zu regeln, blinkte sie nur noch resigniert gegen die Wetterverhältnisse an.

Der Opel hatte die Kreuzung so gut wie erreicht, als sich von rechts ein lang gezogenes grünes Rechteck auf die Kreuzung schob. Alles lief wie in Zeitlupe ab. *Spedition Oswald* konnte er lesen, während der Lastzug die Kreuzung überquerte und den Opel zu einer Vollbremsung zwang, die ihn endgültig von der Fahrbahn und in eine Schneewehe schleuderte.

Im Rückspiegel sah er, wie Romy Asbach ausstieg und sichtlich wütend gegen einen der Hinterreifen trat. Stoisch behielt er Geschwindigkeit und Kurs bei. Sein Mitleid hielt sich in Grenzen. Pech für die Lady. Glück für ihn. Entscheidung am Ho-Chi-Minh-Pfad. Irgendwo da vorne im grauweißen Chaos fuhr die Limousine mit Gustav Torn. Nichts anderes war wichtig. Behutsam erhöhte er die Geschwindigkeit. Als auch Minuten später noch keine Heckleuchten vor ihm auftauchten, entschloss er sich, ohne Rücksicht auf Schneeketten und Radkästen, zu vollem Risiko. Er umfasste das Steuer fester und gab richtig Gas.

Noch nie war er von seinem eigenen Heck überholt worden. Es war eine ganz neue Erfahrung. Die Hinterachse drückte ihn einfach zur Seite und schob sich mit dem Kofferraum an die Spitze. Und als der Mercedes nach kurzer Kür in die Telefonzelle krachte und zum Stillstand kam, herrschte endlich Ruhe in den Radkästen und Farang hatte freien Blick zurück auf seine eigene Reifenspur, die sich im Schnee verlor. Es hatte ihn oft genervt, die Deutschen nur vom Wetter schwafeln zu hören. Sie hatten stets große Probleme mit dem Wetter, waren wie besessen von dem Thema. Jetzt, in diesem besinnlichen Augenblick, angegurtet in seinem geliehenen Mercedes, dessen weiße Tarnfarbe ihm nicht mehr allzu viel nützte, konnte er seine europäischen Halbbrüder und -schwestern zum ersten Mal verstehen. Wetter war wichtig – vor allem, wenn man mit Schneeketten unterwegs war. Ganz weit entfernt meinte er noch das warnende Blinken der Ampelanlage erkennen zu können. Aber das war natürlich

Einbildung. Sicher war: Sowohl Romy Asbach, als auch Gustav Torn waren vorerst außer Reichweite.

Er öffnete den Gurt, trat die verklemmte Tür auf, stieg aus und streckte sich vorsichtig. Alles schien heil zu sein. Was man von Mercedes und Telefonzelle nicht behaupten konnte. Die Schneeflocken waren eifrig bemüht, den Schrotthaufen gnädig zu verhüllen. Ungebetene Zeugen waren bei dem Mistwetter nicht unterwegs.

Kaum hatte Farang den Gedanken zu Ende gebracht, hörte er ein Knirschen. Er sah sich um und bemerkte eine dick vermummte Gestalt, die ihn ansteuerte. Sie schob einen Einkaufswagen vor sich her. Der Wagen war verrostet und voll gepackt mit prall gefüllten Plastiktüten. Unter die Räder waren zwei speckige Skateboards ohne Rollen montiert. Sie dienten als Kufen. Die Gestalt war eine alte Frau. Oder sie war noch gar nicht so alt, sondern nur verlebt. Jedenfalls sah sie nicht aus, als käme sie gerade aus dem Supermarkt. Ihre Winterklamotten waren ein Sammelsurium, das nicht einmal auf dem Trödel Käufer gefunden hätte. Das Gesicht war vom Alkohol aufgedunsen, und die Duftwolke, die sie einhüllte, war eine herbe Mischung aus Urin, Bratfett und Spiritus. Sie schob ihr Gefährt neben den Kofferraum, deutete mit einem Fausthandschuh zur offen stehenden Fahrertür und blinzelte ihn aus geröteten Augen an.

„Wird der frei?“

Farang machte eine unbeholfene Geste.

Die Alte ließ es auf sich beruhen, beugte sich ins Wageninnere und inspizierte die Sitze.

„Heizung noch intakt?“

„Keine Ahnung.“ Er sah zu, wie die Frau zum Heck stapfte, den Kofferraumdeckel öffnete und ihre Habe umlud.

„Suche schon länger was Luxuriöses mit Telefon.“ Ein schlimmer Hustenanfall unterstrich die Dringlichkeit.

Farang drehte sich um und ging durch das Schneetreiben davon, den Stadtplan vor Augen. Irgendwo da vorne musste die Allee eine S-Bahnstrecke überqueren, und mit ein wenig Glück, war der nächste Bahnhof nicht weit. Das krankhafte Bellen und Keuchen der Frau hielt an, wurde aber mit jedem seiner Schritte leiser. Er kannte die Tonlage gut. Der Obdachlosen blieb nicht mehr viel Zeit. Wenn Lord Buddha ihr gnädig war, verdämmerte sie den kleinen Rest ihres Lebens umgeben von echtem Leder und Wuzelholzimitat, bewacht von wenigstens einem Stern.

34

Star of Bethlehem gegen Schock und Betäubung, *Rock Rose* gegen Panikgefühle, *Impatiens* gegen Stress und Spannung, *Cherry Plum* gegen die Angst, die Kontrolle zu verlieren und *Clematis* gegen die Tendenz abzutreten, dieses verdammte Gefühl, weit weg zu sein.

Romy Asbach mischte aus fünf Bach-Blütenkonzentraten Nachschub für ihr Erste-Hilfe-Fläschchen. Nachdem der Opel nach einer Pirouette in der Schneewehe gelandet war, hatte sie den letzten Rest aus der kleinen Flasche dringend nötig gehabt und unverzüglich gekippt. Ganz im Sinne der Gebrauchsanweisung: *Rescue hilft, einen erlittenen energetischen Schock auf feinstofflicher Ebene sofort aufzulösen – sei es eine unvorhergesehene Schrecksituation, eine schlechte Nachricht oder eine heftige Auseinandersetzung bis hin zum Unfall mit Bewusstseinsverlust.*

Von Bewusstseinsverlust konnte natürlich nicht die Rede sein. Ganz im Gegenteil. Sie hatte vor Wut gebrüllt, nachdem dieser Scheiß-Laster ihr in die Quere gekommen war. Aber um eine unvorhergesehene Schrecksituation hatte es sich ohne Zweifel gehandelt. Und die Angst, ab und zu die Kontrolle zu verlieren, war auch nicht ganz zu leugnen. Immerhin hatte sie ihren Opel mit Tritten traktiert.

Nachdem sie die Eigenversorgung sichergestellt hatte, gab sie noch zehn Tropfen ins Wasser der Gießkanne und goss ihre Blumen. Es half! Manchmal war sie nicht sicher, wer entspannter war – sie oder ihre Zimmerpflanzen. Für einen Moment spielte sie mit dem Gedanken, noch fünf Tropfen in ein Vollbad zu geben und sich für eine Weile in die Wanne zu legen, doch dann entschied sie sich, die Suche nach Gustav Torn sofort wieder aufzunehmen und räumte die diversen Vorratsflaschen mit Blütenextrakt weg.

35

Ein zweiter Besuch im „Grand Vegas“ blieb Farang vorläufig erspart, denn Heinz Haller tänzelte gerade aus dem Eingang, als er sich, aufmerksam vom libanesischen Türsteher beobachtet, den Schnee von den Schuhsohlen streifte.

„Die Happy Hour ist leider schon vorbei, Khun Surasak.“

Die Drinks hatten Haller aufgelockert. Farang gefiel es, den Tierentsorger so fröhlich und entspannt zu sehen. Das konnte nur hilfreich sein. „Kein Problem. Ich habe nur ein paar Fragen an Sie, Heinz. Vielleicht können Sie mir nochmal weiterhelfen.“

Haller knöpfte seinen Ledermantel zu und verknotete den Gürtel fest über dem Bauch. „Schon gegessen?“

„Nein.“ Farang bestaunte den Mantel. Es war eines jener pechschwarzen Gestapo-Modelle, die er aus Hollywood-Filmen kannte. Auf eine perverse Art passte die Außenhaut zum verschrobenen Safarianzug. Vermutlich trug der Bestattungsexperte das Ensemble auch bei Beerdigungen größerer Tierarten.

„Dann kommen Sie doch einfach mit.“ Haller wickelte sich den Kaschmirschal fest um den Hals. „Besseres Thai-Essen bekommen Sie nirgendwo in der Stadt.“

„Gerne.“

Der Türsteher kam näher und drückte das Kreuz durch, um seine zwei Meter Lebendgröße voll auszuspielen. „Alles in Ordnung, Heinz?“ Der Mann aus Beirut starrte Farang an, als könne der die Frage auch gerne direkt beantworten.

„Ist schon gut, Ali“, wiegelte Haller ab.

Der Libanese grinste Farang an. „Man kann ja nie wissen.“

„Kann man nicht...“ Farang sah den Kickboxmeister freundlich an. „Was hört man denn so vom Boss? Ist er schon wieder aufgetaucht?“

Die Miene des Libanesen verfinsterte sich augenblicklich. Er verweigert die Antwort und sah Haller an, als sei er sich nicht mehr so sicher, ob Heinz nicht doch Hilfe benötige.

Haller packte Farang am Ellenbogen, zerrte ihn zu seinem Wagen und flüsterte: „Das war keine so gute Idee.“

Die Wagenheizung kam schnell in Schwung. Farang war nicht böse darüber. Seit es nicht mehr schneite, war die Bewölkung aufgerissen, und die Temperatur noch weiter in den Keller gesackt. Langsam wurde es in diesen Breiten richtig ungemütlich. Umso versöhnlicher war der Anblick des Schriftzugs „Sukhothai", der ihnen wenige Minuten später entgegenleuchtete. Im Restaurant stieg seine Stimmung auf ein Hoch, das in etwa einer Außentemperatur von achtundzwanzig Grad Celsius über Null und einer Luftfeuchtigkeit von rund achtzig Prozent entsprach.

Heinz Haller setzte dem Ganzen die Krone auf, indem er ihn an Stühlen und Tischen vorbei durch das gut besuchte Lokal in einen Nebenraum führte, der in bester Thai-Manier eingerichtet war. Unter Wandbehängen, deren Motive den Ramayana-Wandgemälden im Tempel des Smaragd-Buddhas in Bangkok nachempfunden waren, wurde auf Matten und zwischen Sitzpolstern im siamesichen Stil serviert. Die Bedienungen trugen bestickte Sarongs, und das Essen war tatsächlich überraschend gut. Haller bestand darauf, neben dem Bier noch eine Flasche Mekhong aufzufahren, und als der Reiswhiskey seine Wirkung tat, kam Farang zu seinem Anliegen.

„Sagt Ihnen der Name Romy Asbach etwas, Heinz?"

Haller war angetrunken. Trotzdem funktionierte sein Autoalarmsystem noch ganz passabel. Er machte ein ernstes Gesicht und schwieg.

„Es geht mir nicht um Ihr Problem, Heinz, seien Sie ganz beruhigt."

Haller entspannte sich. „Die Asbach? Die *Lay-Lady-Lay*-Lady? Machen Sie Witze, Khun Surasak? Ob ich die kenne?" Er schüttelte den Kopf und schenkte sich noch einen doppelten Mekhong ein. „Die hat mir in Pattaya mal die Thai-Bullen auf den Hals gehetzt." Er trank. „Und das war gar nicht lustig."

„Lay-Lady?"

„Auch als Lady-Lady bekannt."

„Weil sie auf Frauen steht?"

„Sie sind ja ein richtiger Schnellmerker, Surasak."

Farang ignorierte Hallers kesse Lippe und ließ sich von ihm nachschenken.

„Eine ganz scharfe Nummer, was das anging. Deshalb hat sie mich letztendlich auch in Ruhe gelassen."

„Wieso?"

„Ich stehe nun mal auf Knaben. Hätte ich es mit kleinen Mädchen getrieben, hätte sie mir den Schwanz persönlich abgehackt."

Farang kippte den Doppelten in einem Rutsch und zwang sich, weiter zuzuhören.

Haller grinste blöde. „Das war eben sowas wie ein Geständnis, schätze ich."

„Richtig." Farang rang sich ein verständnisvolles Lächeln ab. „Aber darum geht es mir nicht, Heinz. Mich interessiert die Lady. Was treibt sie so in Berlin?"

Die Pferdezähne kündigten Hallers Kooperationsbereitschaft an. „Sie hat Probleme. Jede Menge Probleme."

Farang nickte.

„Und was das angeht, sind Sie hier genau richtig, Surasak."

„Hier?"

„Hier! Die Lay-Lady hat die Dame des Hauses nämlich schon in Bangkok gefickt – und später auch hier in Berlin. Sie konnte sich einfach nicht beherrschen." Haller rülpste dezent. „Und das hat ihr dann auch das Genick gebrochen."

„Was meinen Sie denn mit ficken, Heinz?"

Haller sah Farang an, als sei der geistig zurückgeblieben.

„Ich denke wir reden von Frauen?"

„Nun sehen Sie das mal nicht so männlich, Surasak. Denken Sie mal an Zunge, Finger und Dildos."

Farang fragte sich, ob Kinderschänder immer einen hochbekamen und was sie taten, wenn dem nicht so war. Wahrscheinlich ließen sie sich einen blasen. Wenn man sich gedanklich auf das Thema einließ, wurde es unangenehm. Auch Perverse wie Heinz Haller ließen sich in Heteros, Homos und Bisexuelle sortieren. Diese Ehre hatte er ihnen bislang nicht zukommen lassen. Kinder waren Kinder. Es machte keinen Unterschied, ob man sich von vorne, hinten oder sonst wie an ihnen verging. Er sollte dem Hamster die Schnapsflasche ins Arschloch rammen oder wenigstens zwischen das Pferdegebiss – bis die Spanielaugen absoffen.

„Aber kommen wir zu Frau Asbach zurück", bot Haller großspurig an.

„Richtig."

„Sie war erst Leiterin irgendeiner Mordkommission in der Keithstraße. Dann landete sie bei einer neuformierten Sonderkommission, so eine Art *Fremde Heere Ost.* Nicht Russland sondern Asien. Vor allem Vietnamesen-Gangs. War wohl eine Beförderung..."

„Und?"

„Von da an ging es bergab." Haller grinste. Er war mittlerweile betrunken. Trotzdem schien er sich in einer plötzlichen Anstrengung zu konzentrieren, als ein Chinese im Durchgang zwischen den beiden Gasträumen auftauchte und sich suchend umsah. Haller und Farang waren offenbar nicht das, was der Chinese suchte. Er wandte sich ab und verschwand in der Küche. Haller stieß einen leisen Pfiff aus. „Der Hausherr bekommt Besuch. Sieht ganz nach dicker Luft aus."

„Wieso?" Farang roch Typen wie den Chinamann im Dunkeln, aber er wollte sich die hiesigen Verhältnisse nicht selbst zusammenreimen.

„Die Schutzgeldnummer. Früher hätten sie sich nicht an den Laden rangetraut, aber seit die Asbach angeschlagen ist, lassen sie auch hier die Muskeln spielen. Der Besitzer ist ein Sturkopf. Lange hält er den Nervenkrieg nicht mehr durch. Und wenn doch, würde es mich nicht wundern, wenn die Bande sich irgendwann um das Restaurant kümmert. Dauert nicht mehr lange, und sie legen ihm einen Beerdigungskranz auf die Türschwelle oder schicken drei Dutzend Männer, die den ganzen Abend lang alle Tische besetzen, das Maul halten und nichts bestellen. Spätestens dann zahlt er, oder macht den Laden freiwillig dicht."

Bevor Haller sich weiter für dieses Nebenproblem erwärmen konnte, erinnerte Farang an Wichtigeres: „Was heißt, es ging bergab mit der Lady?"

„Die zuständigen Behörden haben sie aus dem Verkehr gezogen."

„Sie haben ihr den Sheriffstern abgenommen?"

„Exakt. Die eigenen Leute haben sie am Arsch gekriegt."

„Ihre eigenen Mitarbeiter?"

„Nein, die hängen jetzt mit ihr in der Scheiße, aber ein Dezernat, das sich speziell um Straftaten im eigenen Laden kümmert, hat sie auf dem Kieker."

„Und die haben rausgefunden, dass sie es lieber mit Frauen macht und waren beleidigt?"

Haller fand das nicht witzig. „Nein. Wo leben wir denn? Lesbe sein ist nicht das Problem. Obwohl die Boulevard-Presse ganz schön zugeschlagen hat. Aber sie hat durch ihre Liebschaft angeblich ein paar Vorteile gehabt und genutzt und dabei ein paar Dinge durcheinandergebracht. Befangenheit und so... Zumindest wird das behauptet. Ihre Thai-Geliebte hatte nämlich eine nicht uninteressante Tätigkeit."

„Ich denke, sie hat das Lokal hier."

„Das auch. Aber sie war nebenbei auch eine von den Behörden gut beschäftigte Dolmetscherin. Gerichtlich vereidigt, mit allem Drum und Dran. Sie spricht nicht nur Thai, sondern auch Mandarin, Laotisch, Khmer und Vietnamesisch. Die Frau war kein Nachtfalter. Sie hat nicht in der Patpong gearbeitet, Surasak. Bevor sie ihren deutschen Küchenchef geheiratet hat, war sie Dozentin an der Chulalongkorn Universität." Er bleckte seine großen Zähne. „Die Lay-Lady hat auch in Bangkok Niveau bewiesen."

„Sie hatte einen ganz guten Ruf."

„Jetzt ist er jedenfalls im Eimer." Haller war fast wieder nüchtern und gönnte sich keinerlei Häme. „Wie dem auch sei, Polizei, Staatsanwaltschaft und Richter verstehen nur Bahnhof, was die Fidschi-Banden angeht. Die sprechen oft nicht mal Vietnamesisch sondern irgendwelche wilden Dialekte. Telefonüberwachung auf richterliche Anordnung ist an der Tagesordnung, aber entschlüsseln Sie den Tonbandsalat mal. Mit Englisch und Französisch ist da wenig zu machen. Deshalb sind Übersetzer so wichtig. Und wer so wichtig und unentbehrlich ist..." Er verstummte bedeutungsvoll.

Farang konnte sich ungefähr denken, in welchen Fußangeln die Asbach sich verheddert hatte.

„Haben Sie eine Ahnung, wo ich sie derzeit finden kann, Heinz?"

„Sie steht im Telefonbuch."

„Ich wollte mich nicht vorher mit ihr verabreden. Fällt Ihnen nichts weniger Herkömmliches ein?"

„Man hört, sie hat so ihre Gewohnheiten..."

„Und welche?"

„Angeblich stiefelt sie jede Woche an einem ganz bestimmten Tag, immer kurz vor Mittag, ins Polizeipräsidium."

„Wollen Sie mich auf den Arm nehmen, Heinz. Sie haben mir gerade erzählt..."

„Nicht das, was Sie denken." Haller warf einen sehnsüchtigen Blick auf die leere Flasche Mekhong.

Wenn es um Suchtstrukuren ging, war Farang ein sensibles Wesen. „Darf ich noch eine Flasche ausgeben, Khun Heinz?"

Haller fühlte sich voll und ganz verstanden. „Eine hervorragende Idee. Noch ein bisschen Reiswasser, und ich erzähle Ihnen in aller Ruhe den Rest."

36

„Ich hoffe, ich bekomme auch was Ordentliches für mein Geld", verabschiedete sich Gustav Torn vom Neffen des Großvaters, stieg aus der warmen Limousine und warf die Tür ins Schloss, bevor der Vietnamese sich dazu äußern konnte.

Er schlug den Mantelkragen hoch und stapfte durch die sternenklare Nacht auf die Bärenbrücke zu. Es war kurz vor vier Uhr am Morgen. Der Wind schnitt ihm ins Gesicht und zerfetzte die kleinen Nebelwolken vor Mund und Nase, kaum, dass er richtig ausgeatmet hatte. Die Kälte zog ihm in die Gelenke, und er ging noch etwas gebückter. So ungefähr stellte er sich die Begehung des Nordpols vor. Seine neuen Freunde hatten zweifellos zu viele Spionagefilme gesehen, in denen Agenten auf Berliner Brücken ausgetauscht wurden. Auf einmal fühlte Torn sich nackt und ungeschützt. Er hasste jede Minute. Nie in seiner langen Karriere war er ein so hohes persönliches Risiko eingegangen. Es war überhaupt ein Scheißgefühl, wenn man auf Hilfe angewiesen war – auch dann, wenn man den Beistand für eine angemessene Gegenleistung ausgehandelt hatte.

Im Unterbewusstsein registrierte er das Motorengeräusch der Limousine. Es hätte verklingen sollen. Stattdessen kam es langsam näher. Torn straffte sich. Er spürte, wie sich die Härchen auf seiner Haut aufstellten, und das lag todsicher nicht am Wetter. Beherrscht schritt er aus, hielt auf die Brücke zu. Plötzlich war ihm heiß. Er war unbewaffnet – ganz wie der Greis es verlangt hatte – und er hatte sich völlig freiwillig in diese absurde Situation begeben. War das das Ende? Er hätte es wissen müssen. Großvater war integer, aber sein Neffe, dieser Parvenü, hatte ihn an die Chinesen verraten, oder, was näher lag, arbeitete sogar für sie.

Er hörte, wie die Limousine im Schritt-Tempo aufschloss und warf einen Blick auf seine Rolex. Es war bald vier Uhr und nur noch zwanzig bis dreißig Meter bis zur Brücke. Geschenkt! Wieso sollte unter diesen Umständen da drüben überhaupt noch Unterstützung auf ihn warten?

Was hatte der Greis ihm als letzte Lebensweisheit mit auf den Weg gegeben?

Das Leben wartet mit Schwierigkeiten auf.

Wo Großvater Recht hatte, da hatte er Recht.

Trotzdem müssen Sie sich nach vorne bewegen.

Gesagt, getan.

Haben Sie dabei keine Angst, Fehler zu machen, aber achten Sie darauf, dass sich die Fehler nicht häufen, und beschönigen Sie niemals Ihre Schwierigkeiten.

Torn zwang sich ruhig zu atmen. So also standen die Dinge. Hätte seine Leiche, trotz bester Vorsichtsmaßnahmen und nach einer angemessenen Gegenwehr, an irgendeinem Tropenmorgen vor Pattaya im Golf von Siam gedümpelt, so wäre dies ein ehrenvoller Tod gewesen. Unvermeidlich eben. Ein Abgang mit Stil. Das hier stank nach vermeidbaren Fehlern und selbstverschuldetem Verrecken. Ein ganz und gar jämmerlicher Schlusspunkt. Er hatte wirklich keinen Grund, seine Schwierigkeiten zu beschönigen. Weiß Gott nicht!

Die Limousine schob sich langsam an ihm vorbei und hielt, ohne ihm den Weg abzuschneiden. Torn blieb stehen. Die Seitenscheibe glitt nach unten und gab das arrogante Grinsen zur Ansicht frei, das er sich noch Minuten zuvor hatte ersparen wollen.

„Sie haben das Wichtigste vergessen“, sagte der Vietnamese.

Was war das nun wieder für ein Trick? Versuch nicht, mich reinzulegen, du Arschloch, mach keine Spielchen mit mir! Willst du, dass ich weglaufe, damit du mir in aller Ruhe in den Rücken schießen kannst? Nicht mit mir. Nicht mit Gustav Torn! Er sah dem Vietnamesen direkt in die Augen. „Und das wäre?“

„Auf dem Rücksitz!“

Was sollte das denn? Erwartete dieser Kretin im Ernst von ihm, sich auch noch vorher auf die Sitzbank zu legen, um seine eigene Entsorgung zu erleichtern? Obwohl, wenn er es sich recht überlegte, war derart sang und klanglos zu verschwinden besser, als hier, mitten in der Stadt, wie ein abgeknalltes Karnickel liegen zu bleiben und in die Schlagzeilen zu kommen.

Entschlossen riss Torn die Tür zum Fond auf.

Sekundenlang starrte er auf das Buch, das einsam und verlassen auf dem Polster lag. Er verspürte ein Schwindelgefühl und kam in Atemnot. Mühsam rang er um Fassung. Jetzt nur nicht mit Herzklabaster abtreten!

„Beeilen Sie sich, Gustav. Die Zeit drängt. Ich will endlich hier weg.“

„Sorry“, murmelte Torn.

Bevor er weiterging, klemmte er das Buch fest unter den Arm und sah der Limousine nach, die auf die Uferstraße abbog und davonfuhr. Die Kälte meldete sich zurück und ließ ihn den Angstschweiß auf seiner Haut besonders intensiv spüren.

Dieses verdammte Märchenbuch!

Es war kaum zu glauben. Um ein Haar hätte er sich in die Hosen gemacht. Torn sah erneut auf die Uhr. Punkt vier. Und da waren sie auch schon. Drei dunkle Gestalten am anderen Ende der Brücke. Er beeilte sich. Alles lief nach Plan. Auch der Spezialausweis der Gebrüder Grimm fehlte nicht.

37

Das erste, was Farang sah, als er aus der U-Bahnstation Leinestraße kam, waren die Schmierereien an der Friedhofsmauer.

ROSTOCK, MÖLLN, SOLINGEN!
KEIN VERGESSEN, KEIN VERGEBEN!
NAZIS RAUS!

Das erste, was er hörte, war:

„Hey, Fidschi? Was glotzte so?“

Der Morgen war kalt und klar, die Sonne am blassblauen Himmel sterbensschwach. Trotzdem musste er blinzeln, als er sich umdrehte, um Mann und Kampfhund in Augenschein zu nehmen. Für den Araber war mit dem vorläufigen Ende des Schneefalls der Sommer ausgebrochen. Er hatte seine wattierte Jacke um die Hüfte gebunden und präsentierte sich im ärmellosen Unterhemd und mit Sonnenbrille. Muskeln und Tätowierungen kamen gut zur Geltung. Gleiches galt für die drei Goldketten, die seinen Stiernacken zierten.

Der Pitbull rang sich ein Knurren ab, ohne dabei groß an der Leine zu zerren, und Farang stellte den Blick auf unendlich, als seien Mann und Hund nicht vorhanden. War das ein Versuch im „Fidschi-Klatschen"? Heinz Haller hatte es ihm beim Reiswhiskey anschaulich geschildert.

„Willste auf Schnauze?" Die Stimme des Arabers klang bereits leicht verunsichert.

Farang lächelte den Pitbull an, bis der Hund mit dem Schwanz wedelte, und wandte sich mit ernster Miene an den Besitzer. „Entspann dich, Ahmed", riet er und stapfte davon. Nur wenig später verriet ihm lautes Jaulen und Winseln, auf welche Art der Araber seinen Frust verarbeitete.

Der junge Mann, der wenig später mit einer Tüte Brötchen und einer Tageszeitung aus einem Zeitungsladen kam, brachte Farang auf eine Idee. Er betrat den Laden, der wohl auch als Lotterie-Annahmestelle fungierte, erwiderte den Gruß der Frau, die hinter der Theke stand, und sagte: „Vier Brötchen, bitte."

„Vier Schrippen", bestätigte die Frau beim Eintüten. „Keine Zeitung?"

Die Frage hörte sich unverbindlich an. Trotzdem spürte Farang, dass Backwaren in diesem Geschäft wohl nur eine kulante Zusatzleistung waren. Er nahm eine *BZ* vom Stapel. Die Frau nickte zufrieden, kassierte und erwiderte seinen Abschiedsgruß.

Die Eingangstür zu dem Miethaus, in dem Heliane Kopter wohnte, stand offen. Im Durchgang zum Hinterhaus kam Farang ein Mädchen entgegen und musterte ihn mit ihren großen dunklen Augen. „Willst du zu Heli?"

Farang blieb irritiert stehen und nickte.

„Sie ist da", gab die Kleine Auskunft.

Farang nickte erneut.

„Ich habe dich schon beim letzten Mal gesehen." Das Mädchen warf einen kurzen Blick auf die Zeitung und schaute ihn forschend an. „Kannst du Deutsch?"

„Es geht so."

„Wo kommst du her?"

„Aus Thailand."

„Wo ist das?"

„In Asien. Und du, wo kommst du her?"

„Ich bin aus der Türkei. Aber ich will Deutsche werden!"

„Du redest ja schon wie eine."

Das Mädchen lächelte glücklich. „Heli gibt mir Unterricht. Ich heiße Sevim. Und du?"

„Surasak."

Sevim kicherte. „Komischer Name."

„Na ja, ich muss weiter."

„Grüß Heli von mir", rief das Mädchen ihm nach.

„Mach ich."

Er erklomm die Treppen im Hinterhaus und klingelte.

38

Nur eine Stunde später stieg Farang mit Heliane Kopter am S-Bahnhof Schlachtensee aus einem Zug der Linie 1 und folgte ihr über den steilen Fußweg hinab zum Seeufer.

Heliane breitete die Arme aus und präsentierte die Aussicht: „Voilà!"

Der See kam ihm riesengroß vor. Das gegenüberliegende Ufer konnte er zwar gut erkennen, aber rechts und links war kein Ende abzusehen. Langanhaltende Kälte bis zu minus fünfzehn Grad Celsius hatte das Wasser mit einer soliden Eisdecke versiegelt, die von Menschen und Hunden aller Rassen bevölkert wurde. Das Eis war mit Schnee bedeckt. Wahllos verstreut waren zahllose Parzellen freigefegt worden und glitzerten in der Sonne. Sie dienten als Laufflächen für Hockey und Eiskunstlauf, oft auch nur als Rutschbahn.

Farang spürte die Last der Schlittschuhe, die über seiner Schulter hingen. Unsicher verharrte er auf dem Festland.

„Komm schon, sei kein Frosch." Heliane zog ihn zu einer Sitzbank, setzte sich und tauschte ihre Pelzstiefel gegen ein Paar Kunstlaufschlittschuhe aus.

Zögernd nahm er Platz.

„Ich habe noch ein Reservepaar Socken im Rucksack, falls die Dinger dir zu groß sind. Aber mein Ex hatte Größe zweiundvierzig. Die sollten dir passen."

„Dein Ex?"

„Mein ehemaliger Freund."

Er betrachtete die Hockeykufen in seinen Händen wie fremdartige Waffen, zu deren Einsatz er sich nicht recht entschließen konnte.

„Los", ordnete sie lachend an. „Anziehen!"

Worauf hatte er sich da eingelassen? Anstatt bei Kaffee und Brötchen seine Fragen zu beantworten, hatte sie ihn einfach mitgeschleppt. Zwischen den Feiertagen arbeitet kein vernünftiger Mensch, hatte sie gesagt. Wenn er über den See schaute, wurde diese Behauptung bestätigt. Es wuselte nur so vor Menschen. Und wenn schon Probleme besprochen werden müssen, hatte sie ihm beschieden, dann gefälligst an der frischen Luft. Da hockte er nun. Umständlich stieg er aus seinen Schnürschuhen und verpackte seine Füße in den klobigen Nahkampfgeräten, deren Klingen noch in Schonern steckten. Er würde sich in den nächsten Minuten komplett lächerlich machen. Zwar hatte er in der Darling Bar gelegentlich ein Video mit Spielen der nordamerikanischen Eishockey-Liga gesehen, denn Hitch war ein Fan von Wayne Gretzky, aber was half das, wenn man noch nie in seinem Leben Schlittschuh gelaufen war und kurz vor dem ersten Einsatz stand.

Heliane kniete sich vor ihm in den Schnee und half beim Zuschnüren. „Die neuen Modelle haben auch schon Klettverschlüsse wie meine, aber die Oldies hier muss man noch mit Gefühl stramm ziehen, sonst knickt man um. Dafür hast du einen frischen Hohlschliff unter den Kufen." Sie sprang auf, warf sich Rucksack und Pelzstiefel über die Schultern, lief die wenigen Meter zum Eis, zog die Schoner von den Kufen und glitt dahin.

Farang blieb auf der Bank sitzen und sah ihr wehmütig nach. Seine Füße spürte er gar nicht mehr. Sie waren wie in Beton gegossen. Eine hohlgeschliffene Kufe stellte er sich wie ein manipuliertes Projektil vor – eine Art Dumdum-Klinge. Sorgfältig knotete er die Senkel seiner Schnürstiefel zusammen, hängte sich die Schuhe um den Hals und erhob sich schwankend. Die wenigen Meter zum Ufer waren kein größeres Problem. Bevor er sich endgültig zum Affen machte, öffnete er den Reißverschluss des Anoraks und knöpfte auch den Mantel auf, um maximalen Spielraum zur Selbstverteidigung zu haben. Dann setzte er behutsam eine Kufe aufs Eis, blieb stehen und zog die andere nach. Es war gar nicht so schwer, wie er gedacht hatte.

„Du musst die Schoner runtermachen", rief ihm Heli zu.

Als ob er es geahnt hätte. Irgendein Haken war dabei. Vorsichtig ließ er sich auf dem Eis nieder, streifte die Hohlschliffschützer ab und steckte sie in die Manteltasche. Dann ging er auf die Knie, kam wackelnd auf die Kufen, rutschte langsam aber unaufhaltsam in einen weiten Spagat und landete hart auf dem Rücken. Sein ungeliebter deutscher Vater kam ihm in den Sinn. Der hatte ihm mal die Geschichte vom Maikäfer erzählt.

Heli eilte herbei, stoppte elegant ab und spritzte ihm eine Ladung feingeschabtes Eis ins Gesicht. Geduldig half sie ihm auf die Beine, zog ihn vorwärts und ließ ihn los. Er glitt dahin. Es war wie Windsurfen ohne sich an etwas festhalten zu können. Mit kleinen Ausfallschritten gab er Gas.

„Bravo!" Heli war begeistert. „Du watschelst wie ein Pinguin."

Farang fiel ins Hohlkreuz, fing sich und taumelte weiter, vorbei an einem Rudel Skiläufer auf Langlaufbrettern und einem Mann, der seine Skistöcke mit Schlittschuhen kombiniert hatte. Nach einigen hundert Metern fühlte er sich schon etwas sicherer. Heli umkurvte ihn wie eine Schäferhündin, die ihr einziges Schaf bewacht. Ab und zu probierte sie dabei Sprünge aus, die wie Hopser ausfielen und mehr ihren Rucksack als ihren Körper zum Fliegen brachten. Trotzdem beneidete Farang sie um die Sicherheit, mit der sie sich über das Eis bewegte. Verglichen mit seinem Torkeln war es weltmeisterlich. Sie passierten einige Zweige, die mitten auf dem See zwischen Schollen aus dem Eis ragten, und er verlor um ein Haar das Gleichgewicht, als er den

Arm ausstreckte, um auf die Stelle zu zeigen. „Was ist das?" keuchte er Heli entgegen, die von einem ihrer Ausflüge zurückkam.

„Die Angler kennzeichnen mit dem Gestrüpp ihre Eislöcher."

Er erinnerte sich an einen Dokumentarfilm über Eskimos, den er im TV gesehen hatte. Er riskierte ein paar länger gezogene Gleitschritte und kam gut voran. Allmählich wurden ihm die Beine weich. Mit Mühe erreichte er eine festgefrorene Markierungstonne, ließ sich erleichtert auf der Boje nieder und sah Heli eine Weile zu, bis er fürchtete schneeblind zu werden. Die Mittagssonne stand nur knapp über den kahlen Baumkronen, und doch war ihr Licht auf der weißen Fläche ohne Sonnenbrille kaum zu ertragen. Er streifte die Kapuze über den Kopf und zog den pelzbesetzten Rand tief über die Augen.

Schneeschieben schien auch in der Freizeit eine Lieblingsbeschäftigung der Berliner zu sein. Wenn man genauer hinsah, waren mehr Besen, Schneeschaufeln und -schieber als Schlittschuhe in Gebrauch. Allenthalben wurde gefegt und poliert. Farang beobachtete wie Heli einen der Verkaufsstände auf dem See ansteuerte. Wenig später kam sie mit zwei dampfenden Plastikbechern angeschlittert. „Hier". Sie reichte ihm einen Becher und setzt sich zu ihm.

„Danke." Er zog die Handschuhe aus, wärmte sich die Finger an dem heißen Becher und schnüffelte skeptisch.

„Das ist Glühwein."

Er kostete. „Tut gut."

Heliane holte die Tüte mit Proviant aus dem Rucksack. Sie hatte die Brötchen noch schnell belegt, bevor sie aufgebrochen waren. „Wurst oder Käse?"

„Wurst."

„Was war den nun der Anlass deines morgendlichen Überfalls?" Sie biss herzhaft in ihr Käsebrötchen.

„Als du damals in Sachen Gustav Torn in Pattaya unterwegs warst, hast du ihn da mal zusammen mit einer blonden Polizeibeamtin gesehen, einer Deutschen? Sie heißt Romy Asbach und war damals als Beraterin an der Deutschen Botschaft in Bangkok tätig."

„Nein."

„War auch nur so ein Gedanke. Ich habe seit gestern den Eindruck, die beiden kennen sich. Nicht nur dienstlich..."

„Du hast ihn also schon gefunden?"

„Wie man will. Ich habe ihn gesehen, mit ihr, und dann habe ich ihn gleich wieder verloren, bei dem...", er räusperte sich, „Scheißwetter gestern."

„Man musste nur die Berliner Zeitungen lesen, um zu wissen, wer sie ist", reichte Heliane nach. „Die Geschichten über Frau Hauptkommissar und ihre Thai-Geliebte ist durch alle Klatschblätter gegangen. Manchmal hatte man den Eindruck, eine neue Folge von 'Emanuelle' zu verfolgen. Ich glaube, die beiden Frauen sind in den Medien unfair behandelt worden." Sie musterte ihn neugierig. „Ich will ja nicht fragen, woran du arbeitest..." Es hörte sich an, als mache sie sich ernsthaft Sorgen um ihn.

„Ist auch besser so, glaub mir." Er pickte eine Scheibe Salami zwischen den Brötchenhälften hervor und aß sie pur.

„Wo wohnst du überhaupt?"

„In einem Hotel."

„In *irgendeinem* Hotel..."

„Ja."

„Hast du Silvester schon was vor?"

„Das kann ich im Moment noch nicht sagen."

„Falls nicht, kannst du mit zu einer Party kommen."

„Das ist nett von dir."

„Das ist schon übermorgen", mahnte sie.

Er lächelte sie gewinnend an. „Ich weiß noch, wann ihr Neujahr habt."

Heliane Kopter widmete sich wieder der Winterstimmung auf dem See. „Wie ein echter Breughel." Ihr Blick verlor sich in der Menge.

„Ein was?"

„Ein holländischer Maler."

Verblüfft sah er ein Pärchen auf Fahrrädern vorbeiradeln. „Gibt es dafür auch Schneeketten?"

Sie schüttelte den Kopf, grinste mit vollen Backen und deutete in die Menge. „Da läuft auch noch so ein Clown mit Handy rum."

Farang sah dem Mann im beigen Kamelhaarmantel zu, der so gestenreich telefonierte, als dirigiere er auf Glatteis die Börsenkurse. Farangs Blick wanderte zu einem vertrauten Wesen. Es war eine Asiatin. Es waren gut dreihundert Meter, aber er erkannte die Frau als Schwester in der Fremde. Sie trug Moon Boots, Jeans, einen billigen Anorak und eine rote Strickmütze auf dem blauschwarzen Haar. Mit dem unterwürfigen Gestus einer Person, die erwartet, jeden Moment geschlagen zu werden, bewegte sie sich auf die Stelle mit den festgefrorenen Zweigen zu. Sie schaute sich nicht um, hielt den Kopf geneigt, als helfe das, sie unsichtbar zu machen. Niemand beachtete sie.

Die Frau ging vor den zugefrorenen Eislöchern auf die Knie, holte etwas aus der Tasche ihres Anoraks und machte sich an einem der Zweige zu schaffen. Zunächst dachte er, sie wolle etwas abschneiden, aber dann erkannte er etwas Buntes in ihren Händen. Sie knüpfte etwas fest. Als sie die Hände zurückzog, erkannte er ein schmales Stoffband. Sie hatte es an den Zweig geknotet, und es flatterte im Wind. Das Bändchen war safrangelb – wie das Gewand Buddhas. Die Frau verharrte vor dem Zweig und verbeugte sich mehrmals, wie vor einem Altar. Dann erhob sie sich und wieselte über das Eis davon.

Safrangelb.

Die Farbe hatte Farangs Instinkte sofort mobilisiert. Er musste mit der Frau sprechen. Unbedingt. Er wusste nicht genau warum, aber es war unumgänglich, zwingend. Kaum hatte die Asiatin sich erhoben, sprang er auf und setzte sich in Bewegung.

Er hatte bereits einige Meter hinter sich gebracht, als ihm klar wurde, nicht zu Fuß unterwegs zu sein. Auf den Profilsohlen seiner Schnürschuhe hätte der Blitzstart durchaus gelingen können. Aber er war mit Hohlschliff unterwegs. Eine ganze Weile noch stürzte er dynamisch nach vorne, kam gut voran, nur seine Brust näherte sich zunehmend der Eisfläche – bis die Schräglage nicht mehr zu halten war.

Irgendwie brachte er noch die Hände vors Gesicht, bevor er mit dem Kinn über eine jener blitzblank gefegten Passagen rutschte, die, von so nah betrachtet, dunkelschwarz aussah. Sekunden später schlug ihm eine Art flachgeklopfter Kürbis gegen den Schädel. Der Kürbis war steinhart.

„Wenn de hier mitspielen willst“, rief der Eisstockschütze, „dann halt dir erst ma zurück, mein Bester.“

39

Kurz nach zwölf Uhr mittags wurde Gustav Torn vom Obersten Befehlshaber empfangen.

Vietnamesischer Aberglaube gebot, sich nicht um Punkt zwölf zu verabreden, da sich um diese Zeit angeblich die Unglücke häufen. Der Raum, in dem die Audienz stattfand, war hoch und weit, und alle Flächen waren gleich groß, wie bei einem Würfel. Wände und Decke waren mit Brokat in violetten und purpurroten Grundtönen verhängt. Den Boden bedeckten dunkle Teppiche, die einen abgetretenen aber kostbaren Eindruck machten. Antike Holzregale mit Büchern und Folianten gaben einer Ecke des Raums den Anschein einer Bibliothek. Die angrenzende Ecke war mit einem Vorhang abgetrennt. Es war der Ruheplatz, denn Torn konnte durch den nicht ganz geschlossenen Vorhang eine gepolsterte Liege erkennen, über der das gelbe und rotgestreifte Tuch der Flagge des ehemaligen Südvietnam hing. Eine Ecke weiter waren Altartische aufgebaut, auf denen fünf dicke gelbe Kerzen brannten und mehrere Bündel Räucherstäbchen glommen. Auf dem obersten Altartisch stand eine Buddhafigur, daneben hing ein Kruzifix an der Wand.

In religiösen Angelegenheiten ging der Mann offenbar auf Nummer sicher. Der legendären Cao-Dai-Sekte schien er nicht anzugehören, denn Heiligenbilder von Winston Churchill oder Jeanne d'Arc waren nirgends zu sehen. Auch war die Ausstattung der Residenz trotz allen Pomps dafür nicht kitschig genug. Es hätte auch wenig Sinn gemacht, denn soviel Torn wusste, verbot der Cao-Dai-Glaube ausdrücklich das Töten und lehrte, der Mensch sei von Natur aus gut.

Das imperiale Ambiente wurde durch einige moderne Errungenschaften ergänzt und gebrochen. Ein überdimensionaler TV-Bildschirm. Ein Videogerät. Eine Musikanlage, und eine umfangreiche Sammlung Videokassetten und CDs. Es war angenehm warm und roch nach einer Mischung aus Opium, Räucherstäbchen und schwarzem Tabak, und Torn fragte sich, wie wohl hier unten Heizung und Lüftung funktionieren mochten.

Sein Gastgeber saß in einem Stuhl, der einem Kaiser alle Ehre gemacht hätte, und sah sich einen französischen Spielfilm mit Jean-Paul Belmondo und Alain Delon an. Er zog dabei gierig an einer Zigarette, blies genüsslich den Rauch aus und hüllte sein Haupt in bläuliche Schwaden. Er widmete sich dem Tabakstängel mit einer Hingabe, die etwas Erotisches hatte. Als er Torn bemerkte, regelte er den Ton leiser und sah ihm erwartungsvoll entgegen.

Der Blick war schwer zu ertragen. Das lebende Auge war kohlrabenschwarz und flackerte nervös. Das tote Auge glänzte eisigblau. Angeblich hatte das Glasauge einem französischen General gehört, der in der Schlacht von Dien Bien Phu gefallen war. Der „bunte Blick" gehörte zum Mythos um den Obersten Befehlshaber, von dem man sagte, er halte sich in seinen entrückteren Phasen für eine Reinkarnation des legendären Le Loi, eines Guerillakämpfers, der Anfang des fünfzehnten Jahrhunderts erfolgreich gegen die Chinesen revoltiert und die Le-Dynastie begründet hatte.

Nach allem, was Torn gehört hatte, musste der Oberste Befehlshaber inzwischen um die siebzig Jahre alt sein. 1975 hatte er sich mit Hilfe der Amis aus Saigon abgesetzt, gerade noch rechtzeitig, um dem Vietcong nicht in die Hände zu fallen. Damals war er Mitte vierzig gewesen. Heute zierten ihn eine Unzahl Gesichtsfältchen und eine pergamentartige Blässe, die den Opiumabhängigen zeichneten. Den Eindruck, geistig weggetreten oder übergeschnappt zu sein, vermittelte er nicht. Nur die schneeweiße Paradeuniform mit der stattlichen Ordenssammlung hatte etwas Bizarres. Vermutlich das Lametta, das ihm als General der südvietnamesischen Armee verliehen worden war.

Torn hatte zum ersten Mal in Chiang Mai von ihm gehört. Damals war er gemeinhin als General Xuong bekannt. Angeblich marodierte er in jenen Tagen, zum Leidwesen der Burmesen, Chinesen und anderer selbst ernannter Kriegsherren, mit versprengten Resttruppen durch das Goldene Dreieck und machte vor allem Geschäfte mit korrupten Thai-Offizieren. Später sollte er sich nach Kalifornien abgesetzt und in Orange County ein kleines Vermögen mit Fischkonserven gemacht haben. Aber das waren natürlich alles nur Gerüchte.

Torn wich dem bunten Blick aus und starrte in die Kerzenflammen.

„Fünf meiner besten Männer sind verschwunden", sagte der Oberste Befehlshaber. „Ich fürchte, sie sind tot."

Deshalb trug er wohl die Paradeuniform. Wenn er sich nicht täuschte, stand die Farbe Weiß in der Heimat seines Gastgebers für Trauer, aber es musste schließlich nicht alles eine tiefere Bedeutung haben – wie im Märchen. Er überreichte das Buch, das ihm Großvater anvertraut hatte.

„Sie machen mir eine große Freude." Der Oberste Befehlshaber blätterte flüchtig in den Seiten und legte den Band gedankenverloren auf eine Videokasette mit dem Abbild der Deneuve. „Setzen Sie sich, Gustav."

Güüstaavv. Schon wieder Französisch.

Der Oberste Befehlshaber las die Botschaft aus der Miene seines Gastes ab. „Oder sollen wir Englisch miteinander reden, mein Freund", fragte er in passablem Amerikanisch.

„Wenn es Ihnen nichts ausmacht. Es geht mir etwas flüssiger über die Lippen."

„Kein Problem, mein Lieber, kein Problem." Der Gastgeber deutete auf einen Sessel. „Nehmen Sie doch bitte Platz, und lassen sie uns gemeinsam den Schluss ansehen. Wir haben doch jetzt genug Zeit." Lächelnd wartete er ab, bis Torn sich gesetzt hatte. „Ich habe mich zwar in Abwägung der kulturellen Vorzüge unserer diversen Besatzer entschieden, vor allem das französische Erbe in Maßen hochzuhalten, aber natürlich beuge ich mich gerne dem weltbeherrschenden Slang unserer amerikanischen Freunde, auch wenn sie uns damals im Stich gelassen haben." Er inhalierte tief. „Was die Chinesen angeht, so sind wir uns wohl in unserer tiefen Abneigung einig."

So wie der Mann schwafelte, hätte er Politiker werden sollen.

„Zigarette?" Der Oberste Befehlshaber zeigte auf ein Päckchen Gitanes, das mit einem goldenen Feuerzeug auf einem Stapel Videos lag. „Bedienen Sie sich nur."

Torn griff zu.

Dem Obersten Befehlshaber genügte der Anblick der Filmstars voll und ganz. Er ließ sie einfach weitermurmeln, ohne den Ton wieder hochzuregeln. Stattdessen widmete er sich der Unterhaltung mit seinem Gast. „Ich hoffe, die letzten Tage sind halbwegs angenehm für Sie abgelaufen, Gus? Die Vorbereitungen für ihren Transit erforderten leider etwas Zeit.“

Der Wechsel der Verkehrssprache hatte ihn den halben Vornamen gekostet. Torn schaute Belmondo auf die markante Nase. „Das war kein Problem. Ihre Verbindungsleute waren diskret und hilfreich. Vor allem der ehrwürdige Greis ist zuverlässig.“ Er scheute sich, in Gegenwart des Obersten Befehlshabers, das Wort Großvater in den Mund zu nehmen.

„Wir schätzen uns glücklich, den weisesten aller Väter in einer derartigen Schlüsselposition zu wissen.“

Torn nickte ergeben, froh, den Bildschirm vor Augen zu haben.

„Wussten Sie, dass er unser Bankier ist, Gus?“

„Nein.“

„Wir haben ihn reaktiviert, damit er sich um den Transfer unserer bescheidenen Gewinne kümmert. Was das angeht, ist er unersetzlich.“

Die Bank im Gemüsestand. Sicher nur einer von vielen Schaltern. Torn fragte sich, wo genau Tresor und Schließfächer lagen.

„Er war es, der uns auf Sie, als potentiellen Partner aufmerksam gemacht hat. Wir werden uns wieder mit ihm zusammensetzen, Gus, wenn wir beide die Einzelheiten unserer Fusion besprochen haben. In groben Zügen hat er Ihnen wohl schon alles erläutert, nehme ich an, denn sonst hätten Sie nicht zu uns gefunden.“

So konnte man es auch sagen. Torn drückte seine Kippe in einem Achat-Aschenbecher aus. Tatsache war: Er hatte kurz vor einer feindlichen Übernahme gestanden. Die Chinesen wollten ihn umbringen und sich seine Geschäfte unter den Nagel reißen. Das brachte die Vietnamesen ins Spiel. Sie hatten sich über die Jahre mit Zigarettenhandel eine Infrastruktur aufgebaut, die sie nun für Größeres nutzen wollten. Sie boten ihm Exil und Partnerschaft. Das war besser, als Enteignung und Tod. Was hatte er schon für eine Wahl? Mit Asiaten kannte er sich aus. Mit den Russen und anderen Gruppierungen konnte er nicht.

Hinter dem Vorhang der Ruheecke ertönte ein Grunzen oder Stöhnen. Torn konnte beim besten Willen nichts erkennen.

„Das ist Mireille", informierte ihn der Oberste Befehlshaber beiläufig.

Torn räusperte sich konsterniert.

„Legen Sie übrigens Wert auf Ihren Titel, Gus?"

Torn ließ den Bildschirm im Stich und wandte sich seinem Gastgeber und dessen ernster Miene zu. „Meinen Titel?"

„Man hört, sie sind ein Fürst..."

Gustav Torn konnte sich ein Schmunzeln nicht verkneifen.

„Ich weiß nicht, Gus, ob Sie jemals von meinem großen Vorfahren Le Loi gehört haben. Er organisierte den Widerstand gegen unsere chinesischen Unterdrücker. Sein Deckname war: Prinz der Versöhnung. Er war ein großzügiger und mutiger Mann, und ein genialer Taktiker. Er konzentrierte sich auf blitzartige Überfälle auf die Nachschublinien des Gegners."

Torn nickte. „Machen Sie sich keine Gedanken über meinen Titel. Nennen Sie mich, wie Sie wollen."

„Ich schätze Bescheidenheit. Ich schätze sie sehr." Der Mann in der weißen Uniform blies Rauch aus und nickte dabei, als zolle er sich selbst Beifall. „Sagen Sie doch bitte einfach *Lee-roy* zur mir. So haben mich auch meine amerikanischen Freunde genannt."

„Gerne", erwiderte Torn.

Auf dem Bildschirm lief der Abspann ab, und der Oberste Befehlshaber regelte den Ton lauter und gab sich ganz der Schlussmusik hin.

40

Man konnte von Heinz Haller denken, was man wollte, eins stand fest: wenn er einen Tipp gab, dann hatte die Auskunft Hand und Fuß.

Erst der Vietnamesenmarkt, nun die Polizei-Gedenkstätte. Der Leidensdruck, den Tonys Kundenliste auf Khun Heinz ausübte, war ausreichend. Farang hielt sich im Schatten der Säulen und wartete, bis Romy Asbach ihre Andacht verrichtet und das Gebäude verlassen hatte. Durch die bunten Glasfenster fiel nur noch schwaches Licht. Die Wintersonne hatte nicht genug Kraft für einen ganzen Nachmittag.

Draußen fuhren bereits die ersten Autos mit Abblendlicht am Luftbrückendenkmal vorüber, das sich wie das Emblem einer Schaufelbaggerfirma gegen den schwefliggrauen Himmel abhob. Farang winkte einem Taxi, wartete, bis Romy Asbach sich in den Verkehr einfädelte, und bat den Fahrer, dem Opel zu folgen.

Die Fahrt zog sich im aufkommenden Berufsverkehr in die Länge. „Det kann aba teuer werden", lotete der Taxifahrer mit einem Blick zum Rücksitz die Zahlungsbereitschaft seines Fahrgastes aus.

Farang nahm es gelassen.

In Friedrichshain zockelte der Opel zweimal um den Boxhagener Platz, bevor er am Randstein parkte. Farang bedeutete dem Fahrer im sicheren Abstand zu halten, und beobachtete wie Romy Asbach ausstieg und drei, nur spärlich gegen Wind und Wetter eingekleidete, Asiaten aufsuchte. Die Männer verharrten geduckt auf dem Gehsteig und traten dabei von einem Fuß auf den anderen, um den Frost aus den Beinen zu halten. Beim Anblick der Frau zogen sie die Köpfe noch etwas tiefer zwischen die Schultern.

„Wenn die Dame billje Glimmstängel will, kannse det einlich eenfacher ham", kommentierte der Taxifahrer. „Die Jungs liefan doch sowat inzwischen frei Haus. Deswejen hol ick ma doch keen Schnuppen mehr bei det Wetter."

Farang sah wie die Männer Asbachs Erkundigungen mit stummem Kopfschütteln beantworteten und spürte den kritischen Blick, mit dem ihn der Fahrer im Innenspiegel musterte.

„Se ham doch nich etwa wat mit die Typen zu tun?"

„Keine Sorge."

„Ick kann ma keen Ärjer erlauben, Meista. Wär ja nich det erste Mal, det die Bande hier rumballert." Er warf einen besorgten Blick auf das Taxameter. „Möchte nua vorsorjehalba dran erinnern, det ick keene Kreditkarten akzeptiere."

Ohne die Gruppe aus den Augen zu verlieren, hielt Farang dem Fahrer ein Bündel druckfrischer Hunderter unter die Nase und beobachtete, wie die Asbach es aufgab und zu ihrem Wagen zurückging.

„Jröser hamset wohl nich, oda?"

Farang verzichtete auf eine Antwort. Die Wechselgeldmasche

war auch so eine deutsche Macke. Man musste den Eindruck gewinnen, Geschäfte zu machen sei extrem lästig und nicht zumutbar. Zögernd nahm der Fahrer wieder die Verfolgung auf. Er zelebrierte sein Entgegenkommen wie einen Akt der Gnade. Als der Opel kurze Zeit später den Nöldnerplatz in Lichtenberg ansteuerte, schüttelte er den Kopf.

„Mannomann, die jute Frau klappat aba so jut wie jede Futtakrippe ab."

Romy Asbach machte sich erneut zu Fuß auf den Weg. Sie überquerte den Platz, und bevor sie außer Sichtweite geriet, drückte Farang dem Fahrer einen Blauen als Anzahlung in die Hand und bat ihn, zu warten.

Der Schnee konnte den verwahrlosten Zustand der Parkanlage nur mühsam kaschieren. Sitzbänke und Bolzplatz lagen verlassen im Zwielicht. Das Springbrunnenbecken war mit verdörrten Stauden bepflanzt, deren Schneehäubchen wie weiße Blüten aussahen. Die Bronze der Brunnenfigur war mit Graffiti beschmiert. Es war ein kleines Mädchen, das seinen Rock zusammenraffte. Ihr Anblick verzauberte Farang für einen Augenblick. Irgendetwas an der Kleinen erinnerte ihn an Heli. Dann schenkte er wieder seine ganze Aufmerksamkeit der Frau, die am entgegengesetzten Ende des Parks Straße und Gehsteig inspizierte, offenbar ohne Erfolg, denn sie schlug einen weiten Bogen und kehrte zu ihrem Wagen zurück. Er erreichte sein Taxi noch bevor sie in den Opel stieg.

Die nächsten zehn Minuten tat sich gar nichts, nur das Taxameter arbeitete. Romy Asbach hockte in ihrem Wagen und wartete. Der Taxifahrer versuchte es mit einem anderen Radiosender und schaltete nur wenige Minuten später ganz ab. Kurz bevor die Dunkelheit endgültig einsetzte, erkannte Farang die Limousine, die er tags zuvor am Ho-Chi-Minh-Pfad aus den Augen verloren hatte. Sie fuhr vorbei und hielt in der Nähe des S-Bahndamms. Wie aus dem Nichts tauchten zwei Asiaten auf, die in ihrer Aufmachung an die Gestalten am Boxhagener Platz erinnerten. Sie eilten zur Fahrerseite und sprachen kurz mit der Person, die hinter dem Steuer saß. Wer das war, war nicht auszumachen. Die Männer huschten davon und schienen sich in Luft aufzulösen. Während die Limousine ihre Fahrt fortsetzte, schob sich der Opel am Taxi vorbei und folgte ihr vorsichtig.

Farang musste seinem Fahrer keine Anweisungen mehr geben, denn nachdem ein fürstlicher Pauschalpreis vereinbart und das Taxameter abgestellt worden war, ging der Mann voll in seiner Rolle auf, hielt den richtigen Abstand und maulte auch nicht, als die Fahrt quer durch die ganze Stadt bis nach Steglitz führte, wo Farang eines der wenigen Hochhäuser Berlins bewundern konnte. Einsam und allein ragte es in den abendlichen Himmel. Auf der anderen Seite der Schloßstraße leuchteten vier Säulen in den Abend, die der Taxifahrer ungefragt als *klassizistisch* identifizierte. Wenigstens für diesen Ausdruck gab es offenbar keine Dialektversion. Im Vorbeifahren entzifferte Farang „Schlosspark Theater". Fast hatte er sich schon – ganz der geduldige Tourist – mit der Sightseeingtour abgefunden, da bog die Limousine, gefolgt vom Opel, kurz vor dem Botanischen Garten rechts ab und veranlasste den Taxifahrer zu einem erleichterten Schnaufer.

„Un ick dachte schon, det jeht imma so weita bis Wannsee."

Beim Abbiegen kam das Taxi auf einer Eisplatte zum ersten Mal leicht ins Rutschen, und Farang konnte das Straßenschild „Am Fichtenberg" gut erkennen, während er von der Fliehkraft gegen die Tür gedrückt wurde und an Schneeketten dachte. Die schmale Straße war schlecht geräumt. Es ging nur noch langsam voran. Erst in der Steigung einer langgezogenen Rechtskurve waren die vorausfahrenden Wagen wieder zu erkennen. Die Bremsleuchten des Opels flackerten auf, und Farangs Fahrer zog das Taxi geistesgegenwärtig in eine Einfahrt mit Schlagbaum und Pförtnerhaus, als habe es sein Ziel erreicht.

Farang wischte das beschlagene Seitenfenster sauber und hatte gute Sicht auf das Geschehen. Der Opel kam zum Stehen und seine Scheinwerfer erloschen, während weitere hundertfünfzig Meter voraus die Limousine den linken Blinker setzte, abbog und aus dem Blickfeld verschwand. Romy Asbach parkte ihren Wagen halb auf dem Gehsteig, stieg aus und verschwand zwischen immergrünen Büschen hangaufwärts.

Der Pförtner kam aus seinem Häuschen und deutete kommentarlos auf das Holzschild, das die Einfahrt zum Wirtschaftshof der Botanischen Gärten markierte. Der Taxifahrer ließ die Seitenscheibe runter und rief: „Nua keen Stress, ick wende ja nua", und der Pförtner verzog sich wieder ins Warme.

Farang zahlte den Taxifahrer aus, zog die Kapuze über den Kopf und machte sich zu Fuß auf den Weg. Der Pfad, den Romy Asbach genommen hatte, führte durch den Hang einer Grünanlage nach oben. Asche und Splitt mischten sich mit mulmigem Schnee, und er setzte seine Schritte sorgfältig, um nicht auszurutschen. Erneut musste er an Heli denken. Wahrscheinlich, weil er vor nur wenigen Stunden vor ihr aufs Gesicht gefallen war. Das fröhliche Lachen, mit dem sie seinen missglückten Blitzstart als Eissprinter honoriert hatte, gellte ihm jetzt noch im Ohr. Zwar hatte sie sich sofort entschuldigt, und hastig etwas von seinem Gesichtsverlust und ihrem Mangel an Feingefühl geplappert, aber ganz so souverän, wie er abgewiegelt hatte, war ihm dabei nicht zumute gewesen.

Die Frau voraus, war nur noch als Schatten zu erkennen. Er hörte Motorgeräusche, drehte sich um und sah das Taxi davonfahren. Für eine Schrecksekunde fürchtete er, der Fahrer könne zum Abschied auf die Hupe drücken, dann entspannte er sich. Sein Blick fiel auf das alte Gemäuer, das über dem geparkten Opel aufragte. Den Giebel zierte ein Steinadler, darunter stand: *Kaiser Wilhelm Jubiläumsstiftung des Waisenhauses der französisch reformierten Gemeinde Berlin, 1914.* Hätte der Taxifahrer noch in seinen Diensten gestanden, wäre ihm sicher auch zu diesem Baustil noch etwas eingefallen.

Farang nahm die Verfolgung wieder auf. Links des Pfades lag eine Rodelbahn, rechts ein verlassener Kinderspielplatz mit rustikalen Balkenkonstruktionen, darunter auch eine Hängebrücke, die wie ein Modell der Brücke über den River Kwai aussah. Weiter voraus gabelte sich der Pfad. Die Asbach hielt sich rechts. Dann blieb sie stehen. Noch bevor sie sich umdrehen konnte, tauchte Farang zwischen den Büschen in Deckung und wartete neben einem Findling ab. Die Lady wandte ihm weiter den Rücken zu, schien lediglich eine Pause einzulegen, um Luft zu holen. Um ihren Kopf waberten weißgraue Atemwölckchen.

Der Findling war ein Gedenkstein.

Mit großen Lettern war der Schriftzug RUTH ANDREAS-FRIEDRICH PARK eingraviert. Farang nutzte die Zeit, um im Licht einer alten Gaslaterne auch die kleinere Inschrift zu entziffern.

RUTH ANDREAS-FRIEDRICH (1901-1977)
JOURNALISTIN U. SCHRIFTSTELLERIN
Mitglied der Widerstandsgruppe
„Onkel Emil“
gegen den Nationalsozialismus
während des zweiten Weltkrieges

Heli wusste bestimmt, wer das war. Er sah, wie Romy Asbach den Kopf in den Nacken warf und eine Hand zum Mund führte, als schlucke sie eine Tablette. Dann setzte sie sich wieder in Bewegung.

Er gab seine Deckung auf und passierte eine Gruppe Birken, deren Stämme hell zwischen dunklen Fichten aufleuchteten. Der Pfad ging in eine Treppe über, deren Steinstufen bis auf die Hügelkuppe führten. Er hörte, wie die Asbach nach oben joggte. Dann ein Rascheln im Unterholz und das Knacken trockener Äste. Danach Stille. Vorsichtig bewegte er sich bis zur obersten Stufe und sah sich um. Vor ihm lag ein kleiner runder Platz mit Sitzbänken. Er lauschte noch eine Weile. Nichts. Dann betrat er das Rondell.

Auf dem Mittelbeet ruhte ein klobiger Baumstumpf, umringt von winterharten Zierbüschen, deren Blätter ledrig-grün im Licht der Straßenlaternen glänzten. Den Schildern nach begann rechts der Karl-Heinrich-Becker-Weg, und geradeaus verlief die Zeunepromenade. Linkerhand bot sich der freie Blick in die Tiefe, auf die Rodelbahn im Park und die Gewächshäuser und den Wasserturm im Botanischen Garten, der hinter den hohen handgeschmiedeten Stäben eines Gitterzauns lag.

Er ging zurück zur Treppe und suchte die Stufen ab, bis er die Stelle fand, an der Romy Asbach sich ins Gebüsch geschlagen hatte. Er folgte ihren Spuren bis zu einer Grundstücksmauer. Vor einem Eichenstamm verloren sich die Abdrücke ihrer Sohlen in Laub und Schnee. Vorsichtshalber suchte er das Gelände noch etwas weiter ab, dann war er sicher, dass sie die Eiche als Leiter benutzt hatte. Der Baum war ein wenig verwachsen, und der unterste Ast lag in guter Reichweite. In der Gabel lag noch ein Rest formgepresster Schnee aus einer Profilsohle.

Farang streifte die Kapuze ab, zog den Reißverschluss des Anoraks auf, öffnete die Mantelknöpfe – auch den, den Heli ihm wieder angenäht hatte – und kletterte in die Eiche. Als er ein gutes Stück über der Mauerkrone angekommen war, konnte er die Stelle erkennen, an der die Lady auf dem Grundstück gelandet war. Von dort führte ihre Spur durch jungfräulichen Schnee zum Haus, das nur teilweise hinter Bäumen und Büschen zu erkennen war.

Er stieß sich ab und sprang.

Die Landung war weich. Er versank bis zu Knien und Ellenbogen, rappelte sich hoch, klopfte sich den Schnee von der Kleidung und stakste gravitätisch wie ein Reiher auf das Gebäude zu. Wenig später rang er im Schutz der Büsche nach Atem und schaute sich den Gebäudekomplex an. Im Kern war es eine alte Villa, die um mehrere moderne Trakte erweitert worden war. Auf dem Hof vor dem beleuchteten Haupteingang parkte die Limousine. Hinter der Glasfront des Wintergartens konnte er im weichen Licht der Stehlampen Romy Asbach und den Asiaten erkennen, der Gustav Torn begleitet hatte. Beide standen sich gegenüber und redeten aufeinander ein. Gebückt und auf Deckung bedacht, huschte Farang auf den Hof und scheuchte dabei ein Eichhörnchen auf, das in eine Fichte kletterte.

Die Eingangstür zum Haus stand offen und wurde durch zwei Männer blockiert, die wie Reissäcke auf der Schwelle lagen. Beide hatten schwere Treffer kassiert und waren bewusstlos. Der eine trug seinen Revolver noch im Schulterhalfter, der andere hatte eine Halbautomatik im Gürtelholster und seine Mossberg aus den Händen verloren. Sie lag einen Meter neben seinem Kopf auf der durchnässten Fußmatte. Die Mossberg war die Fabrikversion der abgesägten Schrotflinte. Farang nahm den Pistolengriff der Pumpgun in die Linke und stieß beide Männer mit der Fußspitze an.

Keine Reaktion.

Er ging in die Hocke und holte sich den Revolver. Es war ein Smith & Wesson .357 Magnum. Favorit der Highway Patrol. Die Waffe hatte angeblich genug Feuerkraft, um die Limousine, die auf dem Hof stand, in voller Fahrt zu stoppen. Auch so ein amerikanisches Märchen, das alle Welt gerne glaubte - ganz besonders die Thai-Bullen. Farang hatte es nicht mit Revolvern, nicht nur wegen der geringen Schusszahl. Er steckte die Waffe in die Manteltasche und holte sich die Pistole, eine 9 Millimeter, ebenfalls von Smith & Wesson. Die Jungs mussten einen Werbevertrag mit der Firma haben. Was wollte man mehr. Unbewaffnet hatte er sich noch nie richtig wohl gefühlt. Er liebte unkomplizierte Lösungen. Hier bot sich eine an. Er griff zu, überprüfte die Waffe und behielt sie in der Rechten, als er über die beiden Männer stieg.

Auf der Schwelle zögerte er.

Er ging zur Limousine zurück. Der Schlüssel steckte. Er schleifte die beiden Männer zum Wagen, wuchtete sie in den Kofferraum, schlug die Klappe zu und schloss ab.

Erneut auf der Türschwelle, konnte er sich nur mit Mühe verkneifen, den Schnee von den Sohlen zu trampeln. Behutsam betrat er die Eingangshalle. Die Villa war gut geheizt, die Tür zum Wohnzimmer nur angelehnt. Daneben brannte eine einsame Stehlampe, die den großen Raum nur spärlich ausleuchtete. Die Glasschiebetür zum Wintergarten stand ein Stück weit offen. Romy Asbach und ihr Gesprächspartner waren zwar nicht richtig zu sehen, dafür aber gut zu hören.

Noch bevor es Farang gelang, sich ganz auf die Stimmen zu konzentrieren, nahm ihn die Inneneinrichtung gefangen. Sie erinnerte ihn an das Jagdschloss in Bayern, das er bei seinem ersten Besuch in Deutschland besichtigt hatte. Wuchtige Möbel aus deutscher Eiche. Schränke mit diesen kleinen, runden Scheiben, die in der Mitte dicker waren. Metall in allen Spielarten. Kupfer, Messing und handgeschmiedetes Eisen. An den Wänden hingen für die Ewigkeit gerahmte Ölschinken mit röhrenden Hirschen, daneben Geweihe aller Sorten und Größen, ein Eberkopf mit stattlichen Hauern, sowie ein ausgestopfter Auerhahn. Regale und Schränke beherbergten eine Zinnsammlung, die, eingeschmolzen, tonnenschwer sein musste. Absoluter Höhepunkt aber war eine Sammlung Kuckucksuhren, die eine ganze Längswand in Anspruch nahm. Farang schätzte, dass mindestens fünfzig verschiedene Modelle dröhnend vor sich hin tickten.

Er setzte sich in einen Ohrensessel, der im Halbdunkel stand, legte die Flinte über die Oberschenkel und versuchte, dem Gespräch im angrenzenden Wintergarten zu folgen. Dass ihm dabei

Schneewasser von Hosenbeinen und Schnürstiefeln lief und eine Pfütze auf dem Perserteppich bildete, war ihm unangenehm.

41

„Kann ich mich mal setzen", fragte der Dressman höflich.

„Mir ist lieber, Sie bleiben stehen. Ihr Anzug ist doch bequem genug geschnitten."

Der Vietnamese lächelte. „Sie trauen mir nicht?"

„Wie klug Sie sind."

Er strich sich die Seidenkrawatte glatt.

„Sie sollten sparsam mit ihren Bewegungen umgehen. Noch sparsamer!" Romy Asbach hielt ihre Neunmillimeter ein wenig höher. Die Steyr war ihr privates Stück. Dienstwaffe war out.

„Sie wollen mich doch nicht erschießen?"

„Wollen tu ich vieles nicht."

„Wegen mir müssen Sie auch nicht"

„Sie ziehen die richtigen Schlüsse aus Ihrer Lage."

„Ich habe eben eine gute Bildung genossen."

„Und wo haben Sie ihr Gutturaldeutsch gelernt?"

„In der Schweiz. Obwohl ich Französisch vorziehe. Aber man spricht dort nun mal drei europäische Verkehrssprachen."

„Was Sie nicht sagen. Wenn ich mir die bizarre Innenarchitektur ihrer Residenz so angucke, hätte ich eher darauf getippt, sie seien im Schwarzwald aufgewachsen."

„Sie meinen die Uhren meines Onkels?"

„Sie meinen, *Großväterchen* sammelt Kuckucksuhren?"

Der Vietnamese nickte.

„Mich wundert gar nichts mehr."

Der Dressman warf einen vorsichtigen Blick auf seine goldene Armbanduhr.

„Halten Sie die Hände still. Wir haben jede Menge Zeit. Also, ich rekapituliere: Ihr Onkel geht auch am späten Abend seinen Geschäften in irgendeinem seiner Gemüsestände nach. Ihre liebe Frau ist heute Vormittag zum Shopping nach Mailand geflogen, wo man diese dritte Verkehrssprache spricht, die Sie sicher auch beherrschen. Ihre beiden Nachtwächter, die Sie besser gegen ein Paar Wachhunde eintauschen sollten, liegen draußen im Koma. Kampfgänse sollen übrigens auch ganz tauglich sein, wie man aus Asien hört..."

„Danke für den freundlichen Hinweis."

„Erschöpfen Sie sich bitte nicht in Höflichkeiten." Romy Asbach zwang sich zur Geduld. „Sie sind also wirklich ganz alleine zu Hause?"

„Richtig."

„Und wo ist Gustav Torn? Wo haben Sie ihn versteckt, im Keller, im Gästehaus? Wo hat er sich verkrochen?"

„Er ist zurzeit nicht erreichbar."

„Und Sie sind sein Anrufbeantworter."

„*Unerreichbar* wäre noch präziser."

„Also außer Landes?"

„Das kommt der Wahrheit sehr nahe."

„Ich bin kein Quizmaster."

„Es liegt mir fern, Sie abzuqualifizieren."

„Wie gütig von Ihnen."

Der Dressman lächelte geduldig.

Einer der Vögel legte einen Frühstart hin. Er krähte Sekundenbruchteile vor dem ersten Glockenschlag. Dann brach die Hölle los. Die restlichen Kuckucksuhren gingen genau und zeigten in einer wahren Kakophonie die volle Stunde an. Der Lärm aus schepperndem Dingdong und nervendem Gezwitscher traf Romy Asbach völlig unvorbereitet und gab dem Dressman eine Chance, die er ohne Rücksicht auf seinen eleganten Anzug nutzte.

42

Die ganze Wand explodierte.

Alle Türchen flogen auf, und alle Vögel gaben ihre Vorstellung, während Farang mit offenem Mund und flatterndem Trommelfell im Sessel hockte und die Uhren anstarrte.

Dann besann er sich, sprang auf und stürmte den Wintergarten.

Romy Asbach lag auf den Terrakotakacheln, rappelte sich

gerade hoch und kassierte dabei einen Fußtreffer des Vietnamesen. Der Schlag warf sie gegen eine Stehlampe, und sie ging mit Leuchte und Rattantisch zu Boden. Der Keramikfuß der Lampe zerplatzte auf den Kacheln in einen Scherbenhaufen, aber weder das, noch Farangs gebrülltes Kommando war im Lärm der laufenden Zeitansage zu hören, als der Vietnamese nach der Pistole tauchte, die einige Meter weiter auf dem Boden lag.

Noch bevor er die Waffe erreichte, stellte das Kuckucksvolk seine Arbeit ein, und in der plötzlichen Totenstille kam das metallisch-kalte Durchladegeräusch, mit dem Farang eine Schrotpatrone in Feuerposition pumpte, besonders bösartig zur Geltung. Der Mann im Maßanzug resignierte und blieb – wie auch Romy Asbach – vorsichtshalber liegen.

Farang klangen noch die Ohren. „Gute Vovinam-Einlage“, sagte er anerkennend zum Vietnamesen.

„Wo-wie-was?“ krächzte Romy Asbach und tastete ihren Hals ab.

„Welcher Gürtel?“ fragte Farang den Vietnamesen.

„Gelb.“

„Nicht schlecht.“ Er hatte sich mit seinem Muay Thai nie gegen einen Vovinam-Kämpfer bewähren müssen, und wenn er ehrlich war, zog er, in Situationen wie dieser, auch Waffengewalt vor.

Der Vietnamese entspannte sich und machte das Beste aus seiner Position. Obwohl er mit dem Hintern auf dem Boden saß, arrangierte er sorgfältig seine Kleidung, und klopfte lässig etwas Staub vom Jackenärmel. Dann zog er den Krawattenknoten auf und öffnete den Hemdknopf, als sei dies der Lage angemessener. Dabei nahm er Romy Asbachs Blick auf. „Vo-Vi-Nam-Viet-Vo-Dao“, betonte er langsam für sie, „ist eine Kampfkunst aus meiner Heimat, die über zweitausend Jahre alt ist.“

„Soll mich das trösten?“

Der Vietnamese ließ sich nicht aus dem Konzept bringen. „Eine Angriffsverteidigung, die uns schon in beiden Indochinakriegen gute Dienste geleistet hat.“

„Diesmal ist es wohl eher in die Hose gegangen.“ Sie sah Farang an. „Müssen wir das auf dem Fußboden erörtern?“

Er lächelte freundlich. Wenn sie sich aus der Zeit in Bangkok an ihn erinnerte, so ließ sie es sich nicht anmerken. Er hielt den

Vietnamesen mit der Pumpgun in Schach und bückte sich nach der Pistole. Eine Steyr GB. Da seine Manteltaschen bereits voll ausgelastet waren, steckte er die Halbautomatik in den Anorak. Sein Waffenarsenal hatte inzwischen Italo-Western-Niveau, und er fühlte sich etwas unbeweglich.

„Setzen wir uns doch ins Wohnzimmer." Mit dem Lauf gab er die Richtung vor, dirigiert das Paar auf ein Sofa, in dem es tief genug versank, und nahm wieder im Ohrensessel Platz. „Kommen wir zu der offenen Frage des Abends zurück", wandte er sich an den Vietnamesen.

Der Hausherr begnügte sich mit einer blasierten Miene.

„Wo ist Gustav Torn?" half ihm Farang auf die Sprünge und sah dabei die Frau an, die sich ein leises Grinsen nicht verkneifen konnte.

Der Hausherr schwieg trotzig.

Mit einer einzigen Schrotgarbe putzte Farang ein gutes Drittel der Kuckucksuhren von der Wand. Die Geräuschkulisse stellte das Konzert zur vollen Stunde weit in den Schatten.

Der Vietnamese riss die Arme hoch und rief: „Sind Sie verrückt?" Dann fand er zur alten Überheblichkeit zurück. „Sie wecken noch die Fledermäuse auf." Er ließ die Arme sinken und lächelte herablassend.

„Fledermäuse? Was soll das? Wo ist Torn?" Farang lud nach. „Ich hab noch sieben von den Dingern."

„Ich weiß wirklich nicht wovon sie reden, und Fledermäuse sind übrigens in meiner Heimat Glücksbringer."

Farang wandte sich an Romy Asbach: „Sind Sie sicher, dass der Typ ganz richtig im Kopf ist?"

„Er versucht nur abzulenken." Sie hielt sich die Ohren zu.

Farang verzichtete auf weitere Munitionsverschwendung. Er erhob sich, setzte dem Mann die Mündung direkt auf die Stirn und befahl der Frau: „Setzen Sie sich in den Sessel. Das spritzt."

Der Blutverlust im Kopf des Opfers war bereits jetzt beeindruckend.

Farang starrte fasziniert in das leichenblasse Gesicht und sang leise: „Schneeglöckchen, Weißröckchen..."

Die Mundwinkel des Vietnamesen zuckten nervös.

„*Flöckchen.*" Romy Asbach erhob sich vorsichtig.

Farang schaute sie irritiert an.

„Es muss Schnee*flöckchen* heißen!"

Der Vietnamese zitterte mittlerweile am ganzen Körper. „Sie sind beide komplett wahnsinnig", flüsterte er, hart am Rande der Panik.

Romy Asbach ging zum Sessel.

Der Vietnamese krächzte: „Das ist eine Hinrichtung!"

„Noch leben Sie ja." Romy Asbach setzte sich. „Es ist nur eine Befragung, und Sie müssen dabei die richtigen Antworten geben."

„So einfach ist das." Farang zeigte dem Vietnamesen sein bestes Haifischlächeln. „Ich hätte es nicht präziser ausdrücken können."

„Fick dich doch ins Knie, du Bastard." Der Vietnamese presste die Worte mühsam hervor.

„Also jetzt wird er aber unhöflich. Bringen Sie ihn bitte nicht gleich um", bat Romy Asbach.

„In Asien kann er das nicht gelernt haben." Farang drückte den Kopf mit der Mündung noch etwas weiter ins Genick. „Das muss er sich in der Schweiz angewöhnt haben."

„Aha, ich sehe, Sie haben den Herrn und mich belauscht."

„Seien Sie froh. Sonst hätte ich Ihnen nicht helfen können."

„Was ist mit den Wächtern? Die müssten längst wieder zu sich gekommen sein."

„Das hoffe ich doch. Die Luft im Kofferraum reicht eine Weile."

„Soll das ewig so weitergehen?" keuchte der Vietnamese dazwischen.

Bevor Farang antworten konnte, klingelte das Telefon auf der Kommode unter dem Auerhahn.

„Jetzt wird es aber spannend." Romy Asbach machte es sich im Sessel gemütlich.

Farang machte einen Schritt zurück, bedeutete dem Vietnamesen mit einer Kopfbewegung, sich zu melden, und folgte ihm, die Flinte im Anschlag, zur Kommode. „Kein Vietnamesisch, kein Französisch. Ich will jedes Wort mitkriegen. Deutsch oder Englisch. Gesicht zu mir." Während der Mann nickte und zum Hörer griff, schwoll der Mündungsabdruck auf seiner Stirn rötlich an.

„Hallo?“ Der Vietnamese lauschte emotionslos.

Nach zehn Sekunden wurde Farang unruhig.

„So ist es“, sagte der Vietnamese schließlich und hörte weiter zu.

Romy Asbach erhob sich, kam näher und sah Farang skeptisch an.

„Natürlich.“ Der Vietnamese konzentrierte sich wieder aufs Zuhören.

Mit einem schnellen Schritt war Romy Asbach am Telefon und drückte die Mithörtaste. Was die männliche Stimme, die unvermittelt aus dem Lautsprecher quäckte, sagte, war nicht zu verstehen, klang jedoch sehr asiatisch. Mit einer schnellen Handbewegung trennte sie die Verbindung und fauchte den Dressman an: „Dreckskerl!“

Noch bevor sich das arrogante Lächeln im Gesicht des Vietnamesen richtig ausbreiten konnte, traf ihn Farangs Hieb. Die Wucht, mit der ihn der Flintenlauf am Kopf streifte, schleuderte ihn gegen die Kommode und warf ihn auf den Teppich.

„Kriech in die Küche“, befahl Farang.

Der Vietnamese rappelte sich auf alle Viere und schaute ungläubig auf. „Wohin?“ Er leckte sich das Blut weg, das ihm aus der Nase lief.

„In die Küche!“

Der Vietnamese kroch wie ein Kind über den Perser zur Diele.

„Machen Sie ihm die Türen weit auf“, ordnete Farang an.

Wenn Romy Asbach sich wunderte, so zeigte sie es nicht. Sie ging zur Tür, und Farang folgte dem Vietnamesen wie einem Hausschwein, das kurz vor dem Abschuss stand, bis in die Küche. Es war ein großzügiger Raum, dessen Profiausstattung sich um eine Luxuskochstelle im Zentrum gruppierte. Romy Asbach lehnte sich gegen den Herd, verschränkte die Arme vor der Brust und harrte der wundersamen Dinge, die Farang vorhatte.

„Gas oder Elektro?“ fragte er.

„Gas.“

„Machen Sie bitte eine Flamme an.“ Er stieß dem Vietnamesen den Lauf in die Nieren. „Und du steh auf und überleg dir schon mal, welchen Flügel du zuerst gegrillt haben willst.“

Romy Asbach nahm den Anzünder in die Hand und zögerte. „Sie wollen ihn doch nicht etwa...?"

„Foltern? Genau das habe ich vor, wenn er nicht anders zur Besinnung kommt. Machen Sie schon."

Der Vietnamese rappelte sich mühsam hoch und blieb schwankend stehen.

Romy Asbach nahm eine der Kochstellen in Betrieb und regelte die Flamme herunter, als könne sie auf diese Weise das Schlimmste verhindern. Dabei fiel ihr Blick auf das Hackbrett. Die gewürfelten Filetstücke, die gehackten Kräuter und auch die geschälten Knoblauchzehen machten einen frischen Eindruck. Blut und Saft waren nicht einmal angetrocknet. Wer auch hier gearbeitet hatte, er konnte das Messer nur wenige Minuten zuvor aus der Hand gelegt haben. Sie drehte sich langsam um.

Farang spürte ihre Besorgnis. „Was ist los?"

„Das war kein Anruf von außerhalb..."

Bevor sich Farang die Bedeutung der Aussage ganz erschloss, flog jenseits der Herdstelle die Speisekammertür auf und gab etwas Weißes frei, das orangegelb flackerte.

Das Weiße war der Koch.

Das Mündungsfeuer kam aus einer vollautomatischen Waffe, deren Bedienung dem Koch offenbar ein Rätsel war, denn die Kugeln hagelten größtenteils in den Rauchfang und unter die Decke. Romy Asbach ließ sich vor dem Backofen auf die Kacheln sacken und vertraute auf den Herdblock. Farang erwiderte das Feuer. Er erwischte den Schützten schon mit der ersten Garbe, tilgte Gelborange und fügte dem Weiß ein Purpurrot hinzu.

Der Koch starb an seinem Arbeitsplatz. Der Dressman nutzte seine zweite Chance an diesem Abend und fiel Farang an, noch bevor der die Flinte nachladen konnte. Farang taumelte zurück und schlug mit dem Hintern gegen die Herdstelle, während der Gegner einen Fußtritt in seine Leber bolzte, der ihn fast betäubte. Irgendwie bekam er die Haare des Vietnamesen zu packen, zog den Kopf näher zu sich und dann unerbittlich auf die Gasflamme zu – bis er den hornigen Gestank verkokelter Haare roch. Der Vietnamese brüllte vor Schmerz auf und wurde urplötzlich ganz schlaff.

Bevor Farang sich über die abrupte Wirkung seiner Zündelei wundern konnte, sah er das Blut an der Messerklinge, die Romy Asbach aus dem Rücken des Mannes zog.

43

„Es begab sich vor langer Zeit, dass die Heimat unserer Vorfahren von den Chinesen beherrscht wurde", begann die Konkubine den Vortrag jenes Märchens, das stets Höhepunkt und Abschluss des Rituals war.

„Die Ming-Dynastie unterdrückte unser Volk. Die Zwangsarbeit wurde härter, und der geforderte Tribut immer höher. Dann brach im ganzen Land eine große Hungersnot aus, und in der Provinz Thanh Ho erhob sich das geschwächte Volk gegen die fremden Herren. Der Anführer der Unterdrückten war ein gewisser Le Loi..."

An dieser Stelle legte sie stets eine Pause ein und wartete gehorsam auf die Erlaubnis, weiterlesen zu dürfen. Das Ritual war ihr vertraut – vom Präparieren der Elfenbeinpfeife bis zur abschließenden Massage. Manchmal verlangte der Oberste Befehlshaber auch von ihr, sich nackt zu ihm zu legen und mit ihm zu rauchen. Sein Alter und das Opium ließen mehr nicht zu. Sie liebte das Opium. Es war süß und hinterließ ein scharfes Aroma auf dem Gaumen, das lange nachklang. Sie liebte es, die Pfeife vorzubereiten, die kleine bruzzelnde Kugel aus klebriger Opiumpaste, die nicht größer als eine ihrer Fingerkuppen war, auf einem Metalldorn immer und immer wieder in der Flamme der alten Öllampe zu drehen, bis sie gar war und in den Pfeifenkopf kam. Sie liebte die kleinen bläulichen Wolken, die langsam aufstiegen, wenn man zog und paffte und das Knistern der Kerzenflammen, die den Rauch auffraßen. Noch mehr aber liebte sie die Wirkung der Droge, eine Art körperloser Zufriedenheit, als löse man sich, ganz ohne Visionen, auf. Und doch war ihr dabei manchmal so, als habe sie den altvertrauten Geruch von Frangipani und Hibiskusblüten in der Nase und könne das beruhigende Zirpen der Zikaden hören.

Sie saß im Stuhl des Obersten Befehlshabers. Er selbst ruhte, nur in einen Seidensarong gehüllt, auf der Liege, rauchte und lauschte mit geschlossenen Augen dem Klang des magischen Namens nach.

Le Loi...

Der See des zurückgegebenen Schwertes war sein Lieblingsmärchen.

„Lies weiter", befahl er schließlich und überließ sich ganz dem Opium und dem Märchen, das sie mit leiser und monotoner Stimme weiter vortrug.

„Doch Le Loi und seine Widerstandskämpfer waren so abgemagert und so schlecht bewaffnet, dass sie den Sieg nicht erringen konnten. Niederlage folgte auf Niederlage – bis der Herrscher des Wasserreiches, Lac Long Quan, ein Erbarmen mit den Erniedrigten fand und sich entschloss, den Lauf der Dinge zu beeinflussen..."

„Genug", ordnete er an. „Leg dich zu mir."

Während sie aus ihrem Sarong schlüpfte und sich zu ihm legte, dachte sie an die fünf verstorbenen Landsleute unter dem Eis im See und hoffte, der Herrscher des Wasserreiches erbarme sich auch ihrer, und vor allem des einen, der ihr Geliebter gewesen war, bis die Schergen des Tunnelhauptmanns ihn ermordet hatten.

Der Oberste Befehlshaber reichte ihr die Pfeife und sie zog daran. Da war er wieder, dieser altbekannte Zustand absoluter Ruhe. Aber noch traute sie sich nicht, dem Alten neben ihr vom Verbleib seiner toten Männer zu berichten. Er mochte es nicht, wenn Konkubinen von Dingen wussten, die sie nichts angingen. Wer aber war dieser Mann, der versucht hatte, ihr über das Eis zu folgen? Sie hatte ihn nicht genau erkannt, als sie sich, auf seinen Zuruf hin, kurz umgedreht hatte, um dann weiter zu fliehen. Aber auf seltsame Weise, war ihr die Gestalt vertraut.

Jetzt, da sie das Lager mit Le Loi teilte und das Opium seine Wirkung tat, kam es ihr vor, als sei Lac Long Quan, der Herrscher des Wasserreiches, ihr auf dem See erschienen – oder doch wenigstens eine Reinkarnation des gütigen Retters.

44

„Mein Gott, hatte ich einen Hunger."

Romy Asbach wischte sich den Mund mit der Serviette ab und stieß mit Farang an.

Farang trank ein deutsches Bier vom Fass. Singha war auch in Bangkok nicht sein Geschmack. So groß Berlin auch war, alle Wege führten ihn ins „Sukhothai". Diesmal saß er an einem Tisch, denn die Deutsche aß nicht gerne im Liegen, wie sie sich ausdrückte.

„Sie haben mir noch nicht erzählt, warum Sie Gustav Torn suchen", erinnerte sie ihn.

„Er schuldet uns Geld."

„Uns?"

„Meinem Auftraggeber und mir."

„Identifizieren Sie sich immer so mit Ihren Arbeitgebern?"

„Wenn der Preis stimmt."

„Und Sie waren wohl noch nie billig."

„Woher wissen Sie das?"

Sie lächelte. „Was glauben Sie, was ich in Bangkok getrieben habe? Ich kannte die Akte, die meine Thai-Kollegen damals über Sie führten, in- und auswendig. Sie hatten allerdings nie etwas mit Drogengeschäften zu tun. Deshalb blieb uns auch ein näheres Kennenlernen erspart."

„Das ist doch ganz positiv."

„So kann man es auch ausdrücken. Dass Sie *drogenfrei* waren, ehrt Sie natürlich."

„Ich bin es noch."

„Gut so. Trotzdem sind Sie ein schwerer Junge."

„Ich sehe mich mehr als Mittelgewichtler."

„So was rechnet sich nicht in Kilogramm."

„Sondern?"

Romy Asbach trank einen Schluck Singha. „Sie sind das, was man in Ihrer Heimat einen *gunman* nennt, und zwar einer mit einflussreichen Förderern."

„Sie schauen sich zu viele Western an. Ich bin kein Killer."

„Sie arbeiten jedenfalls ohne Lizenz."

„Ich bin auch kein Privatschnüffler."

„Sondern?"

„Nennen Sie es, wie Sie wollen. Sie fühlen sich bedroht? Ich beschütze Sie. Sie haben etwas verloren? Ich finde es. Natürlich nur, wenn wir ins Geschäft kommen."

„Wenn die Kohle stimmt."

„Und der Auftrag. Ich mache nicht alles."

„Was ist es denn diesmal? Ich meine, im Einzelnen..."

Farang sparte sich Lächeln und Antwort.

„Na gut." Romy Asbach zuckte mit der Schulter. „Vielleicht haben Sie noch eine Idee, wo Gustav Torn ist. Der Dressman war meine letzte Karte, und ich habe sie verspielt, bevor sie stechen konnte."

„Stechen ist sehr treffend ausgedrückt."

„Nehmen Sie mich nur auf den Arm. Ich bin einmal zu spät gekommen, als es um Leben und Tod ging. Das passiert mir nicht nochmal."

„Ich habe nicht vor, mich über Sie lustig zu machen. Wie ich höre, geht es Ihnen derzeit nicht so gut."

„Ach? Das wissen Sie auch schon?" Sie bestellte noch eine Runde Bier.

„Was hat Torn damit zu tun? Warum sind Sie gerade an ihm so brennend interessiert?"

Romy Asbach schnaufte tief durch. „Wie du mir, so ich dir. Sie erzählen mir Ihr Ding, und ich revanchiere mich."

Er erzählte es ihr in wenigen Sätzen.

Die Bedienung brachte das Bier, und Romy Asbach wartete, bis das Mädchen außer Hörweite war, bevor sie Farang mit einem Schmunzeln taxierte. „Sie sind also als Sozialarbeiter unterwegs. Nur die edelsten Motive. Buddhismus, Aids, mein Gott, das haut richtig rein."

Farang wartete ruhig auf die Gegenleistung.

Romy Asbach brauchte dafür etwas länger, und vermittelte ihm den Eindruck, lange mit niemandem darüber gesprochen zu haben. Dass sie die Mitarbeiter ihrer Kommission mit in den Sumpf gezogen hatte, schien ihr besonders auf der Seele zu liegen. Sie musste sehr einsam sein. Einsam, alleine und auf sich gestellt. Es machte sie nicht unsympathisch.

„Er ist also ein wichtiger Entlastungszeuge", fasste er zusammen.

Sie nickte.

„Außerdem arbeiten wir derzeit wohl beide ohne Lizenz. Warum tun wir uns also nicht zusammen?"

Romy Asbach dachte noch über den Vorschlag nach, als Karl-Montri an den Tisch kam und guten Abend sagte. Farang witterte sofort den Artgenossen. Der Kleine war ein Mischling. Während die Frau sich mit dem Jungen unterhielt, studierte Farang die Gesichtszüge des Jungen. So ähnlich hatte er auch mal ausgesehen.

Nachdem Karl-Montri gegangen war, bestätigte Romy Asbach aus ihrer Sicht, was schon Heinz Haller über Eltern und Familienverhältnisse erzählt hatte.

„Ich habe gleich gespürt, dass er ein kleiner Verwandter von mir ist – auch wenn er in Deutschland aufwächst."

„Was einen großen Unterschied macht." Sie verlangte die Rechnung und schaute Farang forschend an. „Also...?"

Er erwiderte ihren Blick.

„Da ich Büro und Archiv bis auf Weiteres zu Hause habe, gehen wir am Besten zu mir", sagte sie. „Es sei denn, Sie sind zu müde."

„Ich schlafe nur, wenn nichts Wichtiges anliegt."

45

„Sie haben den Tay Duc über die Bärenbrücke gebracht", bestätigte der Mann mit der Froschhand die Vermutungen seines Vorgesetzten.

Der Captain nahm die Nachricht ohne jede Regung entgegen. Seine Männer verschwendeten keine Ehrentitel oder Kampfnamen an einen wie Gustav Torn. Für sie war er nur der Tay Duc, der Westdeutsche. Wenn man ihn über die Brücke gebracht hatte, bedeutete das, er war endgültig ins Exil geflohen, war auch hier unten – nur auf der anderen Seite.

Froschhand wärmte sich die Finger über dem offenen Suppenkessel. Den Namen verdankte er einer Kriegsverletzung, die er sich in den Tunneln von Cu Chi zugezogen hatte. Seine linke Hand bestand nur noch aus einem Handteller mit vier Stumpen.

Die verbrannte Haut war glatt und porenlos und schimmerte rötlich. Nur die dünnen Fetzen, die sich wie Schwimmhäutchen zwischen den Fingerresten spannten, waren von einem durchscheinenden Weiß, das im Dampf über dem Topf einen Stich ins Gelbliche bekam.

Der Mann mit der Froschhand war einer der Pendler, die sich oft tagelang in der Oberwelt herumtrieben, um den Captain regelmäßig mit Berichten zu versorgen. Die Pendler blieben in Bewegung, tauchten mal hier auf, mal da, übernachteten bei Landsleuten in den einschlägigen Wohnghettos, in verlassenen Lagerhallen und Stellwerken, nie länger als eine Nacht, manchmal nur für Stunden. Die Pendler waren immer in Bewegung, und so mancher, der sie gesehen hatte oder gar gesprochen, zweifelte, ob es sie wirklich gab. Die Landsleute in der Oberwelt nannten sie nicht selten: Die Geister der Ahnen. Ob es sie nun tatsächlich gab oder nicht, man musste sich gut mit ihnen stellen. Manchmal halfen sie. Manchmal straften sie.

Bedächtig saugte der Captain an seiner 555. Er genoss jeden Zug. Die Bestände heimatlicher Zigaretten wurden knapp. Inzwischen war der Restposten exklusiv für ihn reserviert. Die Raucher unter seinen Männern versorgten sich mit Glimmstängeln der Marke Reval aus einer der vergessenen „eisernen Reserven" der Senatsverwaltung, auf die sie in einem der Bunker gestoßen waren. Unverzollte Zigaretten waren für den Hauptmann und seine Leute ein absolutes Tabu. Es war eine Frage der Ehre, denn der Feind rauchte und verkaufte das Teufelszeug.

„Was wollen die mit dem Tay Duc?" fragte Froschhand.

„Er wird ihnen in irgendeiner Weise von Nutzen sein. Ich glaube nicht, dass es von Bedeutung für uns ist. Wenn er sich freiwilig in ihre Hände begibt, hat er ausgespielt."

„Der bunte Blick wird ihn treffen."

„Es fragt sich nur wann. Wenn der Oberste Befehlshaber ihn bis Neujahr verschont, fällt er womöglich uns in die Hände, und dann haben wir ihn am Hals."

„Wir können den Tay Duc doch gleich mit..."

Der Captain nahm Froschhands Zögern zufrieden zur Kenntnis. Die Deutschen waren nicht der Gegner. Er und seine Männer hatten keine Deutschen auf dem Gewissen. Es war wie mit den unverzollten Zigaretten. Man rührte sie nicht an. Sie waren tabu. Er mochte den Mann mit der Froschhand. Er war tapfer und loyal und tief in den heimatlichen Werten verwurzelt. Einmal hatte es ihn fast das Leben gekostet. Die Geschichte war bereits Legende unter den Landsleuten. Damals hatte Froschhand in höchster Eile ein Wohnheim in Marzahn verlassen müssen. Eine Razzia der Polizei stand ins Haus. Es ging um Minuten. Vor dem Eingang war Froschhand eine Schwangere begegnet, die er nicht kannte. Ein schlechtes Omen. Der Brauch verlangte, wieder ins Haus zurückzukehren und abzuwarten, in der Hoffnung, die Frau sei inzwischen verschwunden. Als Froschhand wenig später den zweiten Versuch unternommen hatte, war die Schwangere nicht mehr zu sehen gewesen, aber dafür hatte ein Einsatzkommando das Gebäude umstellt. Trotzdem hatte er es geschafft, sich den Weg freizuschießen und zu entkommen, ohne einen einzigen Polizisten zu verletzen, geschweige denn zu töten. Was nicht einfach war, denn die Intratec, die der Mann mit der Froschhand pflegte und liebte wie ein eigenes Kind, war keine besonders präzise Waffe. Das Modell TEC-DC9 war eine Halbautomatik mit einer Kapazität von 32 Schuss. Mit dem bulligen Lauf und dem langen Magazin sah sie aus wie eine geschrumpfte MP. Über der Erde ließ sich die Waffe gut unter der Kleidung verstecken, und unter der Erde, wo Froschhand sich das gute Stück meist an einem Tragriemen umhängte, um bei Bedarf beide Hände frei zu haben, war die Intratec nicht sperrig.

„Du solltest ein wenig schlafen“, schlug der Captain vor.

Der Mann mit der Froschhand rülpste leise. „Nach einer guten Suppe muss ich einen Baum kaufen.“

„Um diese Zeit?“

„Ich habe meine Quellen.“

Daran zweifelte der Captain nicht. Jeder hatte seine Schwächen. Auch dafür war Froschhand bekannt. Die sexuellen Bedürfnisse, die seine Landsleute so blumig umschrieben, nahmen leider im Falle seines besten Pendlers krankhafte Züge an. Sein Hunger auf Frauenfleisch war unstillbar und nur schwer vereinbar mit der Diskretion, die seine Aufgabe als Späher erforderte. Aber das war nur eine von vielen Sorgen, die einen Anführer plagten – ein weiteres Problem, das er im Auge behalten musste.

Er bevormundete seine Männer nicht. Alles, was ihre Motivation förderte, wurde geduldet. Und wenn es gar nicht mehr anders ging, gab es Befehle – und die waren bislang widerspruchslos befolgt worden.

„Der Stauraum in der Tourismuszone von Van Thánh ist übrigens begrenzt", meldete sich Froschhand noch einmal zu Wort. „Das Risiko ist zu groß, trotz des günstigen Wetters. Irgendwann hat einer dieser Hobbyangler eine Leiche am Haken."

„Wenn es nach mir geht, muss es im alten Jahr keine Toten mehr geben. Es hängt ganz von der anderen Seite ab." Der Captain erhob sich, um Froschhand zu entlassen. „Und für die Landsleute, die am Neujahrstag fallen werden, wird sich eine andere Lösung finden."

46

Das Material, das Romy Asbach im ausgebauten Dachgeschoss ihrer Wohnung hortete, bot genug Futter für mehrere Arbeitsgruppen.

Farang war beeindruckt. Sie musste nach und nach alles, wozu sie je Zugriff gehabt hatte, kopiert haben. Videos. Tonbänder. Disketten. Schriftliches. Allein die Fotos bedeckten zwei große Arbeitstische. Auch die Hardware war beachtlich. Notebook. Stationärer Rechner mit Monitor, Scanner und Drucker. TV mit Videorekorder. Tonbandgeräte für Kassetten und größere Spulen. Dia- und Schmalfilmprojektoren. Als selbst ernannte Sonderermittlerin war Frau Asbach autark, und sie setzte alles daran, ihm die feindlichen Strukturen zu verdeutlichen.

Sie deutete auf das Foto eines alten Mannes. „Der hier ist der stellvertretende Vorsitzende der alles beherrschenden Bande, die unter dem salbungsvollen Namen Der *Bund der Mildtätigen* firmiert. Sie nennen ihn den Großvater. Uns..."

Sie brach ab, als habe sie sich die Zunge verbrannt. Dann räusperte sie sich und fuhr fort.

„*Den Behörden* ist er unter dem Namen Harry Nam bekannt. Kam erst vor anderthalb Jahren ins Land, wohl über Paris und Genf. Alles ganz unverfänglich. Ist bei seiner Botschaft bekannt und akzeptiert. Großes Doi-Moi-Getue, von wegen wirtschaftliche Liberalisierung und Öffnung der Märkte, als wäre der Vietcong persönlich Erfinder der Globalisierung gewesen und schon zu Zeiten der Tet-Offensive durchs Internet gesurft. Dabei ist Opa mit Sicherheit kein Kommunist, auch wenn er mit dem Bärtchen aussieht wie Onkel Ho. Opa entstammt ältestem Mafiosi-Adel aus Cholon, der Chinatown von Saigon. Die Sorte bekommt jetzt wieder Oberwasser."

Farang sah sich das Foto genau an. Es zeigte einen Greis mit einem schütteren Kinnbart.

„Gibt sich als seriöser Geschäftsmann. Bislang war ihm nicht das Geringste nachzuweisen, zumindest nichts, womit man ihm den Prozess hätte machen können. Der Typ macht in Import-Export, hauptsächlich Lebensmittel, de facto ist er der Banker der Mildtätigen und aller angeschlossenen oder abhängigen Untergruppierungen. Das gilt im Großen wie im Kleinen. Er wäscht und transferiert die riesigen Gewinne aus illegalen Geschäften, aber auch Kleinkunden zahlen gegen eine Gebühr von vier Prozent hier in Berlin bei ihm ein, und seine *Gemüse*-Filialen in Vietnam zahlen es den dortigen Verwandten aus. Schätzungsweise hat er in nicht mal zwei Jahren Mist von Groß- und Kleinvieh im Wert von über einer Milliarde Mark außer Landes geschleust. Er gehört zur dritten Welle."

Sie bemerkte seinen fragenden Blick.

„Die Angehörigen der *ersten* Welle waren und sind normalerweise sauber. Menschen wie du und ich. Ab und zu ein schwarzes Schaf auf viele weiße. Die meisten dieser Legalen kamen als DDR-Vertragsarbeiter ins Land und leben mit einer befristeteten Aufenthaltserlaubnis als reguläre Mieter in Wohnsilos der etwas trostloseren Sorte."

„Plattenbauten?"

„Wie ich sehe, haben Sie Ihre Kulturführer vor Antritt der Reise gelesen." Sie lachte trocken. „Und vor jedem Plattenbau steht ein Trabbi – richtig?"

„Wenn Sie es sagen."

„Lassen wir den Quatsch. Zurück zur Kriminalhistorie: Nach dem Fall der Mauer geht das soziale Chaos los. Wer soll nach Hause? Wer will überhaupt? Wer kann? Wer *darf*, nicht zu vergessen, denn die vietnamesische Regierung hat auch so ihre Macken, lässt ihre eigenen Staatsbürger nämlich nur mit vorher erteilter Einreiseerlaubnis in die Heimat zurück. Sollten wir auch mal ausprobieren. Ich kenne Deutsche, die ich nicht wieder reinlassen würde..."

Das flüchtige Lächeln, das Farang streifte, hatte etwas Bitteres.

„Gleichzeitig kommen tausende neuer Vietnamesen nach Berlin. Einige aus Hoffnung auf ein besseres Leben in unserem Schlaraffenland. Ich kenne einen, der hat sein Häuschen in Hue verkauft, um hier eine Schneiderei aufzumachen. So geht das aber nicht. Da könnte ja jeder kommen. Wir sind doch nicht in Amerika. Also hat er eine Hiesige geheiratet. Jetzt profitiert er vom Fahrrad-Boom und ist dick im Geschäft. Der Mann hat in genialer Weise alte Umwelt-Freaks, Tour-de-France-Fanatiker und den neuen Dreirad-Kult unter einen Hut gebracht und beutet den Kettentrieb in fünf Stadtteilen mit schicken Läden aus, die sich Velo-Zentren nennen – und das ganz ohne Doping. Er hat Glück, muss nicht mal Schutzgeld zahlen. Andere suchen schon damals lediglich politisches Asyl oder werden gezielt von Menschenhändlern ins Land geschleust. Unsere so traumhaft präzisen Gesetze werden von den zuständigen Stellen so unendlich kreativ ausgelegt und angewendet, bis auch die letzten Verfolgten zu Illegalen, und bis dahin unbescholtene Legale kriminalisiert werden. Das alles gewürzt mit der bekannten Prise Ausländerfeindlichkeit und feinem bis krudem Rassismus."

„Krude?"

„Bedeutet: grob oder roh." Sie zündete sich eine an und hielt ihm die Packung hin. „Ein eher altmodischer Ausdruck, wie ich zugeben muss."

Farang lehnte die Zigarette mit einem Lächeln ab.

„Nur keine Angst, das sind Verzollte. Apropos Umgangsformen: Wie geht man denn mit einem wie Ihnen im hiesigen Alltag so um?"

„Bei Arabern gehe ich als Fidschi durch."

„Dann sind Sie doch bestens getarnt." Sie inhalierte tief. „Also, da es den alteingesessenen wie den zugereisten Vietnamesen finanziell nicht besonders gut geht, werden eifrig kleine Geschäfte gemacht und Solidarität in der Familie geübt. Die Geschäftchen sind meistens Straßenhandel mit geschmuggelten Zigaretten. Die Solidarität beschert manchem unbescholtenen vietnamesischen Mieter, der nichts anderes macht, als Textilien von Markt zu Markt zu schleppen, in seinen extrem beengten Verhältnissen auch noch einen Untermieter, der sowohl illegal im Land ist, als auch illegalen Geschäften nachgeht. Manchmal kann der Untermieter aufgrund echter Hilfsbereitschaft des Mieters unterschlüpfen. Manchmal öffnet ihm brutaler Druck die Tür."

Sie inhalierte wieder und blies den Rauch über die Fotos auf der Tischplatte.

„Der Druck kommt von der zweiten Welle, auch als Hanoi-Gruppe oder Nordvietnamesen-Fraktion bekannt. Ehemalige Vietcong-Offiziere, die den Ho-Chi-Minh-Pfad neu auflegen. Diesmal mehrspurig und weitverästelt von Vietnam ins weite Ausland. Sie rekrutieren ihre Ameisen in armen Regionen der Heimat, Menschen, die ihrem Elend entkommen möchten und sich dafür abhängig machen. Als Zigaretten-Dealer haben die armen Schweine bereits nach wenigen Monaten ihre Vermittlungsgebühr abgestottert und machen, auch nach Abzug des üblichen Schutzgeldes, noch einen Schnitt."

„Woher kommen die Zigaretten?"

„Die werden in großen Mengen ganz legal auf dem westeuropäischen Markt eingekauft, zum Beispiel in Belgien, Holland oder Portugal, bevorzugt von Großhändlern aus Polen und der Ukraine, natürlich für den Export. In Freihäfen wie Rotterdam oder Hamburg wird das Transitgut eingeladen, und irgendwo im schönen Brandenburg wird die kostbare Fracht dann bei Nacht und Nebel von den Speditionslastern auf Lieferwagen der vietnamesischen Zwischenhändler umgeladen. Die Container gehen mit harmloser Fracht weiter Richtung Polen und Russland. Zollplomben und frisierte Transitpapiere für die Weiterfahrt sind kein Problem. Wenn es ganz hart kommt, besticht man einfach an der Grenze einen Beamten. Pro Laster spart man so etwa zweieinhalb Millionen Mark Einfuhrsteuer."

„Das lohnt sich doch richtig."

„Kann man wohl sagen."

„Und die Polizei?"

„Als die einfachen Vietnamesen anfingen, mit Zigaretten zu handeln, hat sie oft genug weggesehen, aus Mitleid, denn den armen Fidschis ging es noch dreckiger als den wendegeschädigten Vopos."

Er musste nicht nachfragen.

„Das waren Volkspolizisten", sagte sie, ohne ihn anzusehen. „Da ging auch schon mal eine Stange von Hand zu Hand, um das gemeinsame Leid zu lindern. Als sich dann die Banden organisierten und klar wurde, wie viel Geld im Spiel ist, wurde der Druck des Fiskus größer, aber richtig wach wurden alle erst, als es Tote gab. Zeitweise stritt ein Dutzend Banden um Standorte und Marktanteile, führte richtig Krieg und schlachtete sich gegenseitig ab. Genickschuss, Massenhinrichtungen, alles im Angebot. Die Banden werden in der Regel nach den Heimatregionen benannt, aus denen ihre Mitglieder stammen, Ngoc Thien, Quang Binh und so weiter. Zeitweise kämpfte das Mittlere Hochland gegen den Norden. Wir bildeten tapfer Sonderkommissionen mit blumigen Namen wie *AG Tabak* oder *Soko Blauer Dunst*. Mit zunehmender Ermittlungserkenntnis wurden die Namen sachlicher, wie etwa AG Vietnamesen-Kriminalität. Wir bissen uns an der militärischen Struktur der Banden und Sprach- und Identifizierungsproblemen die Zähne aus. Alle heißen Nguyen oder Tran, also Müller oder Schmidt. Jeder spricht einen anderen exotischen Dialekt. Trotzdem gab es erste Erfolge. Große Siegesmeldungen über die Zerschlagung der Vietnamesenbanden folgten. Ende des Jahres sechsundneunzig feierten einige Traumtänzer schon den Endsieg. Als ob wir hier im Kleinen den Krieg gewonnen hätten, an dem die Amis sich im Großen die Zähne ausgebissen haben.

Romy Asbach lächelte müde.

„Unsere Sondereinheiten wurden jedenfalls voreilig aufgelöst. Die folgenden Strafprozesse waren ein Witz. Wenn einer der Gangster erkältet war, wurde das Verfahren sofort unterbrochen und über die Einhaltung der Menschenrechte diskutiert. Die Verständigung zwischen Staatsbeamten, Dolmetschern und Anwälten erinnerte an Babylon..."

Für einen Augenblick schien sie den Faden zu verlieren, und ihr Blick bekam etwas Entrücktes. Er konnte sich denken, warum. In diesem Babylon war etwas geschehen, das ihr Schicksal mit dem ihrer Thai-Geliebten verband und Gustav Torn eine Schlüsselrolle zuwies.

Sie unterdrückte ein Husten. „Außerhalb des Gerichtssaals wuchsen die Banden nach wie Unkraut. Neue Kader wurden rekrutiert. Bosse, die vorsichtshalber über die Grenze nach Tschechien geschlüpft waren, kehrten zurück. Erneut ein paar Kopfschüsse im Wald und ein paar Hinrichtungen in einem Wohnsilo, und die Politiker hatten endlich ein Einsehen, machten mal wieder ein bisschen Geld locker. Und erneut wurden spezielle Arbeitsgruppen der Polizei gebildet – und so weiter und so weiter."

Die Energie, mit der Romy Asbach ihre Kippe im Aschenbecher ausdrückte, verdeutlichte ihren Frust.

„Aber was erzähle ich Ihnen da alles. Schauen Sie sich ein paar Gangsterfilme über die Prohibition in Chicago und Al Capone an. Kommt auf das Gleiche raus. Wir haben es nur nicht so gut im Griff wie Kevin Costner. Es ist immer dasselbe Lied. Es ist wie eine Hydra..."

„Eine Hydra?"

„So ein Fabeltier. Eine neunköpfige Schlange, der die abgeschlagenen Köpfe wieder nachwachsen."

„Ich wusste gar nicht, dass solche Sagenwesen hier zu Lande auch existieren. Ich habe immer nur von Wölfen, Fröschen und goldenen Gänsen gelesen."

„Aber bitte, so gut, wie Sie Deutsch sprechen, sollten sie wenigstens schon mal was von Siegfried und dem Drachen gehört haben. Die Hydra ist natürlich von Herakles verarztet worden. Wir hätten eine Soko nach dem guten Mann benennen sollen, denn er hat bekanntlich nicht nur mit der Schlange gekämpft, sondern auch den Augias-Stall ausgemistet..."

Sie bemerkte seinen ratlosen Gesichtsausdruck.

„Fragen Sie mich bitte jetzt nicht, wer König Augias ist. Ihr habt eure indischen Hanumänner, und wir unsere griechischen Helden. Okay?"

Farang widersprach nicht.

„Was unsere vietnamesische Hydra angeht, wird jedenfalls alles noch viel dramatischer..."

„Die dritte Welle?"

„Richtig!"

47

Es schneite wieder.

Dem Mann mit der Froschhand war es nur recht. Wenn Flocken fielen, war es eine Spur wärmer. Er hatte es sich im Ufergebüsch in einer Schneewehe gemütlich gemacht. Im nur wenige hundert Meter entfernten Bootsschuppen zu warten, wäre ein wenig angenehmer, aber als Treffpunkt zu offensichtlich gewesen, für das, was er mit ihr vorhatte.

Der Captain würde seine Absichten nicht gutheißen – aber er wusste ja nichts davon. Der Mann war ein Heiliger, schien nie eine Frau zu brauchen, war nur von seiner Aufgabe erfüllt. Wie Heilige halt so waren. Er verehrte den Captain, denn er sorgte für seine Männer und terrorisierte sie nicht, solange sie ihm loyal dienten. Und das taten die meisten schon sehr lange, in der Heimat wie in der Fremde.

Froschhand warf einen Blick auf die Uhr. Wo blieb sie nur? Sie hatte es ihm versprochen. Er hoffte, die Angst, die er ihr eingeflößt hatte, war groß genug. Er hatte sie bei einer Routinekontrolle des Wasserlochs an der heiklen Stelle überrascht. Sie war vor ihm geflohen – ohne Erfolg. Er hatte sich ausführlich mit ihr unterhalten. Zwar war es ihm immer noch ein Rätsel, warum sie nur bis zum frühen Nachmittag und dann erst wieder lange nach Mitternacht frei war, zu gehen, wohin sie wollte – aber kurz vor Morgengrauen war ihm sowieso ganz recht.

Sie hatte ihn um etwas gebeten, und er hatte es ihr in Aussicht gestellt.

Aber vorher musste sie zahlen.

48

Bevor sie Farang in das Geheimnis um die Dritte Welle einweihte, suchte Romy Asbach nach einer frischen Packung Zigaretten.

Geduldig wartete er ab, bis ihr Nachschub gesichert war.

„Die Häuptlinge der Banden, die in unserer Stadt Indianer spielten“, fuhr sie fort, „waren relativ jung, höchstens um die dreißig. Die älteren Offiziere und Hintermänner hielten sich stets bedeckt, während die Halbstarken sich austobten. Natürlich kamen sie schon bald auf die Idee, die eingespielte Infrastruktur nicht nur für Zigaretten zu nutzen. Sie versuchten es mit billigen Raubkopien, mit ein wenig Glücksspiel, hier und da auch mal mit Prostitution, gelegentlich dealten sie mit Waffen, wilderten mit Schutzgelderpressung in fremden Branchen – alles mehr oder weniger erfolgreich, aber toll lief es nicht. Und auch die Offiziere waren verunsichert. In Vietnam wurde inzwischen in den eigenen Reihen aufgeräumt. Die Regierung griff durch und ließ sieben Bosse des größten Drogenrings am Stadtrand von Hanoi hinrichten. Natürlich war man dabei auch auf den internationalen Effekt bedacht. Staatspräsident Tran Duc Luong hatte zuvor ein Gnadengesuch abgelehnt. Ein früherer Polizeioffizier war als Kopf der Bande überführt worden. Genau die Sorte, die das ganze Schleusergeschäft nach Deutschland im Griff hatte und auch in Berlin ihr Unwesen trieb. Hier bei uns waren es nur keine Polizisten sondern Ex-Militärs."

„Sie waren also angeschlagen."

„Richtig. Sie wackelten. Aber es kommt noch dicker. Plötzlich tauchen ganz abgebrühte Landsleute auf, alte Füchse, Mandarine und Manager. Ehemals Süden. Sie stellen die Ex-Offiziere aus dem Norden kalt und die jungen Wilden ruhig, indem sie die Kids in Sold nehmen und bei der geringsten Aufmüpfigkeit liquidieren lassen. Die Macher dieser dritten Welle gehen das Ganze im großen Stil an. Das heißt: Alle bereits genannten Geschäftszweige *plus Drogen.* Sie übernehmen den ganzen Laden, sanieren ihn brutal und expandieren. Das Hauen und Stechen dauert derzeit noch an, aber sie bekommen es langsam in den Griff. Einige Nummern größer zu agieren, hat aber auch seinen Preis: Es entstehen neue Fronten."

„Die Chinesen werden entzückt sein."

„Chinesen...? Wie kommen Sie darauf?"

Keiner hatte die Chinesen auf der Rechnung. Er konnte es nicht begreifen.

„Vor allem die Russen und die Türken fühlen sich auf den Schlips getreten." Sie tippte mit dem Zeigefinger auf das Foto des Mannes, dem sie wenige Stunden zuvor ein Messer zwischen die Schulterblätter gejagt hatte. „Der Dressman spielt jetzt keine

Rolle mehr, aber Großvaters Neffe war in gewisser Weise typisch für die Wiederauferstehung der Südvietnamesen." Sie ging zu einem der hohen Fenster in der Dachschräge und schaute in die Nacht.

Farang bewegte sich nicht vom Fleck und schwieg.

„Der Kommunismus ist angeblich weltweit besiegt, alle sind wie besoffen vor Überheblichkeit, und auch der Dressman war ganz entschieden der Meinung, es wäre nur eine Frage der Zeit, bis auch Taiwan den Apparatschiks in Peking erklärt, wo es langgeht. Ich habe mal auf einem Botschaftsempfang in Hörweite gestanden und musste mir das alles anhören. In Vietnam war für ihn das Rad schon so gut wie zurückgedreht. Er sprach ununterbrochen von *blühenden Landschaften* am Mekong." Sie drehte sich kurz um und grinste breit. „Er muss das irgendwo hier zu Lande aufgeschnappt haben."

Farang ging zum Fenster und blieb neben Romy Asbach stehen. Es schneite wieder. Die einzelnen Flocken, die an der Scheibe haften blieben, sahen schwindsüchtig aus. „Kennen Sie zufällig dieses Lied über die Schneeflocke?" fragte er.

„In Asien gibt es Lieder über Schneeflocken?"

„Warum nicht? Im Himalaya oder in Japan und Korea. Aber ich meine dieses deutsche Lied."

„Welches?"

Er sang leise und vorsichtig „Schneeflöckchen, Weißröckchen, nun kommst du geschneit..." und brach unsicher ab.

„Jetzt werden Sie nur nicht sentimental."

„Mein Vater hat es mir mal beigebracht."

„Schneeflöckchen heißt der einzige Albino-Gorilla der Welt. Er lebt im Zoo von Barcelona." Romy Asbach drehte dem Fenster den Rücken zu, ging zum Tisch und zündete sich eine neue Zigarette an. Ihr Blick fiel auf die Kaffeemaschine. „Herrgott, die Brühe ist schon lange durchgelaufen, und ich habe Ihnen nicht mal eine Tasse angeboten. Milch? Zucker?"

„Schwarz." Ein Tee wäre ihm lieber gewesen.

Nachdem sie Kaffee ausgeschenkt hatte, legte sie eine Videokasette in den Rekorder und schaltete den Fernseher ein. Sie setzte sich in einen Sessel und bot Farang mit einer Geste den anderen an. Auf dem Bildschirm liefen holprig zusammengeschnittene Bilder aus einer amerikanischen Kleinstadt ab. Im Mittelpunkt stand ein Asiate, der mal schlechter, mal besser zu erkennen war.

„Das ist eine Zusammenfassung von Überwachungsvideos, die das FBI gemacht hat. Den Mann haben wir vermutlich inzwischen geerbt. Er soll angeblich der Erste Vorsitzende des Bundes sein. Wenn Großvater der Finanzminister ist, dann ist der da wohl der Kriegsminister. Es gibt Hinweise, dass er der Kopf der Bande ist, aber keine Beweise dafür, ob er tatsächlich existiert, geschweige denn, wo er sich aufhält. Die Aufnahmen sind aus den Jahren, in denen er sich in Kalifornien aufgehalten hat. Ich würde ihn jedenfalls auf Grund dieser Bilder nicht wiedererkennen, wenn er mir hier über den Weg liefe. Wir haben es aber auch noch eine Spur präziser."

Sie ging zum Computer und lud eine CD-ROM. Kurz darauf sah er diverse Archivfotos auf dem Bildschirm. Irgendetwas mit den Augen des Mannes war nicht ganz in Ordnung. Dann rollte langsam eine Vita ab, die Farang nur bruchstückhaft wahrnahm.

– Vermutliches Geburtsjahr: 1930
– Geburtsort: Tan Chau (wohlhabende südvietnamesische Stadt nahe zur kambodschanischen Grenze)
– Kämpfte bereits im Alter von 24 Jahren als Leutnant im 5. Vietnamesischen Fallschirmjäger-Bataillon auf Seiten der französischen Armee in Dien Bien Phu. Geriet dabei in die Hände des Vietminh. Gehörte zu den wenigen Überlebenden der Gefangenenlager (dort gemachte Erfahrungen sind vermutlich Grund für später deutlich ausgeprägten Hass auf alles Nordvietnamesische bzw. den Vietcong).
– Machte Karriere in der südvietnamesischen Armee. Brachte es (auch auf Grund guter Kontakte zum US-Stab) bis zum General. Operierte bei diversen Kampfeinsätzen oft rücksichtslos und übermotiviert. Wurde später stillschweigend in die Etappe zurückgenommen.
– Setzte sich 1975 vor der Machtübernahme des Vietcong aus Saigon ab.

Farang ging zum Tisch, suchte das passende Foto und sah es sich genauer an.

Romy Asbach kam näher. „Er hat ein Glasauge.“

„Deswegen.“ Er legte das Foto auf seinen angestammten Platz. Erst jetzt fiel ihm das Porträt eines Mannes mit Menjoubärtchen auf. Der einzige Nichtasiate in der Sammlung. Das Gesicht kam ihm bekannt vor. „Und wer ist das?“ Er zeigte auf den Schnurrbart.

Romy Asbach zog hektisch an ihrer Zigarette. „Das Arschloch habe ich unter die Kriminellen gemischt, weil es für mich da hingehört, und als ständige Erinnerung daran, meine Motivation nicht zu verlieren.“

Er erinnerte sich, wo er das Gesicht schon einmal gesehen hatte. In Verbindung mit Khun Heinz. Unter H wie Haller. Der Kundenkatalog war alphabetisch geordnet. Der Mann stand entweder vor oder nach Haller auf der Liste.

Romy Asbach starrte das Foto mit versteinerter Miene an, die Lippen fest zusammengepresst.

„Wer das auch sein mag, sein Nachname fängt vermutlich mit einem H an“, versuchte er, sie aus der Reserve zu locken.

Sie riss sich vom Anblick des Fotos los. „Woher wissen Sie das?“

Volltreffer!

„Hoffmann.“ Sie spuckte den Namen förmlich aus. „Manfred Hoffmann. Er ist Vorsitzender des Untersuchungsausschusses, der gegen mich ermittelt.“

Er nickte nachdenklich. Verglichen mit Romy Asbachs Sammlung, war seine Aktenlage eher bescheiden, aber besonders wertvoll, wie sich erneut herausstellte.

„Seit diese von Gangstern fabrizierten Zeugenaussagen zu meiner Person in den Vietnamesenprozessen aufgetaucht sind, sammelt er wie ein Bluthund alles, was mich auch nur andeutungsweise belasten könnte. Und wenn er nicht genug Passendes findet, biegt er es sich zurecht, setzt Leute unter Druck, die mich sowieso nie mochten. Er ist ein voreingenommenes, befangenes Arschloch, das mir übel mitspielt. Ist das deutlich genug?“

Farang grinste. „Soll ich ihn umlegen?“

„Blödsinn. Ich spiele sauber. Die kriegen mich nicht dazu,

das zu tun, was sie mir unterstellen. Ich habe mir nichts Kriminelles zu Schulden kommen lassen. Ich finde Torn und bringe ihn dazu, für mich auszusagen. Die Wahrheit reicht vollkommen aus." Sie wandte sich ab und setzte sich wieder in den Sessel.

„Wir werden Gustav Torn finden. Aber falls er es nicht überlebt oder Sie ihn nicht für sich gewinnen können, habe ich noch einen zweiten Rettungsanker."

„Was faseln Sie da? Woher kennen Sie Hoffmann überhaupt?"

Er erzählte es ihr, und ihre Miene hellte sich etwas auf. Aber noch bevor die Überraschung in richtige Freude übergehen konnte, verdüsterte sich ihr Gesichtsausdruck wieder. „Gut zu wissen – aber ihn zu outen, befreit mich nicht von falschen Verdächtigungen, und Erpressung macht mich tatsächlich zur Kriminellen. Trotzdem vielen Dank."

„Keine Ursache. Ich bin ziemlich müde..."

Sie nickte. „Wir sollten uns wenigstens duzen."

„Warum nicht."

„Rosemarie, bei Freunden und Feinden auch als die Asbach oder Ass oder Aas bekannt. Es wäre mir aber lieber, wenn du Romy sagst."

Manche nannten sie auch die Lay-Lady-Lay-Lady oder die Lady-Lady. Ob sie das wusste? „Ich heiße Surasak Meyer. Aber alle nennen mich Farang."

„Also dann: Farang."

„Ich muss jetzt gehen."

Sie brachte ihn zur Tür. „Du hast noch die Pumpgun in meinem Kofferraum und den Revolver im Handschuhfach."

„Behalte sie. Vielleicht kannst mir dafür noch etwas Reservemunition für meine Pistole geben."

„Wenn du mir versprichst, Torn nicht damit abzuknallen."

„Habe ich nicht vor. Ich brauche ihn lebend, wie du."

„Gut." Sie lächelte. „Hast du übrigens Silvester schon was vor?"

„Ja."

„Schade."

49

Die Sorge, sie könne zu spät kommen, trieb sie auch noch die letzten Meter über das Eis, bis sie die festgefrorenen Zweige erreichte und fast davor zusammenbrach.

Schwer atmend blieb sie stehen und versuchte, im Schneetreiben etwas zu erkennen. Hoffentlich war der hässliche Mann mit der verstümmelten Hand noch da. Oder sie hatte Glück, und er hatte sich ebenfalls verspätet. Außer den Abdrücken der eigenen Schuhsohlen konnte sie keine Spuren im frischgefallenen Schnee erkennen.

Erst nachdem Le Loi auf dem Opiumlager eingeschlafen war, hatte sie sich fortstehlen können. Er mochte es nicht, wenn sie früher ging. Sie hatte sich mit dem Rauchen zurückgehalten, um einen klaren Kopf zu behalten. Hätte der Oberste Befehlshaber auch nur geahnt, dass sie sich mit einem seiner Todfeinde traf, hätte er sie umbringen lassen. Erst jetzt fiel ihr auf, dass jemand das Stoffband entfernt hatte, das sie tags zuvor an einem der Zweige befestigt hatte. Der Wind konnte es nicht abgrissen haben, dafür hatte sie es zu sorgfältig festgeknotet.

Das war ein schlechtes Omen.

Sie umklammerte den kleinen Talisman aus Jade noch fester.

Am Ufer brach ein Ast. Eine Gestalt kam aus dem Dunkel und nahm in den treibenden Flocken allmählich Form an. Erleichtert erkannte sie den Landsmann, mit dem sie verabredet war. Sie war ruhig. Sie hatte keine Angst. Der Mann mit der hässlichen Hand hatte ihr die Leiche ihres Geliebten versprochen. Sie ahnte, was er dafür wollte. Es war ihr bereits viermal passiert. Es war immer so gewesen, im Krieg, zu Hause und hier in der Fremde – egal auf welcher Seite der Front.

50

Als Farang gegen Ende der Nacht endlich vor seinem Hotelbett stand, fühlte er sich nicht mehr müde.

Er duschte ausführlich. Dann griff er zum Telefon. Es war eine gute Zeit um Pa anzurufen. Der alte Mann war Frühaufsteher, und der Vormittag war seine beste Tageszeit. Sicher war er draußen bei seinen Vögeln, und sein Fahrer und Mädchen für alles ging der Garten- oder Küchenarbeit nach oder polierte den Jaguar.

Das Rufzeichen ertönte. Der Fahrer meldete sich in der gewohnt knappen Art. Er war in der Küche und bat Farang einen Augenblick zu warten, während er das Telefon in den Garten brachte. Hoffentlich war das Mobilteil anständig aufgeladen. Wäre nicht das erste Mal, dass der Alte es vergessen hätte. Die Verbindung war gut, und die Hintergrundgeräusche aus Thonburi gaben ihm ein heimatliches Gefühl. Das entfernte aber nervende Sägen war kein Moskito, sondern der frisierte Motor eines der Schnellboote, die über den nahe gelegenen Chao Phraya rasten. Wahrscheinlich hätte er auch das Tuckern der Dieselschlepper gehört, wenn in diesem Moment Lastkähne vorbeigezogen wären. Er schloss die Augen und sah das gefilterte Sonnenlicht, das durch den dichten Blätterwald in den Garten fiel. Er sah die Stechmückenwolke über dem Karpfenteich mit den Lotosblüten, und das leise Krächzen erinnerte ihn an die vierzehn Vögel in den Freiluftkäfigen und an den Affen mit den hellblauen Augen.

Das erste Wort, das Farang neben dem Murmeln, mit dem ihn der Fahrer beim General ankündigte, hörte, kam von einem Papagei.

„Schlafmütze!“

„Er beschimpft mich wieder“, klagte der Alte.

„Beachte ihn einfach nicht, dann wird er wieder freundlich. Wie geht es dir, Pa?“

„Danke, mein Sohn, ich kann nicht klagen.“ Und noch bevor Farang das Ritual weiterspinnen und die übliche Erkundigung nach dem Befinden der längst verstorbenen Hauptfrau einholen konnte, sagte der Alte: „Mutter lässt dich grüßen.“

„Danke, ich hoffe, es geht auch ihr gut.“

„Sie ist dieser Tage etwas deprimiert, aber das wird schon wieder. Was kann ich für dich tun, mein Sohn?“

Farang lächelte still vor sich hin. Bei Ferngesprächen dieser Distanz war Pa anscheinend gewillt, die üblichen Höflichkeitsfloskeln einzuschränken. „Hast du schon mal mit einem General Xuong zu tun gehabt oder wenigstens von ihm gehört? Er hat in der südvietnamesischen Armee gedient."

„Xuong? Aber sicher! Offiziell war er selbstverständlich nach Ende des Vietnamkrieges nicht mehr existent für uns. Trotzdem habe ich mich ein Jahr nach dem Fall Saigons mal inoffiziell mit ihm in Measalong getroffen, diesem Dorf in den Freiheitsbergen, in dem wir die alten Kämpfer der Kuomintang geparkt haben. Es war die Hölle für mich. Das Kaff liegt tausendsechshundert Meter hoch. Ich habe kaum Luft gekriegt." Er keuchte, als wäre schon die Erinnerung an die Strapazen zu viel. „Du weißt, ich hasse den Norden, mein Sohn."

„Ja, Pa", antwortete Farang und dachte: Etwas, was du mit Xuong gemeinsam hast, auch wenn deine Beweggründe ganz andere sind.

„Jedenfalls trieb er sich damals mit ehemaligen Mitgliedern seiner Truppe im Goldenen Dreieck herum und war als Geschäftspartner für uns ein Problem. Irgendwann haben ihn die Amerikaner dann ganz zu sich genommen, ich glaube nach Kalifornien. Aber wie kommst du gerade auf Xuong?"

„Ich liebe dich", krächzte der Papagei dazwischen.

„Siehst du, ich sage es dir doch, man muss den Vogel nur ignorieren, Pa."

„Bleib bei der Sache und antworte auf meine Frage!"

Wenn der Alte übers Geschäft redete, war er völlig klar im Kopf. Keine Spur von Senilität und der trotteligen Teilnahmslosigkeit, der er sich mit zunehmendem Alter so gerne hingab. „Kannst du dich noch an die Blonde in der Deutschen Botschaft erinnern, die mit der Drogenbehörde zusammengearbeitet hat?"

„Die Lady-Lady?"

Für einen Moment glaubte Farang, der Papagei habe geantwortet. Manchmal war es ihm direkt unheimlich, wie wenig seinem Mentor und Ziehvater in der Heimat entging. „So wurde sie wohl genannt. Jedenfalls bin ich der Frau hier über den Weg gelaufen."

„Dann pass gut auf dich auf, mein Sohn. Die ist mit allen Wassern gewaschen. Hochoffiziell hat sie gute Arbeit geleistet, hatte sogar eine Audienz bei seiner Majestät dem König. Aber sie hat uns auch oft genug Ärger gemacht...", er kicherte leise,

„...bei unseren kleinen Privatgeschäften. Dafür konnten wir sie schlecht öffentlich rügen."

„Ich habe den Eindruck, sie weiß nichts von der Thai-Phase General Xuongs."

„Es gab keine Thai-Phase!"

„Okay, dann von seiner Zeit im Goldenen Dreieck."

„Darauf hatten wir keinerlei Einfluss."

„Das behaupte ich auch nicht, Pa. Die Frau hat offizielles Material über ihn, aber Informationen über sein Treiben im Dreiländereck, scheinen zu fehlen."

„Woher hat sie die Informationen?"

„Angeblich vom FBI."

„Wen wundert es dann? Er hat damals mit der CIA zusammengearbeitet. Air America hätte sonst nicht viel zu transportieren gehabt. Die haben ihm dann später in Kalifornien Quartier gemacht und ihn vor anderen US-Behörden gedeckt. Kein Wunder, dass die Amerikaner seinen Lebenslauf schönen."

„Das erklärt einiges."

„Wieso kümmert sich die Dame überhaupt um einen wie ihn?"

„Er soll inzwischen hier in Berlin sein."

„In dem Alter? Der Mann muss krank sein. Was will er denn da? Mit Kalifornien war er als Ruheständler doch gut bedient."

„Sieht aus, als sei er nach wie vor aktiv."

Das Schweigen am anderen Ende der Verbindung machte Farang die Tragweite seiner unbesonnenen Bemerkung klar. Nichts deprimierte Pa mehr, als der Gedanke, zum alten Eisen zu gehören. Sekundenlang war nur das Kreischen der Papageien zu hören.

Schließlich meldete sich der Alte wieder. „Und was kann ich dem Obersten Patriarchen über den Verlauf deiner Arbeit berichten, mein Sohn?"

„Noch kann ich nicht viel sagen."

„Dann pass auf dich auf", sagte Pa und trennte die Verbindung.

Seine Heiligkeit!

Die Mahnung hatte gerade noch gefehlt. Selbst sein Auftraggeber, Mönch Kramer, erschien ihm plötzlich in safrangelber

Robe und verstärkte sein schlechtes Gewissen. Der Heilige Thomas!

Erfolge?

Noch nicht! Er arbeitete noch daran.

Was machte er überhaupt hier? In einem Landstrich, den Tony Rojana so treffend Sibirien genannt hatte. Es war an der Zeit, ein wenig zu schlafen.

Schlafen?

Er konnte jetzt nicht schlafen.

Farang betrachtete das Bett noch einmal, dann warf er sich wieder in seine frosterprobte Wintermontur.

Das Safrangelb hatte ihn an etwas erinnert.

51

Es hatte aufgeklart.

Am Horizont glühte die Morgenröte über schwarzem Geäst, als Farang aus dem S-Bahnhof kam und zum Ufer hinunterlief. Auch für dieses Gesicht des Winters hätte sein deutscher Vater eine Erklärung gehabt.

Die Engelchen backen Plätzchen.

Das Glühen am Himmel verhieß einen Hauch von Wärme, die aber in der klirrenden Kälte Illusion blieb. Der See ruhte erstarrt und verlassen zwischen den Bäumen, umgeben von absoluter Stille, bedeckt von frischem Schnee.

Frau Holle hat ihre Betten ausgeschüttelt.

Vorsichtig betrat er die Eisdecke und wanderte, mit jedem Schritt ein wenig sicherer, auf die Stelle zu, an der die Angler angeblich ihre Fanglöcher markiert hatten. Nach etwa hundert Metern erreichte er die nur leicht verwehten Fußspuren einer einzelnen Person, die auf sein Ziel zuführten. Er blieb stehen und sah sich um. Nichts. Er war alleine auf dem See, so weit er ihn einsehen konnte. Wachsam bewegte er sich weiter auf die Zweige über der unebenen Stelle mit den Eisschollen zu. Der Schnee über den zugefrorenen Wasserlöchern war zertrampelt. Der Wind hatte die Spuren nur leicht verweht. Farang konnte die Abdrücke eines zweiten Sohlenpaars erkennen. Die zweite Spur verlief zum nahen Ufer. Er ging sie ein Stück ab und überprüfte die Fußstellung. Die Person war eindeutig aus dem Gehölz zur markierten Stelle gekommen. Von dort führte eine dritte Spur, die beide Abdruckpaare vereinte, geradeaus über das Eis davon. Die beiden Personen konnten sich erst vor kurzem hier getroffen haben.

Erneut suchte er mit zusammengekniffenen Augen See und Ufer ab. Ohne Erfolg. Dann konzentrierte er sich wieder auf den magischen Treffpunkt. Beharrlich schob und kratzte er mit den Profilsohlen den Schnee zur Seite, bis die Eisdecke zum Vorschein kam. Dann brach er den am weitesten verästelten Zweig ab und fegte damit das Eis blank. Er warf den Zweig weg, ging auf die Knie und polierte die Stelle, die so groß wie ein Autodach war, mit den Handschuhen, bis sie schwarz wie durchscheinender Onyx unter ihm lag.

Das Geräusch kam aus heiterem Himmel und traf ihn völlig unvorbereitet.

Ein archaisches Krachen, gefolgt von einem qualvollen Ächzen, hallte ihm laut in den Ohren und traf seinen Körper wie ein Stromschlag. Er konnte es hören, spüren und sehen: Die Welt ging unter. Der See tat sich auf und fraß ihn. Direkt unter seinen Knien schoss der Blitz ins Eis. Noch bevor ihm die darauf folgende Todesstille bewusst wurde, hatte er sich aufgegeben.

Dann bemerkte er den feinen Riss im stabilen Eis und glaubte an ein Weiterleben. Das Schlimmste war vorbei. Der frische Riss verlief direkt unter ihm und, wie er ahnte, über den ganzen See. Die milchige Trennfuge, die das Eis wie ein Band aus Gaze durchzog, zeigte ihm, dass die Decke bestimmt einen Meter dick war, und da unten, wo sie Flüssigkeit berührte, konnte er etwas erkennen. Etwas, das wie ein Embryo aussah und ihn mit bleicher Fratze anzugrinsen schien. Alles war unscharf – und doch seltsam klar. Der Frost hatte das Eis zum Bersten gebracht und ihm etwas gezeigt. Etwas, das den Verdacht bestätigte, der ihn an diesen Ort getrieben hatte.

Mühsam kam er wieder auf die Beine und folgte der Doppelspur, die ihn mehrere hundert Meter weit über den See und dann zum Ufer führte, direkt zu einem Bootsschuppen, dessen verwitterte Holzwände Moos angesetzt hatten. Er sprang auf den Steg und sah die rote Strickmütze, die vor der Tür im Schnee lag.

Er erkannte die Frau an der Kleidung – die Mütze in seinen Händen, die Moonboots, die Jeans und der billige Anorak, den sie trug. Sie lag unter den aufgebockten Ruderbooten auf dem Boden, das blauschwarze Haar über der Schläfe blutverklebt, den Hals von Würgemalen bedeckt, Hose, Strumpfhose und Baumwollschlüpfer in den Kniekehlen. Die Haut von Bauch und Oberschenkeln schimmerte makellos und unversehrt. Er ging neben ihr in die Hocke und musterte die Schamhaare, in denen Sperma klebte.

Bevor er ihren Puls prüfen konnte, stöhnte die Frau leise und hob mühsam den Kopf. Sie öffnete die Augen und sah ihn an. Dann schloss sie die Augen wieder und flüsterte kaum hörbar: "Lac Long Quan...?" Die Finger ihrer rechten Hand gaben eine winzige Schildkröte aus Jade frei, und der Hauch eines Lächelns gefror ihr auf den Lippen. Der Kopf sackte weg und schlug hart auf den Boden.

Lac Long Quan?

Farang nahm die Schildkröte an sich und durchsuchte die Taschen der Toten, fand jedoch nichts, was Aufschluss über ihre Identität gab. Er erhob sich und ging zur Tür. Bevor er hinausging, drehte er sich noch einmal um und warf einen letzten Blick auf die Leiche. Für einen Moment dachte er daran, ihr den Anorak auszuziehen und damit ihre Blöße zu bedecken. Dann erinnerte er sich an Romys spöttische Bemerkung. Sie hatte Recht. Er war kein Sozialarbeiter.

Da war noch etwas.

Erst jetzt, aus diesem Blickwinkel, konnte er es sehen. Es war weiß. Etwas Winziges ragte zwischen den verkrampften Fingern der rechten Hand hervor. Aus der Nähe betrachtet, entpuppte es sich als ein Stückchen Papier. Mit Handschuhen war es schwer zu fassen, aber beim zweiten Versuch gelang es ihm, den Fetzen vorsichtig an sich zu bringen. Behutsam glättete er das zusammengeknüllte Papier. Der ausgefransten Schmalseite nach, stammte das Blatt aus einem kleinen Spiralblock. Es war feucht und die Kugelschreibertinte war zerlaufen. Trotzdem war die Notiz noch zu entziffern.

Khu Du lịch Văn Thánh
S1 SCHLACHTENSEE

Auch das sagte ihm nicht viel. Er faltete das Stück Papier zusammen und steckte es ein.

Vor dem Schuppen sah er sich sichernd um. Dann folgte er den Fußspuren des Täters. Sie führten um das Gebäude herum zum Uferweg, wo sie sich bald zwischen anderen Spuren verloren. Die ersten unentwegten Jogger waren bereits unterwegs.

Zwei Hunde, die einem Frühaufsteher vorauseilten, bellten Farang freudig entgegen. Er lächelte, grüßte und beeilte sich weiterzukommen. Der Schäferhund machte einen lahmen Eindruck, aber der Terrier war hellwach und energisch, und oft waren es die kleinen Hunde, die mutig herumstöberten und dabei die richtige Witterung in die Nase bekamen.

52

War es noch Nacht oder schon wieder Tag?

Gustav Torn wusste es nicht. Es machte keinen großen Unterschied, ob er die Augen geschlossen oder offen hielt. Er lag auf dem Rücken und starrte ins Dunkel. Waren das aufgemalte Lampenfeld und die Richtungspfeile an der Bunkerdecke und der Orientierungsstreifen über dem Ausgang noch immer schwach zu erkennen, oder hatten sich die phosphorisierenden Markierungen vor dem Einschlafen so tief in seine Erinnerung eingebrannt, dass er sich das schwache Glimmen nur einbildete? Die Leuchtfarbe war angeblich sechzig Jahre alt, aber nach dem zu Bett gehen und dem Löschen des elektrischen Lichts, war sie noch lange aktiv gewesen. Er griff nach der Stablampe, die in Reichweite neben seinem Lager stand, und strahlte die Decke an. Als er die Lampe wieder ausknipste, hatte sich das rechteckige Feld über ihm genügend aufgeladen, um den Raum schwach auszuleuchten. Ein primitives Verfahren, das aber gut funktionierte. Schon nach wenigen Minuten gewöhnten sich die Augen an die Dunkelheit und man erkannte die Konturen im Raum. Damals, im

Krieg, hatte die noch frische Farbe einige Stunden lang geleuchtet und so bei Stromausfall eine Panik unter den Insassen verhindert und ihnen den Fluchtweg angezeigt.

Möglicherweise war das Zeug radioaktiv.

Torn warf einen Blick auf das Leuchtzifferblatt seiner Rolex. Es war fast Mittag. Er hatte tief und fest geschlafen und nicht einmal das entfernte Rumpeln der Züge gehört, als die U-Bahn-Linie am frühen Morgen den Betrieb wieder aufgenommen hatte. Die Strecke konnte nicht weit entfernt sein. Das Bett war bequem, Matratze und Kopfkissen nicht zu weich, Decken, Laken und Bezüge sauber und frisch. Er hatte weder gefroren noch geschwitzt. Noch graute ihm davor, das Neonlicht einzuschalten und sich der kargen Realität seiner neuen Bleibe zu stellen. Nicht, dass er sich wegen unnötigen Stromverbrauchs Gedanken machte. Hier unten hatte die Bewag keine Zähler. Die Vietnamesen zahlten keine Stromrechnung. Sie hatten irgendwo eine Leitung angezapft. Prinzip Selbstbedienung.

Der Oberste Befehlshaber hatte es sich nicht nehmen lassen, ihn höchstpersönlich in die „Besucher-Suite“ zu führen und dabei Infrastruktur und Geschichte zu erläutern. Verglichen mit der Residenz des Gastgebers, war die Gästeunterkunft von eher bescheidener Natur. Ein spartanischer Luftschutzraum aus dem Zweiten Weltkrieg. Damals für maximal achtzig Leute ausgelegt. Heutzutage durch eine bescheidene Ergänzungsausstattung aufgewertet und für maximal zwei Personen gedacht. Die Metallhalterungen für die Etagenbetten waren noch an der Wand montiert und strotzten vor Rost, so wie die alten Aggregate für Lüftung und Notstrom und die Wasserpumpen im Maschinenraum nebenan. Im Fußboden des Luftschutzraums waren Wasserablauf und Ablaufgitter installiert. „Achtzig Personen produzieren eine Menge Wärme, Luftfeuchtigkeit und Kondenswasser, wenn sie über Stunden auf solch engem Raum zusammengepfercht sind“, hatte der Oberste Befehlshaber so beiläufig festgestellt, als habe auch schon damals hier unten alles auf sein Kommando gehört, um dann hinzuzufügen: „Und bei Ausfall der Lüftung und des Notstroms mussten zwei Mann das Notlüftungsaggregat mit Handkurbeln in Betrieb nehmen, um Frischluft in den Raum zu pumpen!“ Das alles in Militäramerikanisch vorgetragen, angereichert mit dem einen oder anderen deutschen Fachausdruck.

Torn atmete noch einmal tief durch, kniff die Augen zusammen, schaltete die Beleuchtung ein und taperte über den frisch verlegten PVC-Belag in den Nebenraum. Die alten Kloschüsseln hatte man demontiert. Dafür war ein modernes Modell mit echtem Fichtenholzdeckel auf dem Podest installiert. Direkt daneben stand eine mobile Duschkabine des Typs, der in Absteigen der unteren Mittelklasse zur Zimmereinrichtung gehörte.

Gustav Torn musterte sein Gesicht im Spiegel über dem Waschbecken. Was er sah, gefiel ihm nicht. Sein letzter Besuch im Solarium lag schon einige Wochen zurück, und bereits nach der ersten Nacht im Untergrund sah er aus wie ein Schwammpilz.

Aber, wie hieß es doch so treffend?

„Nicht alles, was unter der Erde liegt, ist tot", gab er sich selbst die Antwort.

53

Romy Asbach strich den Zettel glatt und sah ihn sich erneut genau an.

„Hast du eine Ahnung, was das bedeutet?" fragte Farang.

„Ich nehme an, die Frau hat sich notiert, an welcher Station sie aus der S-Bahn steigen muss."

„Aber sie war tags zuvor schon mal da, wusste also, wo sie hin wollte."

„Vielleicht brauchte sie ihn trotzdem als Gedankenstütze. Oder sie hatte den Zettel einfach noch in der Tasche. Oder sie ist am Vortag zu Fuß oder mit einem anderen Transportmittel zum Schlachtensee gekommen. Wer weiß?"

„Und das Vietnamesisch?"

„Kommt mir irgendwie bekannt vor..." Sie grinste. „Jedenfalls haben wir jetzt beide eine Leiche im Keller."

„*Ich* habe niemanden umgebracht."

Damit meinte er auch mögliche Leichen unter dem Eis, die er bislang nicht erwähnt hatte. Er wartete sehnsüchtig auf den Kaffee, den Romy aufgesetzt hatte. Die Siesta im Hotel hatte ihm zwei kostbare Stunden Schlaf beschert, nach denen er noch nicht ganz zu sich gekommen war. Er unterdrückte ein Gähnen und starrte die Kaffeemaschine neben dem Arbeitstisch an. Das Gerät zischte und dampfte und hatte es fast geschafft.

Romy verschwand in der Küche, um Tassen zu besorgen. Während sie mit dem Geschirr klapperte, betrachtete Farang die Sammlung kleiner Flaschen auf einem Beistelltisch. Alle waren mit beschrifteten Etiketten versehen. Er hob einige Fläschchen hoch und las.

Star of Bethlehem.

Rock Rose.

Impatiens.

Romy kam mit den Tassen, als er das vierte Fläschen inspizierte.

„Clematis?"

„Weiße Waldrebe. Hilft bei geistiger Abwesenheit." Sie schenkte ein.

Er stellte das Fläschchen zu den anderen und nahm seine Tasse entgegen.

Sie trank einen Schluck und durchforstete die Unterlagen auf dem Arbeitstisch. „Einige der Banden der zweiten Welle benannten ihre Verkaufsstandorte in der Stadt nach heimischen Orientierungspunkten. Die einen bezogen sich auf Dörfer in ihren Heimatprovinzen, die anderen auf Stadtteile von Hanoi." Sie zog einen Computerausdruck aus einem Stapel und nahm den Notizzettel den Farang mitgebracht hatte zur Hand. „Beim Bund der Mildtätigen sind Ansätze eines ähnlichen Musters zu erkennen. Viel weiß ich darüber noch nicht, aber die wenigen Hinweise, die sich aus abgehörten Telefonaten und dem einen oder anderen Geständis verhafteter Bandenmitglieder ergaben, deuten für meinen Geschmack auf Saigon hin. Das würde auch zur Herkunft der dritten Welle passen." Sie ging das Gedruckte Absatz für Absatz durch.

Farang kam näher und sah ihr zu.

„Hier haben wir es. Der Begriff, den sich die Frau notiert hat, ist bislang zweimal aufgetaucht. Der Name eines Erholungsparks in Saigon." Sie holte eine Stadtkarte aus einer der Schubladen und breitete sie auf dem Tisch aus. Über der Legende des Plans stand in gelben Lettern:

SAI GON / HO CHI MINH CITY

Romy zeigte am rechten Kartenrand mit der Fingerspitze auf einen grünen Fleck in der Peripherie, der etwas über dem blauen Bogen lag, in dem der Saigon River durch diese Region verlief.

Farang beugte sich über den Plan. Zu der als Park oder Waldgebiet gekennzeichneten Stelle gehörte auch ein See, der durch einen schmalen Wasserlauf mit dem Saigon verbunden war. Über dem grünen Fleck stand in roter Schrift: *Khu Du lịch Văn Thánh* und darunter die, von Akzenten und Sonderzeichen befreite, englische Übersetzung *Van Thanh Tourism Zone.*

Romy nahm den Zettel zur Hand und verglich. „Sieht aus, als hätten sie den Schlachtensee danach umgetauft."

„Und die Tote scheint eine Mildtätige zu sein." Farang verharrte tief über der Karte gebeugt und versuchte so etwas wie ein Muster zu erkennen.

Romy ging erneut ihre Liste durch. „Der Name des Erholungsgebietes ist übrigens mal im Zusammenhang mit dem Begriff *Friedhof* gefallen. Was immer das bedeuten mag..."

Farang richtete sich wieder auf. „Es passt alles zusammen." Er konnte sich keinen Reim auf irgendein System machen, aber dieser eine Orientierungspunkt war für ihn eindeutig identifiziert.

„Was willst du damit sagen?"

Er erzählte ihr von den Angellöchern.

Romy schüttelte den Kopf. „Du meinst...?"

„Ich glaube zwar ab und zu an Geister, aber wenn der See auch Friedhof genannt wird, hatte ich vermutlich doch keine Erscheinung." Er dachte einen Augenblick nach. „Die Frau machte den Eindruck, sich auf feindlichem Terrain zu bewegen. Es handelt sich also wohl nicht um den Friedhof des Mildtätigenbundes. Warum sollten ihre eigenen Leute die Frau dort vergewaltigen, umbringen und liegen lassen?"

„Wenn ich noch in Amt und Würden wäre, könnte ich der Sache mit ein paar Spezialisten und einer Motorsäge auf den Grund gehen. Aber so..."

„Behalten wir es vorläufig für uns", brachte er ihren Gedanken zu Ende und lächelte gewinnend.

Sie lachte. „Bis die ersten warmen Frühlingsstürme alles ans Tageslicht bringen."

Er zog die Stirn in Falten. „Kann man das so sagen – auf den *Grund* gehen? Ich meine, unter dem Eis ist doch erst mal Wasser."

Sie sah ihn an wie einen Außerirdischen, der soeben den Fuß auf die Erde gesetzt hat. „Nerv mich bitte nicht! Ich bin doch keine Deutschlehrerin. Mach einfach mal einen Auffrischungskurs für Fortgeschrittene. Jede Volkshochschule bietet so was an."

Er machte ein betretenes Gesicht.

„Entschuldige." Romy Asbach ließ sich erschöpft in einen Sessel fallen. „Es ist zum Kotzen. Alles was wir bisher haben, sind strategische Punkte, an denen sie auftauchen, aber keine, an denen sie sich auf Dauer aufhalten. Wir wissen nicht, wo sie sich verkrochen haben, von wo aus sie operieren. Wir können dieses Wasserloch wie Großwildjäger belauern, aber wenn uns jemand ins Visier kommt, ist es wieder nur eine einzelne Figur, die auch unter Folter dichthalten würde. Hättest du die Frau lebend erwischt und wärst ihr gefolgt, hätte sie dich vermutlich in den Bau geführt, aus dem sie gekrochen kam." Sie schlug mit der flachen Hand auf die Sessellehne. „So ein Mist!"

„Welche strategischen Punkte sind außerdem noch bekannt?"

„Nicht viele. Der Vietnamesenmarkt, den du schon kennst. Die Villa, in der Großvater residiert, wenn er nicht im Gemüsestand hockt. Alles bekannte Oberfläche. Nichts davon lässt sich ausreichend vernetzen. Nichts führt zum Ersten Vorsitzenden."

„Hast du schon mal was von einem Captain oder Hauptmann mit dem Spitznamen Anh Ham gehört?

„Anh Ham?"

„Heißt so viel wie Bruder Tunnel. Er hat für den Vietcong gekämpft, im Tunnelsystem von Cu Chi. Einige dieser Stollen führten bis unter die Außenbezirke von Saigon."

„Hört sich ganz nach McLenin an."

„McLenin?"

„Neumodisch für Marx-Lenin. McLenin ist so eine Art Märchenfigur unter den hiesigen Vietnamesen. Der Drache in seiner Höhle. Alle reden von ihm. Keiner hat ihn gesehen. So eine Art Robin Hood für Fidschis. Von ihm habe ich leider keine Fotografie. Der Mann ist ein Phantom – bis auf die regelmäßigen Andeutungen, die sich auf ihn beziehen, in Vernehmungs- und

Gerichtsprotokollen, und auch völlig Unbescholtene reden über ihn wie über den Weihnachtsmann oder den Osterhasen. Scheint eine Menge Respekt zu genießen. McLenin hier, McLenin da, wenn McLenin das wüsste, wenn McLenin kommt und so weiter. Der Typ muss so eine Art Schutzheiliger sein. Wahrscheinlicher ist: Er existiert gar nicht. Die Vietnamesen sind nämlich ansonsten nicht besonders auskunftsfreudig, wenn es um reale Personen geht."

„Habt ihr Tunnel?"

„Haben wir Tunnel? Machst du Witze? Die Stadt schwebt förmlich über Schächten, Bunkern, Grotten, Kellern und sonstigen unterirdischen Hohlräumen."

„Und?"

„Was und? Vergiss es!"

„Warum?"

„Hast du schon mal an einem kalten Wintertag auf einem warmen U-Bahnsteig gestanden, auf den nächsten Zug gewartet und dabei auf den Schotter zwischen den Gleisen gestarrt?"

Farang schüttelte den Kopf.

„Es wimmelt da nur so von Mäusen und Ratten." Sie stand auf. „Und du kannst gar nichts dagegen tun."

„Ratten?"

„Sie wuseln da herum, aber wenn du sie am Schwanz packen willst, sind sie weg, wie diese Kriminellen, wenn die da unten rumflitzen, sind sie so mobil, dass sie keinerlei Spuren hinterlassen." Sie nahm sich noch eine Tasse Kaffee und hielt ihm die Kanne entgegen.

„Nein, danke."

„Wir haben uns damals monatelang damit beschäftigt. Ich bin selbst in Gummistiefeln über die Gleise getrippelt, bin durch abgesoffene Bunker gewatet und habe verrostete Munition aus dem Zweiten Weltkrieg bestaunt. Ansonsten nichts! Mal ein Kochtopf und ein Fläschchen Soyasoße. Das war aber auch schon alles." Sie steckte sich eine Zigarette an und inhalierte gierig. „Und momentan interessieren mich sowieso nur zwei Sachen: Der Untersuchungsausschuss und Gustav Torn, die einzige Ratte, die mir am Herzen liegt."

„Und wenn er da unten zu finden wäre?"

„Wenn, hätte, wäre..." Sie atmete tief durch. „Wenn, dann wäre ich die Erste, die sich wieder unter die Bergleute wagte."

„Wo wir gerade bei Ratten sind..." sagte Farang. „Ich habe Hunger. Darf ich dich zum Essen einladen?"

„Was für eine geschmackvolle Überleitung." Sie lächelte. „Sorry. Aber heute Abend habe *ich* schon was vor."

54

„Mein Gott, du musst was essen, Rudi!"

Heliane Kopter war außer sich vor Sorge und machte keinen Hehl daraus. Sie hockte auf einer wackeligen Obstkiste neben der modrigen Matratze und schüttelte den Kopf beim Anblick des Elendsbündels, das in seinen Armeemantel gehüllt, die rosa Kopfwärmer über den Ohren, vor sich hinfieberte und mit den Zähnen klapperte.

„Mir issda Hunger jründlich verjangen", flüsterte Mollen-Rudi und grub sich noch einige Millimeter tiefer in sein Lager aus löchrigen Wolldecken, feuchter Wellpappe und aufgetrennten Plastiktüten ein – wie eine Schnecke in ihr Haus.

„Du hast dir 'ne saftige Erkältung eingefangen". Heli beugte sich über Rudi und legte ihm die Hand gegen die Stirn. „Mindestens achtunddreißig Grad."

„Det iss keene Jrippe. Wäre ja zu schön, wenn det so wäre." Er schüttelte energisch den Kopf. „Det iss Angst, die mir inne Knochen jefahren iss, Heli." Er sah ihr mit flackerndem Blick in die Augen. „Die pure Todesangst iss det."

„Kannst du mir mal sagen, was passiert ist? Du steigerst dich doch da in was rein."

„Kann ick dir nich erzählen, Heli." Er wich ihrem Blick aus. „Wennse mir finden und auch allemachen, iss juut – aba dir da mit reinziehn, nee." Er drehte sich mit dem Gesicht zur Betonwand. „Die kriegen alle!"

Heli stand auf und schob die Kiste mit dem Fuß zur Seite. „Also gut, wenn du weiter in Rätseln reden willst, ist das deine Sache, aber gegessen wird was. Ich mache dir eine Suppe und komme wieder." Sie sah auf ihre Uhr. „Sagen wir in zwei Stunden. Ist zwar etwas spät fürs Abendessen, aber besser spät als nie." Sie schaute auf den ihr zugewandten Rücken. „Und lauf mir ja nicht weg. Ich bin nämlich gekommen, weil ich mal wieder Arbeit für dich habe. Aber das können wir auch beim Essen besprechen."

Rudi drehte sich zu ihr um und flehte. „Ick esse allet, wat du wills, Heli, aber bitte keene Suppe."

„Das wäre aber in deinem Zustand das Richtige. Heiße Hühnerbrühe und du schwitzt alles aus!"

„Mach mir ne Stulle, oder watte wills. Nur keene Suppe. Ick träume seit drei Nächte nur von Blutsuppe."

„Du spinnst."

Rudi richtete sich in Panik auf und griff nach ihrer Hand. „Heli, ick bitte dir – allet, watte wills, aba keene Brühje."

Heli tätschelte ihm die Hand. „Ist ja schon gut."

Er seufzte und sank wieder auf sein Lager. „Danke dir!"

„Also dann, bis gleich."

Bevor Heli sich abwenden konnte, kam Mollen-Rudi nochmal hoch. „Weisse, worauf ick jezz Kohldampf hätte?"

Heli schüttelte den Kopf.

„Ne doppelte Curry mit Fritz un Mayo." Seine Augen leuchteten für einen Moment auf. „Von Rüdiger an de Ecke, du weiss schon..."

Heli musste grinsen. „So schlecht kann es dir nicht gehen, wenn du dir den Imbissfraß antun willst."

„Bitte...!"

Sie kannte seinen Hundeblick und machte eine resignierte Geste mit den Armen. „Wenn es der schnellen Gesundung dient. Ich muss aber trotzdem vorher noch nach Hause und was erledigen."

„Det macht nüscht." Er versank wieder in seinem Isolationsmaterial.

Heliane Kopter lächelte, verließ Rudis Refugium, das nur zwei U-Bahnstationen von ihrer Wohnung entfernt lag, und lief neben den Gleisen zum nächsten Bahnsteig am Hermannplatz zurück.

55

„Heute iss geschlossne Gesellschaft im Inneren", knurrte der kleine Mann.

Für einen Augenblick wusste Farang nicht, was beeindruckender war – die Mundart, mit der sich der Bonsai-Chinese an ihn wandte, die Selbstüberschätzung, mit der er sich als Stolperstein vor ihm aufbaute oder der giftgrüne Glanz, den die Neonreklame über dem Eingang des „Sukhothai" ihm ins Gesicht zauberte.

Nachdem der Zwerg die Fingergelenke dreimal zum Knacken gebracht hatte, war die gewährte Bedenkzeit verstrichen. „Mach Fliege, Mann", empfahl er und zog und bog weiter an seinen Fingern, ohne dabei den Blickkontakt aufzugeben.

„Davon bekommt man Gicht."

„Klugscheißer, wa...?"

„Wer ist denn geladen?" Farang versuchte, einen Blick durch die Butzenscheiben der Tür zu werfen.

„Geht dir'n feuchten Scheißdreck an."

„Das war jetzt aber zweimal Scheiße."

Der Chinese ließ die Hände sinken und holte Luft, um seinen Brustumfang aufzubessern. „Willste mir etwa drohen?"

Bevor Farang antworten musste, wurde die Tür geöffnet und ein zweiter Chinese erschien im Durchgang. Er musterte Farang flüchtig, sah auf den Kleinen hinab und richtete das Wort in der Muttersprache an seinen Landsmann.

Frage und Antwort klangen für Farang nach Hakka.

Dann wandte sich der größere Chinese ihm höflich zu, stellte sich als Edgar Wong vor und sagte mit Bedauern in der Stimme: „Sie müssen heute Abend leider mit einem anderen Lokal vorlieb nehmen, fürchte ich." Sein Deutsch war gepflegt, sein Lächeln nikotingelb.

So groß Berlin auch war – es war unwahrscheinlich, dass es in der Stadt mehr als eine Hakka-sprechende Chinafraktion gab, die dunklen Geschäften nachging, und deshalb entschloss sich Farang, in die Vollen zu gehen.

„Ich habe eine persönliche Einladung von James Yang."

Der große Chinese verzog keine Miene.

„Der Wichser lügt!" platzte der Kleine heraus.

„Halt mal für'n Moment die Luft an, Henry", befahl der Große.

Farang hielt den Mund. Der Köder, den er ausgelegt hatte, zeigte Wirkung.

Der Große lächelte ihn matt an. „Warten Sie einen Augenblick." Er verschwand im Restaurant.

Farang vertrat sich die Füße, um den Frost aus den Zehen zu kriegen und versuchte, den kleinen Chinesen mit einem freundlichen Grinsen zu trösten.

Henry bewegte sich keinen Millimeter, stand wie angefroren in Bereitschaft und fixierte den Gegner – ganz der Tempelhund im Kampfeinsatz. Für ihn war der Fall noch nicht gegessen.

Der große Chinese öffnete die Tür und winkte Farang herein. Farang sah, wie der Kleine sich frustriert abwandte, betrat das Lokal und genoss mit einem leisen Seufzer die Wärme, die ihn sofort umgab. Das Bild, das sich ihm bot, hatte etwas Unwirkliches.

Der bestuhlte Teil des Restaurants war voll besetzt. Die Gäste waren ausnahmslos männliche Chinesen aller Altersklassen in dunklen Anzügen und Krawatten über weißen Hemden. Sie wurden vom Chef des Hauses persönlich bedient. Tiefe Sorgenfalten gruben sich in Theo Runkes Babygesicht, während er – unterstützt von den Thailänderinnen in den bestickten Sarongs – von Tisch zu Tisch eilte. Selbst Karl-Montri musste mit anpacken, um den Besucheransturm zu bewältigen. Während Farang dem Chinesen in den Nebenraum folgte, streifte ihn Runkes bitterer Blick. Als Empfangschef war der Dicke mit der Glatze heute nicht gefragt.

Auf den Matten und Sitzpolstern unter den Ramayana-Wandbehängen hatte es sich ein halbes Dutzend Chinesen-Bosse beim Essen gemütlich gemacht. Der Jüngste erhob sich, um Farang zu begrüßen, während die anderen unbeteiligt weiteraßen und tranken. Der gut aussehende Mittdreißiger trug Weste und Hose eines dreiteiligen Tweedanzugs. Schnitt und Farbe des rostbraunen Tuchs wirkte inmitten des konservativen Schwarzweiß geradezu rebellisch. Das am Hals offen stehende Hemd in Altrosa tat das seine dazu. Der winzige Brillant im rechten oberen Schneidezahn war hingegen in diesen Kreisen nichts Besonderes.

Der Mann stellte sich Farang als Johnny Khoo vor und bezeichnete sich als „Berliner Stationsleiter" – was immer das bedeuten mochte. Farang verzichtete darauf, sich bekannt zu machen, hatte den Eindruck, dass Johnny voll im Bilde war. Nachdem er Farang Mantel und sonstiges Winterzubehör abgenommen hatte, wurde Edgar Wong von Khoo mit einem knappen Blick entlassen und zog sich mit einem gehorsamen Diener zurück. Farang folgte Johnny Khoos Einladung, ließ sich neben ihm nieder, stillte in aller Ruhe seinen Hunger und lauschte dem energischen Gesang der Hakka-Dialoge, an dem sich auch Johnny intensiv beteiligte. Nur mit dem Wunsch nach Bier fiel Farang leicht aus der Rolle. Einen Augenblick lang zog er die Aufmerksamkeit auf sich und brachte den einen oder anderen Chinesen zum Kichern. In dieser Runde trank man selbstverständlich Cognac zum Essen.

Nach dem Mahl dirigierte Johnny ihn an einen Tisch im vorderen Teil des Restaurants und lud zu einem Mekhong ein. Farang akzeptierte und sah sich um. Auch hier waren inzwischen alle verköstigt und widmeten sich dem alkoholischen Nachtisch. Theo Runke gab den Gastwirt mit der Grazie eines Buddhas, der seine Rachegelüste nur mühsam unterdrückt. Edgar Wong stand nahe zum Eingang, rauchte Kette und inspizierte den langen Nagel am kleinen Finger seiner linken Hand.

„Es handelt sich um ein lang geplantes Geschäftsessen unserer Firma", interpretierte Johnny die einseitige Besetzung des Restaurants.

„Sieht mehr nach feindlicher Übernahme aus."

Johnny ließ seinen Brillanten für zwei Sekunden sehen. „Nennen wir es: Ein Angebot, das man nicht ablehnen kann. Eine Fusion zum gegenseitigen Nutzen. Wir haben Herrn Runke schon vor geraumer Zeit ein solides Angebot unterbreitet. Leider zeigt er eine gewisse Entscheidungsschwäche, bei der wir ihm behilflich sind."

„Entscheidungsschwäche..."

„Richtig. Sie wissen sicher, dass Psychologie auf dem freien Markt eine prominente Rolle spielt."

„War es nicht Gier?"

Johnny überhörte die Ungezogenheit. „Man muss sich in den

potentiellen Geschäftspartner hineinfühlen. Denken Sie bitte nicht, wir trieben jeden Tag einen derartigen Aufwand um ein einfaches Speiselokal. Es traf sich gerade so. Unsere allmonatliche Versammlung stand an, und so baten wir Herrn Runke rechtzeitig um einen Kostenvoranschlag und tätigten eine Reservierung."

„Ich hoffe, Sie zahlen die Rechnung auch."

„Aber, wo denken Sie hin? Natürlich!" Johnny stellte seinen geschliffenen Edelstein mehrere Sekunden lang aus. Dann brachte er das fröhliche Glitzern mit schmalen Lippen und kalten Augen zu einem Ende. „Wir hoffen natürlich, einen angemessenen Rabatt zu bekommmen."

„Angemessen?"

„Wir haben seine Frau."

Farang musterte Johnnys schmuckloses Gesicht.

„Als Pfand!" Der Brillant unterstrich den Geschäftswert der Frau.

Gut, dass Romy davon nichts ahnte. Es würde sie mit Sicherheit nicht kalt lassen. Und *chai-yen-yen*, ein kühles Herz, war jetzt besonders gefragt. Wahrscheinlich war Ay-Mai dabei besser mit ihrem Ehemann gedient. In Theo kochte es zwar, aber er war lange über das Stadium einer spontanen Dummheit hinaus. Alles sah nach einem Kompromiss aus – natürlich zu Runkes Lasten.

Johnny sah dem Hausherrn bei der Arbeit zu. „Ich finde, er hält sich beachtlich für einen Deutschen." Er widmete sich wieder Farang. „Wir Chinesen sind wie Thermosflaschen. Innen heiß und außen kühl. Die Deutschen hingegen sind innen und außen heiß."

Bevor Farang darüber spekulieren konnte, was das für Eurasier bedeutete, wechselte der Chinese das Thema. „Kommen wir zu wichtigeren Sachen", lud er ein und ließ den Cognac im Schwenker kreisen.

Farang trank vom Reiswhiskey.

„Sprechen wir über Torn. James Yang hat sich erkundigt, ob Sie Gustav bereits gefunden haben." Johnny gab sich bedrückt. „Leider konnte ich meinem Boss darauf noch keine befriedigende Antwort geben."

Das tröstete Farang ein wenig. Er war also nicht der Einzige, den man aus Bangkok telefonisch nach Ergebnissen befragte.

Johnnys Zungenspitze tastete die Sachwerte in seinem Gebiss ab. „Vielleicht haben Sie ja erfreuliche Neuigkeiten..."

„Ich arbeite daran."

„Gut..." Johnny schnüffelte am Cognac ohne zu trinken. „Wir halten uns da ganz raus."

„Das höre ich überall."

„Vorläufig."

„Das denke ich mir."

„Es wird Krieg geben."

Farang nickte.

„Zwischen Nord und Süd."

„Keiner, der was von der Welt versteht, wird das bestreiten." Farang unterstützte seine globale Lageeinschätzung mit einem Schluck Mekhong.

„Ich meine die Vietnamesen. Man munkelt von einer Tet-Offensive."

„Krieg zu Neujahr?"

Johnny Khoo nickte bedächtig. „Ende Januar, Anfang Februar. Wenn die sich ans genaue Datum halten, müssen wir nur den ersten Abend der ersten Woche des ersten Mondmonats abwarten."

„Wenn ich die Geschichte so Revue passiere, dann haben die Chinesen noch immer rechtzeitig militärisch interveniert, wenn ihnen der Lauf der Dinge in Vietnam nicht passte."

„Vieles was bei denen so passiert, hat keine große Bedeutung für uns."

„Aber Torn schon?"

Johnny seufzte. „Sie sollten alles erledigen, bevor die Kampfhandlungen beginnen."

„Danke für den Rat. Ich hatte sowieso vor, mich zu beeilen." Farang erhob sich. „Es ist mir nämlich zu kalt in Berlin." Das mit der Kälte meinte er ehrlich. Aber Hast und Eile, wusste er nur zu genau, waren kein Maßstab. Wenn man geduldig genug abwartete, kamen die Dinge meist schnell auf einen zu. Er war erst vier Tage in der Stadt.

Auch Johnny stand auf und aktivierte Edgar Wong mit einem

strengen Blick, bevor er Farang ansah. „Es freut mich, dass wir uns einig sind.“

Farang schwieg.

Wong brachte das Winterensemble, half sogar beim Anziehen und verströmte dabei eine scharfe Nikotinausdünstung.

Farang unterdrückte ein Niesen. „Richten Sie Theo aus, ich bedanke mich für sein hervorragendes Essen. Wenn das mit dem Rabatt läuft, müssen *Sie* es wohl nicht bezahlen.“

Johnny Khoo ließ den Geschäftsabend mit einem großzügig bemessenen Glitzern seines Zahnschmucks ausklingen.

56

Routine war kostbar.

Jeder Verstoß gegen dieses Prinzip war für den Obersten Befehlshaber eine Kriegserklärung. Ein Bruch mit altbewährten Regelmäßigkeiten war unverzeihlich – es sei denn, er kam aufgrund höherer Mächte und ohne eigenes Verschulden zustande. Nur wenn dem so war, konnte er seiner Konkubine Gnade gewähren. Und insgeheim hoffte er, sie möge eine glaubhafte Entschuldigung haben. Fast machte er sich ein wenig Sorgen um sie. Er hatte sich an die Frau gewöhnt, an den monotonen Klang ihrer Stimme, wenn sie ihm Märchen vorlas, und an ihren weichen Körper, den zu spüren, ihm so vertraut war. Sie war seine Muse. Wenn es um die abendliche Entspannung ging, um gehaltvolle Erkenntnis aus den aufgezeichneten Weisheiten der Ahnen, war sie ihm als Gefährtin in den Stunden des Buches und des Opiums unverzichtbar geworden.

Umso härter traf ihn ihre plötzliche Abwesenheit. Schon beim Präparieren der Elfenbeinpfeife hatte er sich ein Loch in den Seidenmantel gebrannt, und der Band mit den Märchen der Gebrüder Grimm lag unberührt neben ihm auf dem Diwan, als hoffe er immer noch auf das Erscheinen seiner Vorleserin. Er saugte am Mundstück. Es war langweilig, allein zu rauchen. Er zog und paffte und sah der bläulichen Wolke nach, die langsam über seinem Lager aufstieg – doch Befriedigung wollte sich nicht einstellen.

Das Opium tat nur gepaart mit Haut seine Wirkung. Wenn die Frau ihren Sarong ablegte, und sich nackt an ihn schmiegte, überkamen ihn die stolzesten Fantasien. Schlagartig feierte das pralle Leben Wiederauferstehung, wenn er sie nahm, sie besaß, nimmermüde, angestachelt von ihrem Stöhnen, von der Wonne, die er ihr bereitete. Und bevor er von ihr abließ, vergeudete er seinen Samen in ihrem Mund, sah zu, wie sie gehorsam schluckte – denn er, General Xuong, der Oberste Befehlshaber, der wiedergeborene Le Loi, war einzigartig. Er hatte nur noch eine Daseinsberechtigung: dem großen Vorbild nachzueifern und die Erhabenheit ihrer gemeinsamen Erfolge zeitlos wirken zu lassen. Und kein leiblicher Erbe sollte je ihre Leistungen durch Unzulänglichkeit entehren.

Er hörte das leise Knistern, mit dem die Kerzen den Opiumrauch verzehrten, und starrte mit dem gesunden Auge in die Flammen. Heute würde es nicht einmal eine Massage geben. Wo mochte seine Konkubine sein? War ihr etwas zugestoßen? Oder hatte sie ihn verlassen? War sie geflohen? Er konnte es nicht glauben. Er würde sie suchen lassen und war sicher, sie zu finden – sei es, um ihrer gnädig zu sein und sie wieder zu sich zu nehmen, oder sei es, um sie im Falle des Verrats zu töten. Lustlos griff er zum Märchenbuch, blätterte ziellos darin herum und konsultierte schließlich das Inhaltsverzeichnis.

Des Herrn und des Teufels Getier.

Das klang viel versprechend. Er zog noch einmal an der Pfeife und begann zu lesen.

Gott der Herr hatte alle Tiere erschaffen und sich die Wölfe zu seinen Hunden auserwählt...

Unter dem Diwan erklang ein sattes Grunzen, aber der Oberste Befehlshaber ließ sich nicht von seiner Lektüre ablenken. „Ruhig, Mireille!“ befahl er, ohne laut zu werden, und las fasziniert weiter.

57

Heliane kam ihm entgegen, als er ihre Haustür ansteuerte. Farang war in Gedanken und erkannte sie erst im letzten Moment.

„So spät noch auf dem Weg zu mir?“ Sie blieb vor ihm stehen. „Das muss ich wohl als Kompliment auffassen.“

Er lächelte verlegen. „Schade, dass du keine Zeit hast.“

„Ich muss leider noch einen Krankenbesuch machen und vorher noch eine Currywurst besorgen.“ Sie rückte ihren Rucksack zurecht.

Farang tat, als sei Helis Spätabendprogramm das normalste der Welt.

Sie überlegte einen Augenblick. Ihr Atem machte kleine Wölkchen in der polarkalten Luft. Dann sagte sie aufmunternd: „Wenn du möchtest, komm mit. Es dauert nicht lange. Danach können wir ja noch ein Bier trinken.“

„Gerne.“

Sie gingen und schlitterten gemeinsam über Schnee und Eisplatten zu einer Bude, über der RÜDIGER'S SCHNELLER IMBISS stand. Der Mann am Grill lachte ihnen entgegen. „Was darf's denn sein, meine beiden Hübschen?“

„Eine doppelte Currywurst mit Pommes frites und Mayonnaise“, orderte Heli.

„Zum Hieressen oder Einpacken?“

„Bitte einpacken.“

Der Mann widmete sich der Zubereitung. Farang sah aufmerksam zu, wie er zwei Würste mit der Zange vom Rost nahm, mit dem Messer zerstückelte und in einen Pappteller gab.

„Scharf oder normal“, fragte der Mann Heli und griff zu Curry-Streuer.

„Normal.“

Der Mann puderte eine dünne Schicht des gelben Pulvers über die Wurststückchen, griff zu einer roten Plastikflasche und bedeckte alles mit großzügigen Kringeln eines Spezial- Ketchups. Dann holte er den Drahtkorb mit den goldfarbenen Kartoffelstäbchen aus dem Ölbad, schüttelte ihn mehrmals und schaufelte eine großzügige Portion Pommes neben die Wurst. Er salzte die Fritten, hievte einen Plastikeimer auf die Theke und löffelte einen satten Schlag Mayonnaise auf die Kartoffeln.

Farang bemerkte Helis amüsierten Blick.

„Du schaust zu, als zelebriere ein japanischer Großmeister Sushi,“ flüsterte sie.

„Jedes Handwerk will gelernt sein." Egal ob Bratwurst, Fisch oder Ratte.

Der Imbissmann wickelte die Lieferung erst in Alu-Folie und dann in Zeitungspapier ein und legte sie neben den Geldteller. „Bitte recht schön, junge Frau." Er lächelte Heli an. „Macht sieben Mark zwanzig!"

Heli legte es passend auf den Plastikteller mit der *Steinhäger*-Reklame und nahm das Päckchen an sich.

„Man dankt." Der Mann strich das Geld ein. „Schönen Abend noch!"

„Ihnen auch", sagte Farang und folgte Heli zum Eingang der U-Bahn.

Im Zug kaufte Heli die neuste Nummer der Obdachlosenzeitung. Die Frau, die das Blatt verkaufte, sah todkrank aus und erinnerte Farang an die Patienten der Tempel für die er in Berlin Geld eintreiben sollte. Im U-Bahnhof Hermannplatz nahm Heli ihn bei der Hand und lotste ihn im Neonlicht über Bahnsteige und Treppen und durch Gänge, bis er die Orientierung verlor und im Halbdunkel neben den Gleisen hinter ihr herlief und dabei beinahe auf ein paar Mäuse trampelte, die fiepend im Schotter zwischen den Schwellen verschwanden. Heli bog mit wippendem Rucksack in einen engen Tunnelstutzen ohne Gleise ab und zwängte sich wenig später durch einen Bretterverschlag in eine Ausbuchtung der Röhre, die einmal als Geräteschuppen gedient haben musste. Einige verrostete Schaufeln und Spitzhacken lagen neben einer Schubkarre, deren Ballonreifen schon lange die Luft verloren hatte. Die Hartgummiverkleidung der Handgriffe war zernagt, als hätten die Ratten sie mit einer Mohrrübe verwechselt. Eine Klemmlampe hing an einem Eisenrohr und spendete mattes Licht. Die Leitungsschnur führte ins Dunkel, wahrscheinlich zu einem angezapften Stromkabel.

„Nachtfütterung, Rudi", rief Heli munter.

Jetzt erkannte Farang auch den Haufen aus Wollgewebe, Pappe und Plastikfolie über einer maroden Matratze, aus deren Bezug an mehreren Stellen braungelbe Baumwollklumpen quollen. Mittendrinn erklang ein Stöhnen, aber nichts regte sich.

Heli packte die Mahlzeit aus, drapierte das Zeitungspapier wie eine Tischdecke über die wackelige Obstkiste und servierte.

Farang betrachtete die Blondine auf dem Pinup-Poster, das die Betonwand über der ärmlichen Lagerstätte zierte. Ihr Badeanzug war bis zum Nabel heruntergepellt und die Nippel der enormen Brüste waren knallrot angemalt.

„Das ist Rudis Linda. Er steht auf dicke Möpse", stellte Heli die Blonde vor.

Plötzlich kam Bewegung in den Materialhaufen auf der Matratze. Eine rotgeäderte Nase, flankiert von einem Paar rosa Ohren, stach zwischen einer Einkaufstüte von Aldi und einem Stück Persil-Karton ins Freie und schnupperte.

„Ick hab den Duft schon in die Nase." Ein verquollenes Augenpaar fixierte die gedeckte Obstkiste. „Heli, du bissein Schatz!"

Farang konnte immer noch nicht genau ausmachen, um welches Geschlecht es sich bei dem seltsamen Wesen handelte – aber Rudi war nun mal eindeutig ein Männername. Erst jetzt bemerkte die Gestalt, dass Heli nicht alleine gekommen war. Der Ausdruck blanken Entsetzens machte sich zwischen den Ohrwärmern breit. Abwehrend streckte die Gestalt Farang beide Hände entgegen, rutschte von ihm weg, bis sie an der Wand anstieß und panisch kreischte: „Ick habe nücht damit zu tun! Die waren alle schon tot!"

Farang sah Heli an.

Heli machte eine hilflose Geste und redete mit Valiumstimme auf Rudi ein. „Ist schon okay. Das ist ein guter Freund von mir."

„Freund?" krächzte er. „Du hass mir die Fidschis inne Bude jelotst."

„Das ist kein Fidschi, Rudi, jetzt mach mal halblang."

Er ließ die ausgestreckten Arme sinken. „Sieht aba aus wie einer."

Farang lächelte Rudi freundlich an. „Ich bin kein Vietnamese, Rudi. Heli hat Recht."

Rudi entspannte sich, wirkte jedoch immer noch verunsichert.

„Jetzt iss aber gefälligst, sonst wird alles kalt. Wofür schlepp ich mich mit deiner Bestellung ab?"

Rudi beäugte Farang noch einmal voller Misstrauen und kroch dann zur Kiste.

Heli holte eine Gabel aus dem Rucksack. „Hier!"

Rudi umklammerte die Gabel und sah verlegen zu den beiden Stehenden auf.

Heli lächelte Farang zu. Die Kiste war der einzige Sessel im Etablissement.

Farang ging zur Schubkarre und drehte sie um.

Sie setzte sich.

Rudi war beeindruckt. „Wusste janüch, dass ick och ehn Chaiselongue habe."

Farang nahm vorsichtig neben Heli Platz und sah, wie Rudi schon nach dem ersten Bissen das Currywurst-Fieber packte. Er schlang Wurststück für Wurststück in sich hinein.

„Ein Stück deutsche Esskultur", sagte Heli mit feiner Ironie zu Farang. „Wurde von einer gewissen Charlotte Heuwer erfunden. Die Soße wurde im Jahr neunundvierzig patentiert."

Nachdem er die Wurst erledigt hatte, ließ Rudi die mayodurchtränkten Pommes folgen, bis er schließlich den Pappteller in beide Hände nahm und ihn sorgfältig ableckte.

„Aaahhh – war det jut!" Rudi leckte sich noch die Finger sauber und rülpste dezent. „Jezz brauch ick abane Verdauungsspritze." Er kramte unter der Matratze herum und förderte einen halbvollen Flachmann ans Licht.

„Du scheinst ja wirklich todkrank zu sein."

Rudi überhörte Helis Einwurf großzügig, schraubte den Verschluss auf und setzte zu einem kräftigen Schluck an. Im letzten Moment zögerte er und taxierte Farang. Dann hielt er ihm die Flasche hin.

Farang kippte einen und zeigte demonstratives Entzücken, um Rudis Misstrauen weiter abzubauen.

Es half, denn Rudi nahm die Flasche wieder an sich und fragte: „Wat bisse denn nu?" Er nahm einen Schluck und grinste breit. „Mongole, wa...?"

„Rudi, es reicht!" Heli nahm ihm Flachmann und Verschluss ab und schraubte ihn mit energischen Handgriffen zu.

Rudi sah besorgt zu. „Mannomann, Heli, sachte. Ick hab schließlich keene Zange hier unten."

Heli ignorierte Rudis Bedenken und fragte streng: „So, und nun mal Schluss mit dem Getue und raus damit: Was ist dir passiert? Und was hat das mit den Fidschis zu tun?"

Rudi machte eine betrübte Miene. Für die komplette Angstnummer schien es nach der Currywurstdröhnung nicht mehr zu reichen. Er warf einen verstohlenen Blick auf Farang.

Heli seufzte. „Mein Freund ist aus Thailand, Rudi, und sein Vater war Deutscher. Also zier dich gefälligst nicht so."

„Ick war ja nur zum Essen da, Heli."

„Wo?"

„Na, unterm Alex."

„Im Tiefbunker?"

„Im Waisentunnel, kennste doch."

„Zum Essen…?"

„Na ja", druckste Rudi herum und warf Farang erneut einen Blick zu, als könne ein halber Thai im asiatischen Schlamassel hilfreich sein. „Bei mein Chinesen." Er grinste verlegen. „Ick meine natürlich bei die Fidschis, die hatten da unten ne private Nudelküche, in die ick eines Tages reinjelaufen bin, janzz durch Zufall. Und da ick einjeladen wurde, ick meine, Jastfreundschaft un so, hab ick mir da etabliert – zum Essen."

„Zum Essen?"

„Wie oft willste det nu noch hören, Heli? Na klar, wat soll schon dabei sein? Ick bekomme meine warme Suppe, die – wo-wer schonma bei det Thema sind – imma jespenstisch jut jeschmeckt hat." Er sah Farang an, als sei dies ein Verdienst aller Asiaten, Eurasier eingeschlossen. „Feinste Küche, sach ick nur."

Heli blieb hartnäckig. „Und alles war so gespenstisch gut, dass du plötzlich Todesangst bekommen hast?"

„Nu warte doch ma. Ick komme also den Montag wie imma zu Tische – und – wat muss mein schwachet Herz erleiden…?"

„Sag schon."

„Alle verschwunden, de Suppe verbrannt, und knöcheltief Blut im Tunnel." Rudi nahm für einen Moment die Ohrwärmer ab und rubbelte sich die Ohren. „Ick jehe jedenfalls zu keine Garküche mehr in mein janzet Leben nüch. Darauf kannste Jifft nehmen!"

„Das bildest du dir doch alles nur ein. Das waren sicher Zigarettendealer, und die sind einfach umgezogen, weil ihnen jemand in die Quere gekommen ist."

„Ick weiß, wat Blut iss", beharrte Rudi auf seiner Version. Er spürte, dass er Heli damit nervte und grinste sie unsicher an. „Apropos Blut – Linda braucht ma wieda ne Auffrischung.

Heli schüttelte lachend den Kopf. „In deinem Schädel schlägt ein Gedanke den anderen k.o." Sie kramte einen Lippenstift aus dem Rucksack, ging zum Poster und schminkte Linda die Nippel nach. Nachdenklich begutachtete sie das Ergebnis.

„Ein bisschen knallig", sagte Farang.

Heli steckte den Lippenstift weg. „Rudi mag es so." Sie sah Rudi an. „Nicht wahr?"

Rudi nickte.

„So", beschied Heli dem Mann mit den rosa Ohrwärmern. „Ist schon spät genug. Schlaf jetzt und sieh zu, dass du bald wieder in die Gänge kommst." Sie schulterte ihren Rucksack, wickelte den Pappteller im Zeitungspapier ein und klemmte den Müll unter den Arm.

Farang erhob sich von der Schubkarre.

„Du hass wat von Arbeit jesacht?" erinnerte Rudi.

„Richtig! Dein Gehirn arbeitet doch noch ganz gut. Wenn du wieder auf den Beinen bist, brauch ich eine Führung. Direkt nach Neujahr, an der U-Acht. Die nächste offizielle und genehmigte Begehung der Arbeitsgruppe soll in der Dresdener Straße sein. Das nützt mir im Moment wenig."

Rudi grinste verschmitzt. „Ick halte mir bereit, meine Holde!"

„Jetzt schlaf erst mal." Bevor sie Farang winkte und den Verschlag verließ, fragte Heli noch: „Soll ich das Licht ausmachen?"

„Nee, lass man. Ick fühle mir sicherer so", antwortete Mollen-Rudi und vergrub sich dabei wieder tief in seinem Deckenmix.

58

Kurz vor Mitternacht versetzte der Oberste Befehlshaber seine Truppen in Alarmbereitschaft und erklärte den Ausnahmezustand in seinem Reich.

War schon das mysteriöse Verschwinden seiner Konkubine ein Rückschlag, der ihn dazu bewogen hatte, einen Suchtrupp auszusenden, so war die Nachricht, die ihn wenige Stunden später erreichte, noch verheerender.

Harry Nams Neffe war tot. Ermordet. Abgestochen, wie ein Schwein. In der Küche. Sein Onkel, der allseits verehrte Großvater, hatte ihn und den Koch auf den Kacheln gefunden, beide starr und im eigenen Blut. Der Koch von Kugeln zerfetzt. Und, was die Situation für Großvater ins Unerträgliche steigern musste, die Hälfte der Kuckucksuhren war ebenfalls massakriert. Großvater hatte die Nacht, wie so oft, in Geldgeschäften im Markt verbracht und war, konfrontiert mit dem Chaos in seiner Villa, offenbar so außer sich gewesen, dass er die beiden Wachposten noch im Kofferraum des Volvos, in dem sie eingesperrt waren, liquidiert hatte. Eine ungewöhnliche Tat für einen wie Harry Nam. Schließlich war er ein Greis. Großvater konnte jedermann mit Eiseskälte in den finanziellen Ruin treiben, und er war auch fähig, jemanden langsam zu Tode zu bringen – aber im Affekt? Die Japanerin konnte von Glück sagen, noch in Mailand zu sein. Im Zustand der Trauer um seinen Neffen war Großvater zu allem fähig. Nur einen einzigen ihrer hysterischen Anfälle, die Harry Nam zutiefst verabscheute, und er besorgte ihr eine eigene Urne.

Wer mochte hinter dem Anschlag stecken?

Bruder Tunnel?

Oder gar die Chinesen?

Der Oberste Befehlshaber zündete sich eine neue Gitane an. Er wollte Gustav Torn nicht mehr Ehre antun als nötig, aber der Tod des Neffen trug ganz und gar nicht die Handschrift des Vietcong. Also waren die Chinesen nicht ganz auszuschließen. Er musste sich mit seinem Gast darüber unterhalten. Aber nicht mehr in dieser Nacht. Er griff zu einer Videokassette und lächelte.

„Indochine“ mit Cathérine Deneuve.

Genau das richtige Programm, um dem Morgen entgegenzusehen.

59

„Was habt ihr beide eigentlich da unten zu suchen – in Tunneln und Bunkern...?“

„Rudi war mal Streckenläufer bei den Berliner Verkehrsbetrieben. Der kennt sich aus wie kein Zweiter. Leider säuft er, und sie haben ihn gefeuert. Jetzt ist er obdachlos, na ja, du hast ja selbst gesehen, wie es ihm geht.“ Heli nippte an ihrem Bier. „Ich heure ihn ab und zu als Führer an und zahl ihm was dafür.“

„Und wohin führt er dich?“

Heli hüllte sich in Schweigen.

Ein Betrunkener warf seinen Stuhl um und torkelte zum Ausgang der Eckkneipe. Bevor er die Tür erreichte, rief die dralle Frau, die er am Nebentisch zurückgelassen hatte: „Hajo! Hinten raus iss Klo!“

Hajo hielt schwankend inne und lallte: „Jezz lass ma jefälligst in Ruhe.“ Er stolperte nach draußen und ein Schwall frostiger Luft mischte den warmen Mief auf.

Die Tür fiel ins Schloss, und die Dralle brüllte: „Dreckschwein!“

Der Wirt schmunzelte und widmete sich dem Zapfhahn, als kenne er die Vorstellung zur Genüge.

Farang spielte mit einem Bierdeckel und suchte nach einem unverfänglichen Thema, um Heli wieder zum Sprechen zu bringen. „Sagt dir der Name Ruth Andreas-Heinrich was?“

„Friedrich“, antwortete sie wie aus der Pistole geschossen. „Ruth Andreas-Friedrich, eine Journalistin. Widerstandskämpferin gegen die Nazis.“

„Journalistin und Schriftstellerin.“

Heli lächelte. „Ja. Eine Kombination mit der ich mich auch herumschlage. Wie kommst du auf die Frau?“

„Ich habe eine Gedenkplakette für sie gesehen.“

„Am Fichtenberg.“

„Richtig.“

„Und was hast du da gemacht?“

Er zögerte.

„Siehst du“, spottete sie. „Du erzählst mir auch nicht alles. Ich kenne die Ecke gut. Bevor ich nach Neukölln umgezogen bin, habe ich in Steglitz gewohnt. Ich habe dort eine Zeit lang Führungen gemacht, so genannte Stadtspaziergänge, um ein bisschen zusätzliches Geld zu verdienen. Ich war damals noch im Volontariat. Der Fichte war meine Spezialtour. Immerhin achtundsechzig Meter hoch. Die höchste Erhebung im Bezirk. Steglitz war mal das größte Dorf Preußens. Am Fichtenberg oder Fichteberg gibt es eine Menge Gebäude mit Geschichte. Das Wrangel-Schlösschen. Die Schwartzsche Villa. Aber was erzähl ich dir? Die Tour dauerte eine gute Stunde und für zehn Mark wärst du dabei gewesen." Sie trank ihr Bier aus und signalisierte dem Wirt die nächste Runde.

„Die geht aber auf mich", sagte Farang.

„Nix da, in meiner Eckkneipe kann ich mir sowas gerade noch leisten."

Er gab klein bei und kam zum Thema zurück. „Ich habe an einem der Giebel was wie Kaiser-Wilhelm-Jubiläum oder so ähnlich gelesen."

„Kaiser Wilhelm Jubiläums-Stiftung des Waisenhauses der französisch reformierten Gemeinde", spulte sie routiniert ab. „In der Gegend gibt es einige Gedenktafeln und Inschriften. Nicht alle aus erfreulichem Anlass..." Sie verstummte.

„Zum Beispiel?"

Der Wirt brachte zwei frische Pils und machte zwei Striche auf Helis Deckel.

„Zum Beispiel: Unter den Eichen, Hausnummer hundertfünfunddreißig. Dort hat zur Zeit der Nazis die SS den wirtschaftlichen Gewinn aus den Konzentrationslagern verwaltet."

Farang schaute zu, wie der Schaum langsam an seinem Glas hinunterlief und den Bierdeckelaufdruck *Gebraut nach dem deutschen Reinheitsgebot* langsam aufweichte.

„Unter dem Fichtenberg hat die SS damals ein Stollensystem angelegt, das den Angehörigen ihrer Dienstellen als Luftschutzbunker diente. Nicht wenige der Ranghöchsten wohnten in Villen auf dem Hügel."

Farang spitzte die Ohren.

„Sie haben damals von drei Seiten aus Schächte in den Berg graben lassen und mit Stollen untereinander verbunden. KZ-Häftlinge mussten die Dreckarbeit machen. Die Zugänge wurden später gesprengt. Als die Staatsanwaltschaft Köln mehr als zwanzig Jahre nach Kriegsende nach Anklage-Dokumenten gegen ehemalige SS-Angehörige suchte, wurde alles wieder aufgebuddelt und ausgewertet. Das war für die meisten Anwohner des Fichtenbergs das willkommene Schlusskapitel einer schmutzigen Geschichte. Mit der Existenz von Tunnel und Stollen unter dem eigenen Grundstück verhielt es sich für viele wie mit der berühmten Leiche im Keller. Inzwischen haben sie die unterirdische Peinlichkeit vergessen oder verdrängt. Heute überwintern Fledermäuse in der Gruft."

„Fledermäuse?"

Was hatte der Dressman nach dem Massaker an den Kuckucksuhren gesagt? Sie wecken noch die Fledermäuse auf! Fledermäuse sind Glücksbringer in meiner Heimat!

Bevor Farang weitere Fragen stellen konnte, kam Hajo vom Pinkeln zurück und taumelte mit offenem Reißverschluss zurück ins Warme.

„Dreckschwein, sach ick", begrüßte die Dralle ihren Partner. „Ma pullert nüsch einfach inn Schnee."

Hajo rülpste. „Wasse ma uff det Männerklo, Elfriede?" begehrte er zu wissen. Er blieb vor der Drallen stehen und fummelte fahrig am Hosenschlitz herum. „Een Dreckloch is det. Aba det sach ick dir ja nüch zum erstenma."

Der Wirt sah vom Zapfhahn auf. „Das will ich nicht gehört haben, Hajo!"

Die öffentliche Zurechtweisung von dritter Seite produzierte einen Kurzschluss in Hajos Hirn. „Du sei ma stille. Du hass hier jarnüch zu melden", brüllte er den Wirt an. „Du hass doch schon an die Japse verkauft." Seine rot unterlaufenen Augen funkelten Farang bösartig an.

„Nu lass ma jut sein, Hajo", lenkte der Wirt ein.

Hajo schwankte gefährlich, hielt aber Blickkontakt zu Farang.

„Platz!" befahl die Dralle.

„Wohin ick kicke, Jelbe und Schwatte", nölte Hajo lauthals weiter.

„Das reicht jetzt!" Der Wirt kam angewalzt und schob ihn zu seinem Stuhl.

Bevor Hajo sich setzen konnte, sagte Heli zu ihm: „Sie haben braune Arschlöcher wie sich selbst vergessen!"

Hajo bäumte sich auf. „Det muss ick mir nich jefallen lassen."

Die Dralle erhob sich schwerfällig und zog ihn weg. „Wir jehn jezz sofort nach Hause." Energisch schubste sie ihn zur Tür und rief dem Wirt zu: „Schreib allet an, Otto!"

Die Kneipentür fiel hinter dem Paar ins Schloss, und der Wirt verzog sich mit einem bedauernden Achselzucken hinter den Zapfhahn.

Farang konzentrierte sich wieder auf Heli.

„War Steglitz nicht die schönere Wohngegend?"

„Fragst du das wegen dem Blödmann, der gerade gegangen ist?" Sie schnaubte. „Das hätte da auch passieren können."

Farang nickte und sah Heli weiter an, als habe er noch keine Antwort erhalten.

Sie wich seinem Blick aus. „Ich wollte näher an meinem Thema sein... für die Buch-Recherche..."

„An der Untergrundbahn Acht?"

„So ist es."

„Und warum gerade die?"

Sie musterte ihn lange, forschte in seinem Gesicht, bevor sie sagte: „Das ist eine sehr persönliche Geschichte."

„Verstehe", murmelte er enttäuscht, fest entschlossen, sie damit in Ruhe zu lassen.

Aber sie redete weiter.

„Man nennt die Strecke auch die Bunkerlinie. Beiderseits liegt eine stattliche Anzahl unterirdischer Anlagen – auch Luftschutzräume, alte und neue. Einen davon hat meine Großmutter bei einem Bombenangriff im Zweiten Weltkrieg nicht mehr rechtzeitig erreicht. Sie wurde verschüttet. Die genaue Stelle ist nicht bekannt. Ihre Leiche wurde nie gefunden. Sie hat bis heute kein anständiges Grab."

„Ich verstehe..."

„Meine Mutter hat damals überlebt. Sie war schon im Bunker. Normalerweise war sie bei Fliegeralarm immer bei Großmutter – in jener Nacht war sie aber mit einer Tante vorausgegangen. Wäre es nicht so gewesen, gäbe es mich wahrscheinlich gar nicht."

„Das wäre schade." Farang lächelte, aber Heli nahm es gar nicht wahr. „Lebt deine Mutter noch?" fragte er vorsichtig.

„Meine Eltern sind beide tot."

„Das tut mir leid."

„Sie sind bei einem Verkehrsunfall umgekommen. Ich hatte jedenfalls kein besonders gutes Verhältnis zu ihnen. Milde gesagt. Vielleicht bedeutet mir die Erinnerung an meine Großmutter und ihr Schicksal auch deswegen so viel.“ Heli trank einen Schluck Bier.

„Und deshalb hast du dich auf Tunnel und Bunker spezialisiert und willst das Buch schreiben...“ Farang lehnte sich zurück. „Suchst du sie da unten?“

Heli starrte in ihr Bierglas. „Suche ich sie? Nicht wirklich. Das ist wohl hoffnungslos. Aber mich mit diesem Thema zu beschäftigen, gibt mir das Gefühl, Großmutter nahe zu sein und ihr Andenken zu bewahren.“

„Das ist gut so.“

Sie lachte leise. „Manchmal denke ich, ich habe einen Knall.“

„Das sehe ich anders.“

Sie nahm seine Hand und drückte sie sanft. „Danke.“

Er genoss die Berührung wie ihren Duft, der selbst im Kneipenmief nicht untergegangen war.

Sie zog ihre Hand zurück und warf dabei einen Blick auf die Armbanduhr. „Und was meine Exkursionen in die Unterwelt angeht. Ich habe zwar gute Kontakte zu einer Gruppe, die unterirdische Anlagen genehmigterweise durchforstet, aber sie tun das nicht immer an den Stellen, die mich interessieren. Abgesehen davon dauert das auch immer. Alles muss beantragt werden, und es braucht seine Zeit, bis die Bürokratie ihre Zustimmung erteilt, wenn der Verein was Neues auskundschaften will. Deshalb halte ich mir Rudi warm.“

Sie winkte dem Wirt und holte ihre Geldbörse aus dem Rucksack. „Du musst mich einfach nur zur Silvesterparty des Vereins begleiten, da gibt es mehr über Tunnel und Bunker, als dir lieb sein wird.“ Sie musterte Farang mit ernster Miene – als wolle sie einer Absage vorbeugen.

Der Wirt nahm den Kugelscheiber, der hinter seinem Ohr steckte, rechnete Helis Deckel ab und entschuldigte sich noch einmal für Hajos Auftritt. Vor der Kneipentür traf sie die Kälte der frostklaren Nacht. Farang zögerte. Er betrachtete die Urinspuren im Schnee, bis Heli ihm die Entscheidung abnahm.

„Bringst du mich noch das Stück zur Tür?“

„Gerne."

Sie stapften los.

„Du hast mir noch gar nicht gesagt, warum du mich heute besuchen wolltest."

60

Silvester unter Tage.

Das hatte er noch nicht erlebt. Er lag hellwach auf seiner Matratze und starrte an die Bunkerdecke. Das Lampenfeld, die Richtungspfeiler und der Orientierungsstreifen über dem Ausgang waren noch zu erahnen – wie schwach phosphoreszierende Sterne in einem pechschwarzen All.

Es war der zweite Morgen in seiner neuen Bleibe, der letzte Tag des Jahres, und er hauste wie ein Maulwurf unter der Erde. Für alles gab es eben ein erstes Mal, und Kalender hin, Kalender her: Für seine Gastgeber lief noch für eine ganze Weile das alte Jahr ab. Der Oberste Befehlshaber hatte den Abschluss der wichtigsten Verhandlungen bis Ende Januar in Aussicht gestellt. Das war noch lange hin, aber er hatte nicht vor zu drängeln. Er hatte es nicht eilig. Ganz im Gegenteil. Er wollte seine Geschäftsanteile langsam und sorgfältig einbringen, Stück für Stück. Nur solange er einen ausreichend attraktiven Teil des Kuchens zurückhielt, war sein Leben sicher. Er machte sich keine Illusionen. Im Moment garantierten die Vietnamesen sein Leben und schützten ihn vor den Chinamännern. Nicht weil sie Samariter waren, sondern weil die Fusion von hohem Interesse für sie war.

Er musste sich im Rahmen dieser Verschmelzung eine unanfechtbare Position erobern – damit er nicht selbst weggeschmolzen wurde. Bislang hatte er noch immer einen Weg gefunden, um seinen Status zu wahren. Er pflegte seine Karten mit Bedacht zu spielen. Der wichtigste Gesprächspartner war Großvater. Schließlich ging es um Bares und Sachwerte, und vor allem um die dazugehörige Infrastruktur und das Personal, das sie wie geschmiert in Gang hielt. Großvater war ohne Zweifel ein ausgebuffter Geschäftemacher, aber auch er hielt sich für einen abgebrühten Zocker mit guten Nerven, mit Zeit und Geduld. Er hatte in

Thailand warten gelernt, und er hatte vor, die Asiaten in ihrer ureigenen Domäne auszusitzen. So lange, bis seine Interessen gewahrt waren.

Er hatte vor, zu überleben – aber nicht, um danach mit eingekniffenem Schwanz durchs Dasein zu kriechen. Oft genug war er als scheinbar schwächerer Partner in Projekte eingestiegen, die er dann später kontrolliert hatte. Den Verteilungskrieg, der anstand, konnte er weder alleine führen noch gewinnen. Dazu brauchte er fremde Truppen. Sollte der Oberste Befehlshaber ruhig siegen. Danach kam die Zeit der Kriegsgewinnler. Wie die Geschichte bewies, war es den asiatischen Horden zwar schon früher gelungen, bis in hiesige Breiten vorzudringen, sie hatten sich jedoch nie auf Dauer halten können. Und die Geschichte wiederholte sich, immer wieder, davon war er fest überzeugt.

Das entfernte Rumpeln des ersten U-Bahnzuges zeigte ihm den Tagesbeginn an. Zeit, sich frisch zu machen, um pünktlich zum Frühstück zu erscheinen. Sein Gastgeber legte großen Wert auf Pünktlichkeit, und je früher am Tag man hier unten aus der Isolation gerissen wurde, desto besser.

Gustav Torn stand auf, schaltete das Neonlicht ein, und die „Besucher-Suite“ erstrahlte im kalten Glanz ihres spartanischen Ambientes.

61

Unter einer Silvester-Party hatte Farang sich etwas anderes vorgestellt. Er saß auf einem harten Klappstuhl in einem Bunker und las im Veranstaltungsprogramm des auslaufenden Jahres.

31. Dezember

Bunker Blochplatz, U-Bhf-Gesundbrunnen
Zugangsbauwerk Badstraße/Ecke Hochstraße

Diskussionsveranstaltung „Unter uns im Untergrund – Perspektiven im unterirdischen Berlin“

19:00 Uhr – Führung „Der Bunker Blochplatz – Verkehrsbauwerk der U-Bahn, Luftschutzbunker im 2. Weltkrieg, Zivilschutzanlage in den 80er Jahren“

19:30 Uhr – Vorstellung des Vereins „Hades“

19:40 Uhr – Kurzvortrag „Anmerkungen zu einer subterranen Metropole der Zukunft“ von
Hilmar Stenzel, Senat für Bauwesen

20:00 Uhr – Diavortrag „Momentaufnahmen von Bunkern, Tunneln und Stollen der Hauptstadt“
von Georgia Brand und Heliane Kopter

20:45 Uhr – Diskussion mit Beiträgen von Max Cornelius, Barbara Wutora und Horst Mueller-Troste
Moderation: Georgia Brand

21:30 Uhr – Umtrunk zur Gründung des Vereins „Hades“ mit anschließender Tanzparty zum Jahresausklang

23:30 Uhr – Spaziergang zur Humboldthöhe im Volkspark Humboldthain. Kleines Feuerwerk mit „Prosit-Neujahr“ auf der obersten Plattform des ehemaligen Hochbunkers.

Seit einer guten Stunde hockte er inmitten zahlreicher Gäste und versuchte, den Beiträgen zu folgen. Heli hatte ihren Lichtbildvortrag mit Georgia Brand bereits absolviert und wieder neben ihm Platz genommen. Er hatte ihr, bei anhaltendem Applaus des Publikums, anerkennend zugenickt. Heli war sichtlich stolz auf die Show.

Inzwischen moderierte Georgia, die Heli ihm vor der Veranstaltung vorgestellt hatte, die Podiumsdiskussion. Herr Cornelius und Herr Mueller-Troste trugen mit höflichen Worten eine Meinungsverschiedenheit über die Bedeutung der Bunker ehemaliger Nazi-Größen aus. Cornelius war dafür, sie als Denkmal zu erhalten, und als Mueller-Troste das für sehr bedenklich hielt, sprach Cornelius plötzlich von unverzichtbaren Mahnmalen.

Einer der beiden Männer war Leiter des Alliierten Museums, der andere Kunsthistoriker an der Hochschule der Künste. Wer was war, wusste Farang nicht mehr so genau, obwohl Georgia Brand die Teilnehmer ausführlich vorgestellt hatte. Nur bei Frau Wutora war er sicher, die Leiterin der Polizeigeschichtlichen Sammlung vor sich zu haben. Sie stellte auffallend oft Blickkontakt mit einer Frau in ihrem Alter her, die vier Reihen vor ihm saß. Die Frau war erst während des Diavortrags gekommen und hatte sich im Halbdunkel einen freien Platz gesucht, doch er hatte Romy Asbach sofort erkannt.

Cornelius steigerte sich in der hitziger werdenden Debatte zu „unverzichtbare Erinnerungswerte unserer Geschichte“ und provozierte damit Buh-Rufe im Publikum. Farang konnte nicht folgen und sah Heli an wie ein Boxer, der seiner Ecke die beabsichtigte Aufgabe ankündigt.

Heli lächelte, schüttelte den Kopf und flüsterte: „Vor der Kür die Pflicht!“

Er sah, wie Romy sich erhob und aus dem Raum schlich, machte es ihr nach und spürte dabei Helis missbilligenden Blick. Langsam wanderte er durch die gut beleuchtete Bunkeranlage, ließ die Stimmen der fachkundigen Kontrahenten hinter sich und betrachtete die Fotos und Karten der Ausstellung, die der Verein organisiert hatte.

Er hatte mindestens acht verschieden große Räume und die dazugehörigen Verbindungsgänge hinter sich gebracht, als er Romy fand. Sie stand vor einer Sammlung diverser Stadtkarten, die an der Längswand eines Luftschutzraumes befestigt waren. Berlin von oben und von unten. Daneben hingen Baupläne einzelner U-Bahnhöfe und Bunkeranlagen und sogar Röntgenfotos spezieller Gemäuerteile. Auf einem großen Tisch waren weitere Pläne und Karten ausgebreitet.

Der Hall seiner Schritte musste ihn vorzeitig angekündigt haben, aber sie sah erst über die Schulter, als er bereits hinter ihr stand. Wenn sie überrascht war, ihn hier zu sehen, ließ sie es sich nicht anmerken. Sie betrachtete erneut die Karten und sagte: „Ich konnte dieses Fachvokabular nicht mehr ertragen.“

Er musterte schweigend eine Blaupause.

„Besonders dieser Typ vom Bausenat war unerträglich.“ Sie

schnaubte. „*Kurz*-Vortrag steht im Programm – und der Mann redet und redet..."

Romys vorwurfsvoller Blick lastete schwer auf Farang, und er stimmte ihr mit einem Nicken zu. „Ich habe ihn gar nicht richtig verstanden."

„Mach dir nichts draus. *Anmerkungen zu einer subterranen Metropole der Zukunft*... Sie schüttelte den Kopf. „Da weißt du doch sofort, wo du dran bist." Sie wandte sich von den Wandkarten ab, hockte sich auf den Tisch und ließ die Beine baumeln.

Er lehnte sich mit dem Rücken an die Wand, sah ihr zu und sagte beiläufig: „Die Frau war ganz gut. Diese Leiterin des Polizeimuseums..."

„Ja, Barbara ist brillant! Die weiß, wovon sie redet." Sie grinste. „Ich hatte mal was mit ihr."

Farang lächelte.

Romy sah auf ihre hin und her pendelnden Füße. „Sie hat mich eingeladen. Sie ist eine der wenigen in meinem alten Laden, die mich nicht wie eine Aussätzige behandeln."

Ein kleines Mädchen, dachte er, das auf einer Mauer im Garten hockt und alleine spielen muss.

Sie zog die Nase kraus. „Und wer hat dich eingeladen?" Ihre Augen funkelten ihn spöttisch an.

„Auch eine Freundin."

„Sieh an. War es dir in deinem Hotel zu einsam? Und mir hast du einen Korb gegeben."

Er wandte sich den Wandkarten zu und deutete auf den Alexanderplatz. „Hier unten muss es eine Art toten Tunnel geben."

„Unterm Alex?" Sie schaute auf die Karte. „Ich nehme an, du meinst einen blinden Tunnel oder Waisentunnel."

Er nickte. „Kannst du dich erinnern, ob er in deiner Liste vorkommt?"

„Ich weiß nur, dass sie den Alexanderplatz den *Busbahnhof* nennen."

Er zog eine zusammengefaltete Stadtkarte von Saigon aus der Gesäßtasche und breitete sie neben Romy auf dem Tisch aus.

„Wo hast du die denn plötzlich her."

„Eingekauft." Er suchte die Karte ab. „Hier!" Er tippte mit der Fingerspitze auf eine ganz bestimmte Stelle.

Romy hopste vom Tisch, beugte sich über die Karte und fand das kleine schwarze Bus-Symbol.

Bhin Tây Bus Station.

Sie richtete sich wieder auf. „Und was sagt uns das?"

Farang sah nachdenklich auf das rosa markierte Stadtgelände, das sich beiderseits des blauen Saigon Rivers und seiner Kanäle ausbreitete. „Im Moment noch gar nichts – aber es bedeutet etwas – und ich werde herausfinden, was das ist."

Schritte hallten durch die Bunkergänge und kamen näher. Von fern war jetzt auch das Klirren von Gläsern, das vereinzelte Lachen der Gäste und erste Takte moderner Tanzmusik zu hören.

Heli betrat den Raum, warf Romy einen irritierten Blick zu und sagte zu ihm: „Der Umtrunk hat begonnen."

Er lächelte ihr abwesend zu, legte die Faltkarte von Saigon wieder zusammen und steckte sie ein, während er die Wandkarte Berlins anstarrte und – als müsse er einen wichtigen Gedanken zuende bringen – murmelte: „Die Spree entspricht dem Saigon-Fluss."

Dann wandte er sich Heli zu, lächelte erst sie und dann Romy charmant an und sagte aufmunternd: „Darf ich dir eine gute Freundin vorstellen?"

62

Da kamen sie.

Begleitet vom Wummern der Techno-Musik, das aus dem Zivilschutzbunker zu ihm herüberklang, zogen sie ihm langsam entgegen. Es war nicht mehr als ein Dutzend, das sich bei dieser Kälte ins Freie traute. Sie hielten Flaschen und Gläser in Händen und rutschten und stolperten über die Fußgängerbrücke, die über die S-Bahntrasse führte. Ob es alle bis auf den Hügel schafften? Der Alkohol mochte gegen den Frost helfen, aber er nahm einem die Luft.

Der Captain schaute durch sein Nachtglas, um die Ameisen etwas größer zu machen und sie sich genauer anzusehen. Sie trugen Plastikbeutel mit Feuerwerkskörpern bei sich. Es erinnerte ihn an die alte Gewohnheit zum heimischen Neujahr in Hanoi Knallfroschlärm vom Tonband abzuspielen, einen Brauch, den er und seine Leute in harten Zeiten in den Tunneln von Cu Chi fortgeführt hatten, während der Feind nur wenige Kilometer entfernt im Himmel über Saigon bunte Brände entzündete. Ob Napalm oder ein friedliches Feuerwerk, es hatte den Fremden und ihren südvietnamesischen Lakaien an nichts gemangelt – außer an Siegeswillen. Er erinnerte sich an sein Zuhause und den Familienältesten, der das Horoskop vorlas. Alles was am Neujahrstag passierte, war ein Omen. Das erste Geräusch, das zu hören war, hatte entscheidende Bedeutung. Aber all das würde den Deutschen da unten nicht viel sagen. So vermummt, wie sie waren, konnte er Frauen und Männer kaum unterscheiden – und doch hatte er den Eindruck, dass einer der Männer die Gesichtszüge eines Con Lai hatte. Und wenn schon – asiatische Mischlinge waren nichts Besonderes in einer so großen Stadt wie dieser.

Er setzte das Fernglas ab und sog die kalte Luft ein, als müsse er einen Vorrat davon in eine andere Welt mitnehmen. Er warf einen Blick auf sein altes Kommandirski-Chronometer. Es war Zeit, wieder abzutauchen. Sollten die Ameisen sich austoben und ihren Spaß haben. Er hatte nicht vor, sie dabei zu stören. Für ihn und seine Landsleute war es noch nicht so weit. Bis zum Tet-Fest gingen noch einige Wochen ins Land – und, wie schon früher in der leidvollen Geschichte seiner Heimat, würde es wenig festlich ausfallen und im Zeichen des Krieges stehen. Obwohl, wenn er es genau überdachte, ein Sieg war auch ein Fest – und er hatte vor zu siegen. Wenn es so weit war. Heute wartete noch ein warmes Nachtmahl auf ihn. Bun Bo, extra scharf gepfeffertes Rindfleisch mit Reisnudeln. Er schmatzte genüsslich und warf einen erneuten Blick auf die Gruppe, die nur noch langsam vorankam, als mache sie vorzeitig schlapp. Es blieb doch noch Zeit für eine letzte Zigarette an der frischen Luft. Er zündete sich eine 555 an und inhalierte tief.

Er rauchte und hörte das entfernte Lachen und Grölen der Deutschen. Sie hatten ihren Spaß – als zögen sie zum Lac Son, dem Berg der Freude.

63

Die angetrunkene Gruppe wanderte gemächlich über die weit ausholenden Serpentinen des Gehwegs auf die Anhöhe, aber Farang hatte es der steile Treppenweg angetan, der direkt nach oben führte.

Er erinnerte ihn an den Aufstieg zum Wat Arun, auch wenn das hier nicht der Tempel der Morgendämmerung war, sondern ein schneebedeckter Erdhügel nahe zum Polarkreis, auf dem es wahrscheinlicher war, einem Eisbären zu begegnen, als einen buddhistischen Mönch zu treffen. Romy und Georgia Brand winkten ihm ihr Beileid nach, und selbst Heli ließ ihn ziehen, als ahne sie die fast religiöse Bedeutung seines Alleingangs.

Die Kanten der einzelnen Stufen waren mit Holzbalken verstärkt, die dick vereist waren. Auch das Geländer, an dem er sich festklammerte, war aus dunklen Holzbalken. Auf halber Strecke hielt er kurz inne und warf einen Blick auf den Park. Die weiße Schneedecke reflektierte das helle Licht der Großstadt und machte die Nacht durchsichtig. Tief unter ihm lag etwas wie ein kleiner Park im Park, wie ein winziger Schlossgarten ohne Schloss, dessen immergrüne Hecken zu streng geometrischen Formen beschnitten waren. Noch während er sich fragte, wie die Gärtner die Kugeln so makellos rund hinbekamen, hörte er die Nachzügler, die auf der kurvenreichen Strecke nicht mit ihm Schritt halten konnten. Über eine seitliche Treppe stieg er bis zur unteren Plattform der beiden Brüstungsebenen, die anscheinend Teil des alten Hochbunkers waren. Beide Ebenen waren renoviert und mit hohen Metallgittern versehen. Auf der unteren Plattform, mitten zwischen den beiden Turmaufbauten, die sich dunkel vom sternenklaren Nachthimmel abhoben, sah er eine Bronzetafel an der Wand. Die äußere Form der Tafel entsprach der Kontur des Bauwerks. Er trat näher und las:

BUNKERANLAGEN IM VOLKSPARK HUMBOLDTHAIN.
1869–1876 ANLAGE DES HUMBOLDTHAIN DURCH
DIE FIRMA L.SPÄTH NACH ENTWÜRFEN
DES ERSTEN GARTENDIREKTORS VON BERLIN,
GUSTAV MEYER.

1941–1942 ERRICHTUNG EINES HOCHBUNKERS
MIT VIER FLAKTÜRMEN...

Was waren Flaktürme?

Was eine Flagge war, wusste er, eine Flagge war eine Fahne – aber Flak?

Er las weiter.

...ENTLANG DER HEUTIGEN S-BAHNTRASSE,
SOWIE EINES TIEFBUNKERS NEBEN DER
GUSTAV-MEYER-ALLEE DURCH ITALIENISCHE
UND TLW. FRANZÖSISCHE FREMDARBEITER.
ES ENTSTANDEN SCHUTZRÄUME
FÜR CA. 15.000 PERSONEN.
1945 LETZTE GROSSE ZERSTÖRUNG DES BUNKER-
UMFELDES DURCH SINNLOSE VERTEIDIGUNG
DES BUNKERS BIS IN DIE LETZTEN KRIEGSTAGE
IM MAI, DIE VIELE OPFER FORDERTE...

Er hielt inne.

Was war das?

Ihm war, als höre er etwas, direkt hinter der Gedenktafel im Inneren des Betonklotzes. Ein Scheppern von Metall, und dann ein Quietschen. Eine Türangel womöglich. Aber das war wohl Einbildung.

Er lauschte noch einmal.

Nichts.

Er konzentrierte sich wieder auf die Informationstafel.

1948 VERSUCH, DEN HOCHBUNKER ZU
SPRENGEN, WOBEI LEDIGLICH DIE BEIDEN
SÜDL. FLAKTÜRME ENTFERNT WURDEN.
1948–1951 ANSCHÜTTUNG DER BEIDEN
BUNKERRUINEN MIT 1,6 MILL. CBM TRÜMMER-
UND INDUSTRIESCHUTT. NEUANLAGE DES PARKS
IN VERÄNDERTER FORM DURCH WEDDINGER
NOTSTANDSARBEITERINNEN UND –ARBEITER
NACH PLÄNEN DES GARTENBAUAMTSLEITERS

GÜNTHER RIECK. ES ENTSTEHT IN VERBINDUNG
MIT DEM ANGESCHÜTTETEN HOCHBUNKER
DIE 38M HOHE HUMBOLDTHÖHE (85M ÜBER NN)
UND DEM EBENFALLS ANGESCHÜTTETEN
TIEFBUNKER EINE CA. 20M HOHE
UND 200M LANGE RODELBAHN.
1982 NEUPLANUNG UND INSTANDSETZUNG
DER HUMBOLDTHÖHE UND
BAU EINER AUSSICHTSTERRASSE.
1988–1990 AUSBAU DES EHEMALIGEN
HOCHBUNKERS UND DER BEIDEN
FLAKTÜRME ZUR AUSSICHTSPLATTFORM.
BEZIRKSAMT WEDDING VON BERLIN.
ABTEILUNG
BAU- UND WOHNUNGSWESEN – GARTENAMT.
BERLIN, FEBRUAR 1990.

Er atmete tief durch.

Alles war ordentlich registriert und aufgeschrieben. Seine deutschen Halbschwestern und –brüder erstaunten ihn immer wieder. Er versuchte, sich ein solches Hinweisschild am Wat Arun vorzustellen. Die Deutschen hätten alle Scherben am Tempel der Morgendämmerung fein säuberlich gezählt, sie nach Farbe, Muster und Herkunft aufgelistet und exakt zusammengerechnet, wie viele Tonnen Porzellan dafür zertrümmert worden waren – natürlich sortiert nach Tassen, Tellern, Vasen und was sonst zu Bruch gehen konnte.

Sein Blick fiel auf eine Zigarettenkippe, die nicht weit entfernt im Schnee lag. Sie glomm noch. Er hob den Tabakstummel auf und sah sich um. Niemand. Er betrachtete die Kippe. Sie war noch lippenfeucht. Er schnupperte strengen Tabak, ging zur Wand und legte das Ohr an den kalten Beton.

Nichts.

Er ging die Wand ab. Kein Eingang, kein Loch, kein Spalt. Schließlich warf er die Kippe über die Brüstung und nahm die letzten Stufen zur oberen Plattform. Gemäuer und Metall waren mit Graffiti beschmiert.

Der Rundblick über die nächtliche Großstadt wurde durch

die hohen Gitterstäbe behindert. Trotzdem war die Aussicht faszinierend, und für einen Augenblick wünschte er sich die anderen weit weg, um in Ruhe alles auf sich wirken zu lassen. Aber ihr Lachen und ihre fröhlichen Gesänge kamen näher und näher – und dann waren sie da, schnaufend und prustend, mit Johlen und Kichern. Heli kam sofort zu ihm, während die anderen einige fest im Boden verankerte Tische und Stühle ansteuerten und Vorbereitungen für das Feuerwerk trafen. Der Picknickplatz lag unter kahlen Platanen, die zwischen den Aussichtsplateaus wuchsen.

„Der hier, auf dem wir stehen, ist der östliche der beiden noch erhaltenen nördlichen Flaktürme", referierte Heli in Sektlaune.

„Was heißt Flak?"

„Fliegerabwehrkanone." Heli ging zur Brüstung und wischte den Schnee von einer der schrägen Informationstafeln, die in alle Richtungen Auskunft über die jeweiligen Blickfänger gaben.

Farang sah die prominenten Objekte, die als Relief herausgearbeitet und benannt waren. Er konnte die Türme der St. Augustin-Kirche und der Gethsemane-Kirche am Horizont ausmachen, davor die Swinemünder Brücke. Vereinzelt stiegen schon verfrühte Leuchtraketen in den Himmel und kündigten das Feuerwerk an.

„Da unten siehst du die S-Bahn-Station und das Einkaufszentrum." Sie zeigte mit ausgestrecktem Arm auf die roten Lettern *Gesundbrunnen Center* an der Front.

Was Farang sah, war eine Art Titanic am Eisberg in Schräglage, kurz vor dem Absaufen. Der Architekt musste am Zeichenbrett von Untergangsvisionen verfolgt gewesen sein. Sahen schon die Reste der Hochbunkeranlage aus wie ein torpediertes und auf Grund gelaufenes Schlachtschiff, so war das riesige Einkaufszentrum eine moderne Nachempfindung dieses Motivs.

Heli wandte sich der näheren Umgebung zu und tätschelte zwei karge Metallzacken, die direkt vor ihnen in der Mitte der Plattform in die Luft ragten. „Und hier ein bisschen zeitgenössische Kunst."

Noch eine Plakette. Sie wies die Skulptur als „Mahnmal der Einheit Deutschlands" vom 14.8.67 mit einer nicht entzifferbaren Signatur des Künstlers aus. Und jetzt fiel ihm auch der große Papierkorb aus Gitterdraht auf, der mit Kette und Sicherheitsschloss an den Brüstungskäfig gefesselt war, so wie das halbe Dutzend Sitzbänke.

Heli nahm Farang bei der Hand und zog ihn mit sich zum westlichen Turm. Er wurde von einer einsamen Birke überragt, die ihre kahlen weißen Äste in den Himmel reckte. Heli kommentierte den neuen Ausblick über den Park bis zum Fernsehturm am Alex, rechts davon die Domkuppel an der Museumsinsel, weiter rechts die Charité.

Er starrte noch den seltsamen Gebäudewürfel des Krankenhauses an, als der Himmel über der Stadt explodierte. Wohin man auch sah, überall stiegen Feuerwerksraketen in die Luft und zerrissen die Nacht mit hellen Blitzen. Ein flächendeckender Vulkanausbruch in schillernden Farben, in immer neuen Formen und Kombinationen, begleitet von entferntem Zischen, Krachen und Knattern.

Die Gruppe begrüßte das neue Jahr mit frohen Rufen und gegenseitigen Umarmungen. Heli fiel Farang um den Hals und küsste ihn. Nach einer kurzen Schrecksekunde, hob er sie hoch und drehte sich schnell mit ihr um die eigene Achse. Unbehindert von Kufen produzierte er eine gekonnte Pirouette. Heli ließ die Beine fliegen, wie ein Kind auf dem Karussell. Dann waren Romy und ihre Freundin Barbara und auch Georgia da. Nie in seinem Leben hatte er so viele Frauen so schnell hintereinander umarmt und geküsst. Er rang nach Luft. Dann kamen die Männer. Sie drückten ihn und schlugen ihm auf Schulter und Rücken, als hätte er nach zähem Häuserkampf mit ihnen die Stadt erobert.

Schließlich knallten die Sektkorken. Man stieß miteinander an und zündete das eigene Raketenarsenal, das einen eher bescheidenen Beitrag zum allgemeinen Inferno leistete. Die Explosionen über dem Stadtgebiet hatten inzwischen eine Dichte erreicht, deren Licht die Metropole hell ausleuchtete und mit stetem Krachen und Knallen den Eindruck erweckte, der Bürgerkrieg sei ausgebrochen. Ein strenger Geruch von Schießpulver sättigte die Luft, und über Straßen, Plätzen und Häusern hing trüber Qualm.

Nach einer halben Stunde nahmen die Gipfelstürmer trotz

aller Begeisterung den Frost wahr, der ihnen in die Knochen zog, und traten den Rückzug an. Die Laune war bestens. Der Alkohol tat seine Wirkung, und auch Farang zog diesmal den weit geschwungenen Gehweg den steilen Treppenstufen vor. Heli und Romy hatten sich bei ihm eingehängt. Beide hatten sich viel zu erzählen. Gelegentlich stolperte eine der Frauen, und er musste mit steif angewinkeltem Arm dagegenhalten, bis sie sich wieder gefangen hatte. Doch irgendwann schafften es beide gleichzeitig außer Tritt zu geraten, und er wurde mitgerissen und purzelte mit ihnen ein Stück den Hang hinunter, bis eine Schneewehe sie bremste.

Vorsichtig brachten sie den Rest des Abstiegs hinter sich, und als sie die Fußgängerbrücke überquerten, blieb Farang stehen, wandte sich noch einmal um und fragte Heli: „Ist der Bunker auch innen zugeschüttet?"

„Sagen wir, er ist außen gut versiegelt, aber innen löchrig wie ein Schweizer Käse. Warum fragst du?"

Die beiden Frauen warteten auf ihn.

„Mir war, als hätte ich was gehört."

„Im Bunker?" Heli lachte ungläubig.

Romy warf Farang einen belustigten Blick zu und forderte Heli auf: „Du solltest ihn mal auf einen deiner Tunnelausflüge mitnehmen, sonst fantasiert er immer so weiter."

Die Frauen setzten sich wieder in Bewegung.

Farang warf einen letzten Blick zur Humboldthöhe, schloss zu ihnen auf und revanchierte sich, indem er Romy mit Helis Unterstützung von den Fledermäusen im Fichtenberg erzählte. Mit Genugtuung stellte er fest, dass die Lay-Lady trotz ihres angetrunkenen Zustandes nachdenklich wurde.

„Wir hätten uns den Keller der Villa ansehen sollen – und nicht die Küche", stellte sie nüchtern fest.

„Ihr schaut euch gemeinsam Küchen an?" Heli lachte. „Worum geht es eigentlich?"

„Romy und ich suchen denselben Mann."

„Gustav Torn?"

„Du kennst ihn?" Romy musterte Heli.

Heli erzählte ihr von der Reportage. Beide Frauen hängten sich wieder bei Farang ein, und sie marschierten dem Rest der Gruppe nach, der mit dumpfem Poltern über die Brückenbohlen zurück zum Blochplatz zog, der lauten Tanzmusik und der Wärme des Zivilschutzbunkers entgegen.

64

„Es ist einsam ohne sie", trauerte der Oberste Befehlshaber seiner Märchenerzählerin nach.

Derart ins Vertrauen gezogen zu werden, schmeichelte Gustav Torn. Das gab Hoffnung für die zukünftige Zusammenarbeit. Sein Gastgeber hatte Takt bewiesen und zwei Flaschen besten Champagner zum christlichen Neujahr spendiert. Damit Sie sich nicht so einsam fühlen, Gus! Der Preis waren zwei französische Spielfilme in voller Länge gewesen. Er hatte es überstanden. Besser, als auf der Pritsche zu liegen, die Phosphorzeichen anzustieren und zu grübeln.

„Nun bleibt mir nur noch Mireille", klagte der Oberste Befehlshaber.

„Mireille?"

„Sie haben sie noch nicht kennen gelernt, Gus. Sie ist in letzter Zeit wenig zutraulich und zieht sich häufig zurück." Der Vietnamese seufzte. „Ich fürchte, sie ist krank." Er erhob die Stimme und lockte: „Mireille?"

Unter dem Diwan erklang ein schwaches Grunzen.

Torn musterte das Lager flüchtig und machte keinen Hehl aus seiner Verunsicherung, als er den Gastgeber erneut anschaute. Der machte eine Kopfbewegung zum Ruhebett, und als Torn wieder hinsah, zuckte er überrascht zusammen.

Vor dem Diwan stand ein kleines Wesen. Es war pechschwarz und hatte kluge Äuglein. Dem Rüssel nach, den es ihm keck entgegenreckte, musste es sich um ein Schwein handeln. Aber es war verdammt klein. Nicht mal einen halben Meter lang und höchstens einen viertel Meter hoch. Um den Hals trug es ein wertvolles Collier.

Gustav Torn war sprachlos.

Der Oberste Befehlshaber konnte sich ein Kichern nicht verkneifen. „Voilà, Mireille!" stellte er seine Gefährtin vor.

„Ist es ein...", Torn räusperte sich, „...ein Schwein?"

„Mireille ist ein Minnesota Minipig."

Torn nickte bedächtig, war immer noch konsterniert, während das kleine Schwein auf ihn zutrabte und sein Hosenbein abschnüffelte.

„Sie ist stubenrein." Der Oberste Befehlshaber beugte sich zu Mireille hinunter und nahm sie auf den Schoß. „Man muss sie richtig füttern, damit sie so knackig bleiben. Viel Obst und Gemüse."

„Gemüse..." Torn sah zu, wie der Mann die winzige Sau hinter den Ohren kraulte.

„Der Volksmund sagt zwar, das Schwein werde stets gut gefüttert, um es schön zu mästen, damit man es zu Neujahr verspeisen kann. Daher soll es vorsichtig sein und niemandem vertrauen, um nicht vernascht zu werden." Der Oberste Befehlshaber lachte leise. „Aber Mireille hat natürlich nichts zu befürchten."

„Natürlich..."

„Trotzdem ahnt sie möglicherweise etwas, und lässt sich deshalb in diesen Tagen so selten sehen. Wer weiß..."

„Es handelt sich offensichtlich um ein kluges Tier."

„So ist es. Sie läuft auch an der Leine und hört wie ein Hund."

„Nicht zu glauben."

„Sie hat ihr Körbchen unter meinem Bett."

Gustav Torn fragte sich, ob Mireille auch unter die Decke durfte.

„Es gibt sie auch in braun, in weiß und gefleckt – wie ein Dalmatiner."

„Tatsächlich? Das ist ein hübsches Halsband."

„Rubine!" Der Oberste Befehlshaber befingerte die roten Edelsteine. „Görings Frau hat es angeblich mal getragen. Es war etwas weit. Ich habe es umarbeiten lassen."

Torn rettete sich in ein Hüsteln, und Mireille richtete sich gemütlich im Schoß ihres Herren ein und quiekte entzückt, als der sie zärtlich am Ohr zog.

„Sie ist hochintelligent", fuhr der Oberste Befehlshaber fort. „Und Schweine sind absolut ehrlich. Sie können gar nicht lügen. Man darf nicht versuchen, sie zu erziehen, man muss ihnen nur gut zureden."

„Es scheint Ihnen jedenfalls zu vertrauen."

„Nicht nur mir. *Sie* ist oft mit Mireille spazierengegangen", merkte der Oberste Befehlshaber sentimental an. „Das war – neben dem Vorlesen – ihre wichtigste Aufgabe."

Gustav Torn war dankbar, dass das Gespräch wieder auf die verschollene Frau zulief. „Vielleicht haben die Chinesen sie..."

„Nein, das glaube ich nicht. Sie hat keinerlei strategischen Wert. Niemand weiß, was sie mir bedeutet – mir und Mireille."

Torn nickte.

„Die Chinesen habe ich in einer anderen Sache im Verdacht, über die ich sowieso mit Ihnen reden wollte, Gus."

„Um was geht es?"

Der Oberste Befehlshaber berichtete von Großvaters Verlust – und Gustav Torn hörte aufmerksam zu und zeigte Betroffenheit und Anteilnahme, obwohl er diesem Parvenü von einem Neffen keine einzige Träne nachweinte.

65

Sanfte Rockballaden hatten die Technomusik abgelöst.

Der Rest der Partygäste tanzte den ersten Morgenstunden des neuen Jahres entgegen, während Farang mit Romy und Heli im Kartenraum des Zivilschutzbunkers Kriegsrat hielt. Seit die Rede auf den gemeinsamen Bekannten Gustav Torn gekommen war, hatte sich ihre Sektlaune verflüchtigt und sachlicher Nüchternheit Platz gemacht.

„Er ist bei den Vietnamesen, und die sind da unten." Er deutete auf die Karten und Pläne der Tunnel und Bunker. „Ich ahne es!"

„Du und deine Ahnungen", bremste Romy. „Das ist mir alles viel zu vage."

„Denk an die Villa über den Fledermäusen – und dann dieser Waisentunnel unter dem Alexanderplatz", widersprach Farang. „Sie tauchen überall auf – wie Maulwürfe." Er sah Heli an, als rechne er mit ihrer Unterstützung.

„Du meinst, Rudi hat nicht gesponnen?"

„Warum sollte er sich so etwas ausdenken? Asiatische Garküchen und verschollene Fidschis."

„Alkoholiker haben gelegentlich Wahnvorstellungen. Und Mollen-Rudi, so gern ich ihn auch mag, ist definitiv ein Alki."

„Also, der Schlachtensee und der Vietnamesenmarkt fallen auch eher aus dem Muster", schaltete sich Romy wieder ein.

Heli runzelte die Stirn. „Die S-Bahn fährt auch über und unter der Erde", gab sie zu bedenken.

Farang warf ihr einen dankbaren Blick zu. „Ist es denkbar, dass sie auf diesem riesigen Stadtgebiet alle Systeme – Tunnel, Bunker, Schächte und Stollen – so miteinander verbunden haben, wie sie es für ihre Aktionen brauchen?"

„Das große unterirdische Fidschi-Netzwerk?" Romy schnaubte. „Denkbar ist so manches."

„Es ist nicht ganz abwegig", gab Heli zu. „Es gab sogar mal unterirdischen Stadtgüterverkehr im U- und S-Bahnnetz. Und im Zweiten Weltkrieg wurden zusätzlich alle Hauskeller vernetzt. Die nur leicht zugemauerten Brandmauerdurchbrüche konnten im Notfall mit wenigen Hammerschlägen durchbrochen werden. Das hat vielen Verschütteten unter ihren zerbombten Häusern einen Rettungsweg geboten..." Sie brach ab.

Farang wusste warum.

Dann hatte Heli sich wieder im Griff. „Auch im Endkampf um Berlin wurde die Vernetzung genutzt. Im Prinzip ist alles innerhalb des S-Bahnrings jederzeit verknüpfbar."

„Na ja..." Romy machte kein Geheimnis aus ihrer Skepsis.

Farang sah der Lay-Lady fest in die Augen. „Und die Behörden haben all das absolut und jederzeit unter Kontrolle. Ihr geht regelmäßig Streife da unten, unterhaltet Kontrollposten, und was weiß ich. Ihr veranstaltet häufig Razzien im Untergrund und habt Horchposten und so weiter. Und wenn, sagen wir, in Tunnel X-Y, ein Vietnamese hustet, dann leuchtet in eurer Leitstelle ein Kontroll-Lämpchen auf."

Romy schmunzelte. „Du sprichst ja plötzlich fließend Deutsch."

„Ich steigere mich von Tag zu Tag. Das macht das gute Feedback."

„Verarsch mich nicht. Natürlich zählen wir nicht jede Woche alle Ratten auf Vollzähligkeit durch."

„Na also."

„Was, na also?“ fauchte Romy.

Heli ging dazwischen. „Nun streitet euch doch nicht!“ Sie wandte sich an Romy. „Soviel ich weiß, ist da unten eine ganze Menge nur provisorisch verschlossen und verplombt und vieles noch gar nicht entdeckt und bekannt. Allein in Berlin-Mitte drei Bunkeranlagen, wenn ich mich nicht irre. Es ist eher unwahrscheinlich, dass sie sich unter dem Neubaugebiet um den Tiergarten tummeln, aber genug alte Anlagen werden oft ignoriert und links liegen gelassen. Das hat auch mit der Psyche zu tun. Man rührt lieber nicht dran. Hochexplosive Munitionsdepots, chemische Kampfstoffe in Bazillentunneln, Gewölbekammern mit vergessenen Särgen, ganze Gruppen Abgesoffener und Eingeschlossener, die nie gefunden oder gar geborgen wurden.“

Farang suchte Blickkontakt mit Helis grünen Augen. „Wo würdest du anfangen zu suchen?“

„Wir sollten Heliane da nicht mit reinziehen“, mischte Romy sich ein.

„Das habt ihr schon getan“, entgegnete Heli spitz. „Aber wenn es Gustav Torn dabei doch noch mal an den Kragen geht, bin ich dabei – wenn ich helfen kann.“

Farang stellte zufrieden fest, dass Romy nicht mehr widersprach. Gesetzt den Fall, sie fanden Torn, war es gar nicht so sicher, dass es ihm dabei oder danach an den Kragen ging. Sowohl Romy, als auch er brauchten Torn lebend und möglichst kooperativ – und wenn er kooperierte, freiwillig oder unter Druck, dann sicher nicht, um dafür bestraft zu werden.

„Also, wenn man keine Legionen zum Absuchen und auch kein Radar hat – wo?“ kam er auf seine Frage zurück.

„Am besten an einer ganz konkreten Stelle.“ Heli wandte sich der Wandkarte zu. „Nach allem, was ihr erzählt, scheint das der Fichtenberg zu sein.“ Sie deutete auf den Stadtteil Steglitz.

Romy putzte sich die Nase. „Villa und Grundstück dürften inzwischen gesichert sein wie eine Festung.“

„Es gibt einen Zugang auf öffentlichem Gebiet.“

„Vom Botanischen Garten aus?“

„Sicher, den auch“, Heli lächelte Romy verschmitzt an. „Aber da müssten wir um Erlaubnis fragen.“ Sie sah Farang an. „Die wir im Übrigen nicht bekämen, denn die Fledermäuse haben Winterruhe. Und heute schlafen wir uns auch erst mal aus. Und morgen früh muss ich zur Recherche in meinen eigenen *Familienbunker* – aber danach können wir den Fichte in Angriff nehmen. Für den Einstieg ist es sowieso besser, wenn es bereits dunkel ist, denn die Stelle ist nicht gerade im tiefen Wald verborgen."

Romy klatschte in die Hände. „Also dann. Ich fahre jetzt nach Hause und lege mich aufs Ohr."

„Bist du sicher, dass dein Opel auch anspringt", frotzelte Farang.

„Wie mit Donnerhall!"

Von ferne erklangen die ersten Takte einer sehr langsamen Heavy-Metal-Ballade.

Heli hakte sich bei Farang ein. „Und wir tanzen noch einmal – und dann gehen wir auch schlafen."

66

Die Suchtrupps, die er ausgesandt hatte, waren nicht fündig geworden, aber dafür konnte er die Meldung über den Mord an seiner Vorleserin im Frühstücksfernsehen verfolgen.

Der Eigner der Bootsvermietung hatte die Leiche gefunden. Der Mann hatte im Schuppen nach Werkzeug gesucht. Ein reiner Zufall in der Winterpause.

Vergewaltigt und umgebracht.

Was hatte sie da draußen zu suchen gehabt?

Wer hatte sie auf dem Gewissen?

Wer es auch getan hatte, war jetzt schon so gut wie tot, schwor sich der Oberste Befehlshaber.

67

Romy Asbach goss ihre Zimmerpflanzen.

Während sie die gesunden Blätter betrachtete, dachte sie über eine geeignete Komposition aus Bach-Blütenkonzentraten nach, die ihr als Rettungstropfen im Untergrund helfen konnten.

Tatsache war: Sie hatte eine Scheißangst unter Tage zu gehen.

Dieser Eurasier hatte es bereits gewittert. Aber wenn es unausweichlich war, wenn sie Torn wirklich wiederfinden wollte, dann führte kein Weg um den gezielten Abstieg herum.

Sie stellte die Gießkanne beiseite und holte das Heftchen mit der Gebrauchsanweisung aus einer Schublade. Wie so oft zögerte sie. Auch wenn sie sich genau an die Anweisung hielt, hatte sie stets Zweifel an der Notwendigkeit aller vorgeschriebenen Bestandteile.

Obwohl – diesmal, für da unten, war eine leichte Überdosis des gelben Sonnenröschens vielleicht genau das Richtige. *Rock Rose* half bei innerlicher Panik und Terrorgefühlen.

Sie seufzte.

Wie das meiste im Leben war auch die Zusammensetzung der Rettungstropfen ein lausiger Kompromiss.

68

Die Einstiegstreppe zu dem alten Luftschutzbunker lag in der Littenstraße, Ecke Voltairestraße.

Hatte Helis besonderes Interesse an dieser Anlage mit der Nähe zu ihrer *Privatlinie* U8 zu tun, so faszinierte Farang eher die Nähe zum Alexanderplatz. Es war vermutlich nicht einmal einen Kilometer bis zu Rudis Suppenküche im Waisentunnel, und zudem liefen in dieser Gegend alle möglichen U- und S-Bahntunnel zusammen. Der Einstieg war mit einem hüfthohen Begrenzungsgitter, einem Metallrost und vier Vorhängeschlössern gesichert. Heli öffnete den Rost mit ihrem Feuerwehrschlüssel und schob ihn zurück. Auf den Betonstufen lag Schnee. Farang folgte Heli vorsichtig. Am Ende der Treppe wartete noch eine Gittertür mit noch einem Vorhängeschloss. Heli musste die Handschuhe ausziehen, war aber auch für diese Barriere gerüstet.

Sie betraten den Vorraum zum Bunker.

„Hier war der Platz für die Bunkeraufsicht. Die hat die Ankömmlinge registriert und auf die zugeteilten Räume verteilt. Spätestens zwanzig Minuten vor der Bombardierung waren die Leute gewarnt."

Farang musterte die schmutzigen Wände. Er hatte mal Luftschutzsirenen in einem Kriegsfilm gehört. Ein schauriges Geräusch, das einem durch Mark und Bein ging.

„Hier war die Gasschleuse“, fuhr Heli fort. „Im Bunker herrschte ein höherer Luftdruck als draußen. Es gab Ausgleichventile für den Überdruck nach draußen. Zur zusätzlichen Sicherung gegen Gas waren Stahltüren und Türen aus Asbestgemisch eingebaut, die inzwischen aber auf Grund der Umweltvorschriften entsorgt wurden.“

Die Ruine war gesichert, als könne sie ausgeraubt werden. Sogar eine provisorische Beleuchtung war installiert. In dem lang gezogenen Gang, den sie betraten, glomm alle zwanzig Meter eine Glühbirne. Eine nackte Zelle lag neben der anderen. Etwa fünfhundert Meter lang. Die einzelnen Räume waren etwa zweieinhalb mal vier Meter groß. Heli holte eine Stablampe aus ihrem Rucksack, leuchtete einige der Kammern heller für ihn aus und gab die Gesamtkapazität der Luftschutzräume mit eintausenddreihundert Personen an.

„Die Zellen waren ursprünglich mit Doppelstockbetten ausgestattet. Die kleineren mit sechs Betten, die größeren mit neun. Der Bunker ist in einen vormals geplanten U-Bahnhof mit Tunnel gebaut.“

Im langsamen Vorbeigehen, sah er Nischen, zu denen fünf Stufen hinaufführten.

„Toilette und Waschraum waren stets höhergesetzt – wegen des nötigen Gefälles für die Hebeanlage.“

An den Wänden waren ab und zu verwitterte Schriftzeichen zu erkennen, die er nicht deuten konnte.

„Kyrillisch. Das waren die Russen am Ende des Zweiten Weltkriegs.“ Heli ging weiter. „Hier war eine Notküche. Das Essen brachten die Leute bei einem Luftangriff selber mit. Es gab nur einen Wasseranschluss. Dort lag ein Luftfilterraum. Leider ist in diesem Bunker nicht mehr viel von den alten Aggregaten und der sonstigen Ausstattung zu sehen.“

Farang fiel der starke Hall im Gemäuer auf. Jeder Schritt, jedes Wort wurde zurückgeworfen und verstärkt. Über ihnen hingen unzählige Wassertropfen an der Betondecke. Heli leuchtete sie mit der Stablampe an, und sie erstrahlten wie ein kleiner Sternenhimmel. Stellenweise stand Wasser in Gängen und Räumen. Aber Heli hatte bereits vor dem Ausflug Entwarnung gegeben. In diesem Abschnitt der Unterwelt kam er ohne Gummistiefel und Anglerhosen aus.

„Kein Eis?" Farang tippte mit der Schuhspitze in eine Pfütze.

„In allen unterirdischen Abschnitten, die keinen direkten Durchzug zur Außenwelt haben, ist es wärmer als draußen. Nach meiner Erfahrung auch bei Frost etwa plus acht bis zwölf Grad Celsius. Dafür ist es oft auch feuchter. Das ist der wahre Grund, wenn man friert. Ich habe mal in einem Bunker im Schlafsack übernachtet und bin nach zwei Stunden aufgewacht, so ist es mir in die Knochen gezogen. Man sollte sich hier unten auch möglichst langsam bewegen, damit man nicht ins Schwitzen kommt."

Farang blieb vor einer Wand stehen, die mit handschriftlichen Vermerken verziert war. Einen davon konnte er auch im schwachen Licht der Glühbirnen entziffern.

30. 12. 56, Dung trocken.

Heli leuchtete die Wand mit der Lampe an. „Die Anlage wurde in den Jahren zwischen fünfzig bis dreiundsechzig zur Champignon-Zucht genutzt. Hier standen Podeste und Gestelle, auf denen Pferdemist und Bananenstroh ausgebreitet war."

„Eine Pilzfarm?"

„Der Mist kam aus den Ställen der Galopprennbahn Hoppegarten, das Stroh aus dem Tierpark in Friedrichsfelde." Sie beleuchtete einige Schmierspuren, die die Wand in Brusthöhe zierten. „Was denkst du, was das ist?"

Er musterte die bräunlichen Streifen und Flecken eingehend. „Keine Ahnung."

„Da haben sich die Arbeiterinnen des *volkseigenen Betriebes Champignonzucht Torgau* die Gummihandschuhe abgewischt. Die DDR hat die Produktion später wegen der Nähe zur Grenze und der damit verbundenen Fluchtgefahr eingestellt. Danach wurde der Bunker nicht mehr genutzt und stand leer. Auch eine Renovierung für den Zivilschutz erfolgte nicht mehr."

Helis Kenntnisse machten Farang sprachlos.

„Komm!" Sie nahm ihn bei der Hand und führte ihn den Gang entlang. Vor einer der Zellen blieb sie stehen und leuchtete ihm. Er betrat den kleinen Raum und sah sich um. An einer

Längswand stand ein Frachtkoffer aus Aluminium mit zwei Schlössern. Vor der gegenüberliegenden Wand stand einsam und verloren die rote Plastikhülse eines leergebrannten Windlichts auf dem nackten Zellenboden. Daneben lag auf einem Porzellanteller etwas, das wie ein vertrockneter Wurzelballen aussah. Heli bat ihn, die Lampe zu halten und öffnete die Kofferschlösser mit einem winzigen Schlüssel. Sie klappte den Deckel hoch, und nahm eine Wolldecke heraus. Er konnte eine stattliche Reserve an Windlichtern erkennen. Daneben ruhte ein Stapel Bücher.

Heli nahm eine frische Kerze und sagte: „Manchmal lese ich hier unten auch." Sie schloss den Deckel, und breitete die Decke darauf aus. „Setz dich!"

Er hockte sich auf den Frachtkoffer und leuchtete ihr mit der Stablampe, während sie das Windlicht austauschte und den frischen Docht mit einem Feuerzeug anzündete. Die Flamme flackerte auf.

„Hier hat meine Großmutter die meisten Bombenangriffe überstanden – bis auf das letzte Mal." Heli griff nach einer Plastikflasche, die neben dem Koffer stand und goss Wasser über den zusammengeschrumpelten Ballen.

„Was ist das?"

„Eine Auferstehungsblume. Auch ‚Rose von Jericho' genannt. Eine Kruzifere aus den Sandwüsten des Orients. Man kann sie so oft aufblühen lassen, wie man möchte. Es kostet nur ein bisschen Wasser."

„Das soll eine Pflanze sein?"

„Warte mal zehn Minuten ab. Dann erlebst du das sogenannte Wunder der Wüste. Sie lebt ohne Wasser und Erde bei großer Hitze und eisiger Kälte. Sie verträgt sogar kochendes Wasser. Die Kreuzfahrer haben sie aus dem Heiligen Land mitgebracht."

Sie setzte sich neben ihn.

„Es ranken sich alle möglichen Legenden um die Rose. Sie soll Heilwirkungen haben. Und ein Haus, in dem sie aufbewahrt wird, bringt den darin Lebenden angeblich Glück und Segen."

Er ließ den Lichtkegel auf der Wunderpflanze ruhen, um nichts zu verpassen.

„Mach sie aus", bat sie.

Er knipste die Stablampe aus und schaute in stiller Eintracht mit Heli auf das Windlicht und die Pflanze. Die Kerzenflamme brannte unruhig und warf seltsame Schatten an die kahlen Wände. Langsam verflüssigte sich mehr Wachs, und Flamme und Schatten beruhigten sich nach und nach.

Er zog die Handschuhe aus und rieb sich die Hände.

„Keine Angst", sagte sie leise und lehnte sich an ihn, „Wir bleiben nicht lange – du musst nicht erfrieren.

Er legte einen Arm um ihre Schulter.

„Ich komme alle zwei Wochen hierhin", sagte sie. „Andere gehen auf den Friedhof, ich habe das hier."

„Kommt Rudi hier auch hin?"

„Nein. Rudi brauche ich nur als Führer, wenn ich unbekannte Streckenabschnitte erkunde. Genau genommen will ich morgen mit ihm los – wenn er denn gesund ist – aber wenn wir heute noch zum Fichtenberg müssen, wird mir das selber ein bisschen viel." Sie lachte leise. „Ich glaube, ich gebe Rudi noch ein wenig Zeit zur Genesung."

Sie schwiegen eine Weile. Dann erhob sich Heli, nahm das Windlicht und hielt es in Augenhöhe vor die Wand. Farang trat zu ihr. Inmitten unzähliger Krakel und Skizzen war eine Notiz besonders klar zu erkennen. Trotzdem konnte er die altmodischen Zeilen nicht recht deuten.

„Meine Großmutter hat noch Sütterlin geschrieben." Heli las es ihm langsam vor: *„Als ich zur Welt kam, bekam ich ein Kleid geliehen – jetzt will der Herr es wiederhaben."*

Er ließ die Worte einen Moment im Raum stehen – dann räusperte er sich. „Sie muss in großer Not gewesen sein."

„Das war sie." Heli stellte die Kerze wieder ab und setzte sich. „Es war bei einem besonders schlimmen Luftangriff. Mutter hat früher oft davon erzählt. Diese Nacht haben sie noch gemeinsam überstanden, aber dann..."

Er setzte sich zu ihr.

Sie nahm seine Hand. „Dass deine Mutter tot ist, hast du schon erwähnt, aber was ist mit *deiner* Großmutter – lebt sie noch?"

„Meine thailändische ist tot. Ich erinnere mich kaum an sie, denn sie starb früh an einem Fieber." Er machte eine Pause. „Und meine deutsche habe ich nie kennen gelernt."

„Und warum starb auch deine Mutter so früh?"

Es kostete ihn einige Überwindung, darauf zu antworten. Aber Heli war offen und ehrlich zu ihm, warum sollte er sie enttäuschen? „Hast du jemals Drogen genommen?"

„Nein – nur grünen Tee."

Er konnte ihr Lächeln nicht sehen, aber er spürte es.

„Und du?"

„Niemals. Aber nicht, weil ich so gut und sauber bin, sondern wegen ihr. Sie ist daran zugrunde gegangen. Ganz langsam. Und ich habe es mit angesehen und ihr nicht helfen können. Sie hat spät damit angefangen..."

„Womit?"

„Heroin."

„Warum hat sie es getan?"

„Weil sie älter wurde, weil ihre Schönheit verfiel, und weil sie nicht damit fertig wurde. Ihre Jugend und ihr gutes Aussehen waren das einzige Kapital in ihrem Beruf. Jedenfalls sah sie das so."

„Womit hat sie ihr Geld verdient?"

„Sie hat ihren Körper verkauft." Er fühlte sich jetzt schon klamm. Ihn fröstelte. „Auf hohem Niveau und für viel Geld – aber es änderte nichts daran, dass sie eine Hure war. Sie hat darunter gelitten. Sie wäre gerne verheiratet gewesen, hätte gerne eine richtige Familie gehabt. Aber so, wie die Dinge lagen, blieb sie eine Frau mit einem unehelichen Kind und wurde nur vierundvierzig Jahre alt."

„Und dein Vater?"

Farang zögerte die Antwort hinaus und ließ Helis Hand los. Er hatte schon genug rausgelassen. Wozu sollte das gut sein?

Sie insistierte nicht.

Er gab seine Zurückhaltung auf. „Die beiden haben sich Mitte der Fünfzigerjahre in Bangkok kennen gelernt. Meine Mutter war achtzehn. Ein Jahr später kam ich zur Welt. Da war er schon wieder weg."

„Er hat euch also im Stich gelassen. War er einer von diesen Touristen?"

„Nein, damals gab es diese Massen von Urlaubern aus Deutschland noch nicht bei uns. Er war auf Dienstreise, arbeitete für die Industrie."

„Und er hat sich sang- und klanglos verdrückt?"

„Er hat sie eine Zeit lang mit Geld unterstützt, aber er hat sie nie geheiratet. Später hat er eine Deutsche geheiratet."

„Mieses Schwein!" Es war ihr rausgerutscht. „Sorry."

„Du brauchst dich nicht zu entschuldigen. Außerdem lebt er nicht mehr. Herzinfarkt."

„Gibst du ihm die Schuld am Tod deiner Mutter?"

„Schuld?"

„Ja, er hatte doch eine Verantwortung..."

„Er war nur mitverantwortlich an der Misere. Meine Mutter war zu einem Teil auch selber schuld. Es wäre nicht nötig gewesen, dass sie sich nach der Trennung prostituierte. Er hat ihr Geld gegeben. Als ich später selbst welches hatte, habe ich ihr auch Geld gegeben. Als er nicht mehr zahlte, habe ich ihr mehr Geld besorgt. Es war genug. Aber sie wollte unabhängig sein. Sie hatte große Ansprüche, war süchtig nach Luxus. Sie bediente nur die besten Kreise. Offiziere, Manager und Diplomaten. Auch das hätte sie womöglich noch mit Stil über die Runden gebracht..."

„Und warum ist es schief gegangen?"

„Weil sie diesen Zuhälter hatte. Sie arbeitete für eine noble Agentur, und er war ihr *Agent*."

„Und er hat sie abhängig gemacht."

„So war es. Er hat meine Mutter mit der Droge bekannt gemacht, und er hat sie damit versorgt. Wenn jemand Schuld an ihrem Tod war, dann er!"

„Sieht ganz so aus."

„Aber es ist erledigt."

„Erledigt?"

„Er hatte kein Recht mehr zu leben."

„Was soll das denn heißen?" Heli richtete sich auf. „Du hast ihn doch nicht...?"

Schluss mit dieser verdammten Schwätzerei! Er hatte nicht vor, es auch noch zu leugnen. Er leuchtete die Rose von Jericho an. Sie hatte sich inzwischen geöffnet, hatte ihr vertrocknetes Braun in ein dunkles Grün verwandelt und ihre Sprosse zu einer flachen Rosette aufgerollt, die den ganzen Teller bedeckte. Das Wunder war geschehen. Er schaltet die Lampe wieder aus.

Heli räusperte sich. „Das kann doch nicht dein Ernst sein?"

„Sie war meine Mutter!"

„Aber..."

„Denk darüber, was du willst..."

In ihr bedrücktes Schweigen hallte ein entferntes Geräusch. Es hörte sich an wie das Gurgeln und Schmatzen von Wasser. Dann nichts mehr.

„Was war das?" fragte er.

Heli schien das Geräusch nicht wahrgenommen zu haben. „Hast du irgendwann dafür gesessen, ich meine, warst du dafür im Gefängnis?" fragte sie leise.

Es war an der Zeit, wieder auf sicheren Grund zu kommen. „Lassen wir das. Wie du siehst, darf ich in der Welt herumreisen und ohne Einschränkungen Bunker und Tunnel besichtigen." Sein Lachen war nicht laut, wirkte aber durch den Hall etwas diabolisch.

Heli wirkte noch wie abwesend.

Farang nahm die Stablampe und leuchtete den Sinnspruch an. Er rahmte ihn in einem hellen Kreis ein und sagte nachdenklich: „In dieser Stadt wimmelt es nur so von Gedenktafeln. Nur deine Großmutter hat keine."

„Für mich ist das eine", antwortete Heli trotzig.

Sie hatte Recht. Ihre Großmutter hatte es selbst in die Hand genommen. Sie hatte nicht auf die späte Erinnerung ihrer Mitmenschen gehofft, sondern gleich eine ganze Wand für sich markiert.

Heli sah auf die Uhr. „Wenn wir der Sache mit den Fledermäusen auf den Grund gehen wollen, müssen wir allmählich zum nächsten Bunker weiterziehen."

Für einen Augenblick fühlte er sich müde und ausgebrannt. „Ich wollte, Bobby wäre hier und könnte mir helfen." Er knipste die Lampe aus.

„Bobby?"

„Ein Freund von Tony und mir."

Er erzählte ihr von der Tunnelratte und ihren Vorzügen. Sie hörte aufmerksam zu – und als könne der ganze Vietnamkrieg nicht plastisch genug sein, ergänzte er seine Beweisführung um ein Stück deutscher Filmgeschichte.

„Hast du jemals diesen U-Boot-Film gesehen?"

„Du meinst ‚Das Boot'?"

„Richtig. Ich habe ihn mal in Köln gesehen. Im Kino."

„In Köln?"

„Ich habe meinen Vater dreimal in Deutschland besucht. Er hat mich eingeladen. Aber es hat nichts genutzt. Wir sind uns dadurch nicht näher gekommen."

„Und was war mit dem Film?"

„Kurz bevor das U-Boot absäuft – ich glaube, es war irgendwo bei Gibraltar – bringt der Erste Ingenieur diese Energieleistung zustande, mit seinen Leuten natürlich. Sie kriegen das Wrack irgendwie wieder in Fahrt. Es hatte was mit den Batterien zu tun. Sie basteln um ihr Leben, und alle warten – auch der Kommandant. Und dann kommt der magische Moment: Es funktioniert, und das Boot steigt langsam wieder auf, und als klar ist, dass sie überlebt haben, sagt der Kommandant: *Gute Leute muss man eben haben!*"

„Und?"

„So ist es mir manchmal mit Tony und Bobby gegangen."

„Du hast *mich* doch", sagte Heli unbeeindruckt und stand auf.

Farang hielt den Deckel auf, während sie die Decke verstaute und warf noch einen Blick auf das Windlicht, nachdem sie den Alukoffer abgeschlossen hatte.

„Das kann weiterbrennen", beruhigte sie ihn. „Da passiert nichts. Und Großmutter hat es etwas wärmer."

Und das Wasser wird verdunsten, und die Rose wird sich wieder langsam zusammenrollen. Er spürte, wie ihm der Frost in die Knochen zog. Es war unwirklich still in der Zelle. Er sah zur Maueröffnung, die auf den Gang führte, und glaubte eine Vision zu haben. Er war wieder mit James Yang unterwegs, in diesem Chinesen-Tempel in Sampeng, dessen Vorraum von zwei bewaffneten Kriegerstatuen bewacht wurde. Doch der Tempel war ein Bunker, und die beiden Wächter waren keine bärtigen Chinesen sondern glattwangige Vietnamesen, die nicht mit Schwert und Pfeil und Bogen, sondern mit winzigen Maschinenpistolen bewaffnet waren, deren Metall matt im Licht einer Glühbirne schimmerte.

Als Heli die Bewaffneten sah, entfuhr ihr ein Schrei, und Farang stieß sie so heftig von sich weg, dass es sie über den Alukoffer in eine Zellenecke schleuderte, während er unter Mantel und Anorak nach der Smith & Wesson fischte und sie in Anschlag brachte.

Die beiden Krieger blieben unbeeindruckt.

Sein Instinkt sagte ihm: Du hast mit einer Halbautomatik keine Chance gegen die vollautomatischen Waffen.

Die Krieger schienen ihre Feuerkraft ähnlich einzuschätzen.

Langsam ließ er die Pistole sinken.

Die beiden Vietnamesen richteten nach wie vor stoisch die Mündungen ihrer Schnellfeuerwaffen auf seinen Bauch und warteten ab. Sie trugen billige Winterkleidung aus dem Supermarkt. Moonboots, weite Jogginghosen mit breiten Seitenstreifen und Anoraks mit Kunstpelzbesatz an den Kapuzen. Alles in knallbunten Farben und mit einem hohen Plastikanteil.

Heli rappelte sich laut fluchend auf. „Was zum Teufel ist hier los?" brüllte sie.

Die Vollasiaten im Gang und der Halbasiate in der Zelle schwiegen betroffen.

Helis Blick fiel auf die Pistole in Farangs Hand. „Du bist bewaffnet?"

Es war das zweite Mal an diesem Tag, dass er sie enttäuschte. Ja, er war bewaffnet und fähig zu töten, aber es würde nicht viel nützen, denn die beiden Männer da waren besser ausgerüstet. Und wenn sie so ruhig und gelassen blieben, waren sie äußerst ernst zu nehmen. Außerdem wollte Heli sowieso nicht, dass er schoss, denn ein Mensch, der schon bei Asbest und Elfenbein ein schlechtes Gewissen hatte...

Einer der Krieger streckte fordernd die Hand aus, und Farang gab seine Pistole ab. Der Mann betrat die Zelle und dirigierte das Paar in die geforderte Position: das Gesicht zur Wand, die Beine gespreizt, die Hände gegen den kalten Beton gestützt. Auch Heli ergab sich in ihr Schickal. Langsam begann der Asiate sie abzuklopfen und zu durchsuchen.

Im flackernden Licht der Kerze konnte Farang direkt auf Großmutters mahnende Worte sehen. Für einem Moment drohte ihm ein Fuß wegzurutschen, und er setzte ihn vorsichtig ein wenig nach vorne und stieß dabei den Teller mit der Wunder-Rose um.

„Entschuldige bitte", flüsterte er Heli zu.

69

Als der Captain die Fotoaufmacher der Boulevardzeitungen sah, die ihm seine Pendler brachten, rechnete er mit baldigen Aktionen der Mildtätigen.

Er fluchte. Nichts wäre wichtiger gewesen als die Ruhe vor dem Sturm. Sorgfältige und dezente Vorbereitung war notwendig. Stattdessen lag da eine Vietnamesin in unmittelbarer Nähe des Wasserfriedhofs, vergewaltigt und tot, mitten in der Tourismuszone von Van Thánh. Eine Frau, die nicht zu seinen Leuten gehörte.

Der Verdacht, der sofort in ihm aufkeimte, war zwingend. Froschhand hatte die Region um den Friedhof völlig unter Kontrolle. Nichts entging ihm dort, was er nicht sofort gemeldet hätte. Es sei denn, er hatte es selbst zu verantworten. Es wäre nicht das erste Mal, dass der Mann mit der Froschhand auszog, um einen Baum zu kaufen und ihn dabei entwurzelte.

Er musste ihn zur Rechenschaft ziehen, wenn er ihn das nächste Mal unter die Augen bekam. Es brachte ihn in eine höchst unangenehme Lage. Einerseits war absolute Disziplin unumgänglich, andererseits war er dringend auf die Kämpferqualitäten von Froschhand angewiesen – ganz besonders in Zeiten wie diesen. Seine Truppe war zu klein, als dass er sie selbst dezimieren konnte.

70

Wenn Romy Asbach ganz ehrlich zu sich selber war, dann wäre sie lieber mit gezückter Waffe frontal durch den Haupteingang der Villa marschiert, als irgendwo im näheren Umkreis in einen Gully zu kriechen, um von Fledermäusen umflattert im Fichtenberg den Nebeneingang zum Keller zu suchen.

Sie hatte den Opel am vereinbarten Treffpunkt am toten Ende des Karl-Heinrich-Becker-Wegs geparkt. Der so genannte Weg war eine ruhige Nebenstraße von großzügiger Breite, die reichlich freie Parkplätze unter altem Baumbestand bot. Auf dem Fichtenberg war eben alles eine Nummer luxuriöser. Es war inzwischen dunkel und schneite so dicht, als wolle der Himmel Deckung für ihr Vorhaben geben. Beheizbare Sitze wären jetzt angenehm gewesen. Aber trotz der Kälte war sie nicht böse, dass sich Heliane Kopter und Farang verspäteten. Das Fläschchen mit den Rettungstropfen war bereits halb leer, bevor die Aktion überhaupt begonnen hatte. Schon die Utensilien im Kofferraum, die sie auf Helis Wunsch hin von Georgia Brand ausgeliehen hatte, machten sie nervös. Eine Halogenlampe mit tragbarem Stativ, drei große Stablampen, drei Stirnlampen mit Kopfgeschirr, alle mit entspechenden Batterien ausgestattet, drei Paar Gummistiefel, drei Paar Arbeitshandschuhe, zwei Stemmeisen, vermutlich, um den geheimnisvollen Einstiegsdeckel aufzuhebeln, und drei Signalwesten. Auf den orangen Leibchen hatte Georgia Brand nachdrücklich bestanden. Sie hatte die Westen widerspruchslos eingepackt. Schließlich ging es die gute Frau nichts an, dass eine weniger auffällige und dafür kugelsichere Montur in diesem speziellen Fall angebrachter gewesen wäre.

Romy stieg aus dem Wagen und vertrat sich im matten Licht einer altmodischen Straßenlaterne die Beine. Sie stapfte bis zum Rondell am Friedrich-Park durch den frisch gefallenen Schnee und betrachtete ungläubig die beiden grün umrandeten Schilder, die beide Ecken am Ende der Sackgasse markierten. So klein der Park auch war, es waren gleich zwei Warndreiecke nötig, um darauf hinzuweisen, dass es sich um eine geschützte Grünanlage nach dem Gesetz vom 3. 11. 1962 handelte. So viel zur Prioritätensetzung bei der Verhütung von Straftaten in dieser Stadt. Immerhin verzierte eine symbolische Tulpe im weißen Feld die Mahnung.

Zwischen den Büschen tauchte eine Gestalt auf, die durch die dicht fallenden Flocken näher kam.

Es war Heliane.

Alleine.

„Und wo ist unser Freund?“ fragte Romy zur Begrüßung. Heli blieb keuchend stehen und zog den Kopf noch ein wenig tiefer zwischen die Schultern. Sie sah gezeichnet aus und war komplett durch den Wind.

„Was ist passiert?“

„Sie haben uns überfallen“, rang sich Heli ab.

„Wer und wo?“

„Asiaten. Im Bunker an der Littenstraße.“

„Und?“

„Als ich wieder zu mir kam, war ich allein. Ich habe die ganze verdammte Luftschutzanlage abgesucht. Nichts. Ich bin fast wahnsinnig geworden. Er ist weg. Sie müssen ihn mitgenommen haben.“

„Komm.“ Romy legte ihr einen Arm um die Schulter und führte sie zum Wagen. „Erzähl mir alles in Ruhe.“

Sie setzten sich ins Auto, und Romy zündete den Motor und ließ die Heizung arbeiten. Heli quittierte das mit strenger Miene und der spitzen Bemerkung: „Wegen mir müssen wir nicht die Luft verpesten.“

„Komm mir jetzt bitte nicht mit Umweltmacken“, blaffte Romy. „Ich habe keine Lust, mir auch noch den Arsch abzufrieren.“

Heli zuckte zusammen.

„Ich finde es schon happig genug, dass du bei der Krise trotz Verspätung noch in aller Ruhe die U-Bahn nimmst und den Rest zu Fuß läufst. Es gibt Taxis in dieser Stadt.“

Heli putzte sich die Nase.

„Los, erzähl schon.“

Heli berichtete.

„Hast du irgendwen alarmiert?“

„Nein. Du bist doch von der Polizei.“

„Tja, das ist wohl wahr“, kommentierte Romy staubtrocken und umriss in wenigen Worten, warum Heli ihre Hoffnungen auf Law & Order etwas tiefer hängen konnte.

„Scheiße!“

„Sag ich doch. Hab ich nicht als erste gute Tat im neuen Jahr versucht, dich da rauszuhalten?“

Heli schwieg frustriert und starrte durch die Seitenscheibe auf den Bauschuttcontainer, der vor der beleuchteten Hausnummer 16/18 am Randstein bereitstand. „Die habe ich ganz vergessen zu erwähnen“, sagte sie leise zu sich selbst.

„Wovon redest du?“

„Von der Berliner Gedenktafel, die da vorne neben dem Eingang hängt.“

„Welche Gedenktafel?“

„Für den Filmproduzenten Erich Pommer. Er wohnte da vorne, bevor er dreiunddreißig emigrierte. Er hat den ‚Blauen Engel' mit der Dietrich produziert."

„Du bist wirklich total von der Rolle. Wie kommst du in aller Welt jetzt darauf?"

„Farang interessiert sich dafür."

„Tatsächlich? Ihr unterhaltet euch über Gedenktafeln? Wie erotisch..."

„Das verstehst du nicht."

„Sieht so aus." Romy schlug mit der flachen Hand auf das Lenkrad, um ihrem Ärger Luft zu machen.

Heli starrte gegen die schneebedeckte Windschutzscheibe „Wenn wir nur wüssten, wo er ist..."

„Vermutlich ist er genau da, wo er hinwollte – nur zu ungünstigeren Bedingungen, als er sich vorgestellt hat."

„Werden sie ihn...?"

„Umbringen? Warum sollten sie? Soviel ich weiß, hat er ihnen nichts getan. Und wenn Gustav Torn tatsächlich bei ihnen ist, wird unser Eurasier sich reiflich überlegen, ob er Forderungen stellt, die ihn unbeliebt machen. Vielleicht haben sie ihn schon wieder irgendwo ausgesetzt."

„Dann hätten sie ihn sicher nicht mitgenommen."

„Das waren Hiwis, die mit der Entscheidung überfordert waren. Du bist Deutsche. Da bauen die keinen Mist. Keine unnötigen Grobheiten gegenüber Gastland und Kunden, nur kurz ausknocken, um in Ruhe spurlos verduften zu können. Aber unser Freund sieht nun mal asiatisch aus und war zudem bewaffnet. Das hat sie wohl unsicher gemacht. Also ab mit ihm zum Oberkommando."

„Ich kann es immer noch nicht glauben, dass er eine Pistole bei sich hatte." Heli schnäuzte sich erneut.

Romy musste lachen. „Der Junge, von dem du da sprichst, ist ein ganz abgebrühter. Er muss ein Formtief haben. Anders kann ich mir nicht erklären, dass er den Kürzeren gezogen hat." Sie lachte. „Obwohl er manchmal für Flankenschutz dankbar ist. Aber wer hat schon immer rechtzeitig ein Messer zur Hand."

„Ein Messer?"

„Ach, vergiss es. Was hat er dir denn so über sich erzählt?"

„Dass er Reporter ist.“

„Reporter? Ich fasse es nicht.“ Romy schüttelte den Kopf. „Männer!“ Sie musterte Heli wie eine kleine Schwester, die einem Langmut abforderte. „Das ist gelogen, Mädel.“

„Er hat mich nicht direkt angelogen. Ich hab es einfach angenommen, weil Tony ihn zu mir geschickt hat. Ich dachte, sie recherchieren, um was über Torns Machenschaften zu schreiben. Immerhin habe ich mal Vorarbeit zum Thema geleistet.“

„Du verteidigst ihn ja richtig.“ Romy warf Heli einen mitfühlenden Blick zu. „Hast du mit ihm gepennt?“

„Gepennt? Wie redest du denn mit mir?“

„Oje!“ Romy betätschelte das Lenkrad. „Also, haste oder haste nicht?“

„Das geht dich einen Scheißdreck an!“

„Schon gut.“ Romy rang sich ein Lächeln ab. „Tut mir Leid.“

Heli schniefte. „Die Typen, die uns überfallen haben, haben mir eine Mordsangst eingejagt mit ihren Maschinengewehren.“

„Was du da beschrieben hast, waren keine Maschinengewehre sondern Maschinenpistolen“, stellte Romy geduldig richtig.

„Spielt das eine Rolle?“

„Lassen wir das. Unser Problem ist: Du hast keine Angst vor Tunneln und Bunkern und dafür jede Menge Schiss vor den kleinen gelben Männern mit den bösen Waffen – und ich fürchte mich nicht vor bewaffneten Kriminellen, habe aber eine ausgeprägte Panik vor Gruften und Grotten.“

„Gehen wir trotzdem rein?“

„Gute Frage...“ Romy Asbach biss sich auf die Unterlippe und zögerte, sich festzulegen. Was sollte sie tun? Den Rest von Großvaters Kuckucksuhren mit dem Halogenscheinwerfer anstrahlen? Sie betätigte die Scheibenwischer, als könne der freie Blick in die Winterpracht Klarheit schaffen.

Die Wischer schoben im Intervall die Flocken vom Glas, und Heli nutzte Romys anhaltende Unsicherheit für einen Alternativvorschlag.

Romy hörte aufmerksam zu, schüttelte schließlich den Kopf und stöhnte auf. „Und ich dachte, ich wäre allein auf mich gestellt. Dabei drängeln sich überall auf dem Globus Gutmenschen und stehen Schlange, um mir zu helfen..."

„Sei nicht so zynisch!"

Romy Asbach schwieg noch eine ganze Weile, dann sagte sie: „Also gut, einverstanden. Wir geben ihm bis morgen Mittag. Wenn er bis dahin nicht wieder aufgetaucht ist, dann führ in Gottes Namen dein Ferngespräch."

71

Die kleine Jadeschildkröte schimmerte hellgrün im Licht der Altarkerzen.

„Meine Männer haben das hier bei dir gefunden", sagte der Mann mit dem Glasauge, den seine Krieger den ‚Obersten Befehlshaber' titulierten, und der nach Sichtung von Romys Materialien ohne große Mühe als General Xuong, vermutlicher Vorsitzender des Bundes der Mildtätigen, zu identifizieren war.

„Ich habe nicht vor, es zu leugnen", antwortete Farang in Englisch, auf das sie sich als Verkehrssprache geeinigt hatten, und musterte die Wachen, die die Tür flankierten.

Der Oberste Befehlshaber steckte die Schildkröte in die Tasche seiner Uniformjacke. „Dieser Glücksbringer gehörte einer der Unseren, einer Frau, die mir viel bedeutete – sehr viel."

Wenn das Schicksal zuschlug, dann richtig. Farang atmete tief durch und hielt den kombinierten Blick aus lebender Pupille und totem Glasauge aus. Das gesunde Auge flackerte nervös, die Prothese schimmerte in einem kühlen und sehr blassen Blau. Er musste an den Affen mit den hellgrauen Augen im Privatzoo seines Ziehvaters denken. Pa konnte ihm jetzt nicht helfen. Er war in echter Beweisnot. Alles sprach gegen ihn. Jeder Erklärungsversuch musste sich wie pure Fantasy ausnehmen. Obwohl, wenn er sich die magische Behausung genauer anschaute, in der der oberste Mildtätige residierte, hatte er vielleicht doch Chancen mit der Wahrheit durchzukommen, mochte sie auch noch so bizarr klingen. Allein die Brokatorgie in violett und purpur, die Decke und Wände zierte, gab Hoffnung. Dann diese blechbeladene Operettenuniform, die der Mann trug, der Thron von einem Sessel, das kuriose Altararrangement und das pompöse Imperatorenlager hinter dem offenen Vorhang, über dem diese gelbrote Flagge drapiert war. Das alles machte Mut, ebenfalls etwas Ungewöhnliches zu bieten.

Und dann, als sei dies ein Fingerzeig des Schicksals, quiekte es unter dem Diwan und ein kleines schwarzes Schwein streckte vorsichtig seinen Rüssel ins Freie, tippelte vorsichtig auf Farang zu und beschnüffelte ihn.

„Das ist meine Mireille", stellte der Oberste Befehlshaber sein Haustier vor.

„Mireille..." wiederholte Farang, den Blick auf das Rubinhalsband gerichtet, und entschloss sich, das Vorstellungsvermögen des Mannes bis an die Grenzen auszureizen. „Ich werde Ihnen genau erzählen, wie sich alles verhält."

Der Oberste Befehlshaber bot ihm einen Sessel an. „Wie heißt du?"

„Man nennt mich Farang."

„Farang!" Der Vietnamese lachte. „Der Weiße aus der westlichen Welt. Dabei bist du es nur zur Hälfte. Wie du siehst, haben sich auch in diesem Fall die Franzosen durchgesetzt. Sonst müsste man dich Jeraman rufen!"

Um das Verhandlungsklima weiter zu verbessern, nahm Farang die angebotene Gitane an und paffte mit. Er berichtete von seiner frühmorgendlichen Entdeckung im Bootsschuppen, beschrieb alles exakt, verschwieg jedoch den Notizzettel, den er gefunden hatte.

„Und du bist sicher, dass du es nicht selber warst?" fragte der Oberste Befehlshaber ungerührt.

Farang ließ sich nicht aus der Ruhe bringen. „Ich habe noch mehr Leichen gesehen, die ebenfalls nicht auf mein Konto gehen. Genau genommen haben diese Toten mich zur Leiche der Frau geführt."

Er schilderte den Blick, den er durchs Eis in den Unterwasserfriedhof geworfen hatte, so dramatisch, dass sein Gegenüber ob dieser Götterdämmerung zum ersten Mal Wirkung zeigte.

„Die Frau war tags zuvor schon einmal auf dem See", fuhr Farang fort. „Genau an derselben Stelle. Es sieht aus, als habe sie etwas dahingezogen, etwas Persönliches, als habe sie einen der

Toten unter dem Eis gekannt." Er warf dem Obersten Befehlshaber einen eindringlichen Blick zu. „Vermissen Sie noch andere ihrer Leute?"

Es hielt den Vietnamesen nicht mehr im Sessel. Nur mühsam beherrscht ging er vor den Altartischen auf und ab, ganz mit sich und seinen Gedanken beschäftigt.

Mireille hatte sich zwischen Farangs Beinen postiert und sah erwartungsvoll zu ihm auf. Er nahm sie auf den Schoß. Sie grunzte sanft und machte es sich bequem, während er den glimmenden Räucherstäbchen und brennenden Kerzen auf dem Altar zuschaute und dabei an Heli denken musste.

„Hast du schon mal was von einem Vietcong mit dem Namen ‚Bruder Tunnel' gehört?" fragte der Oberste Befehlshaber ohne den Blick vom Kruzifix an der Wand zu nehmen. „Sie nennen ihn auch McLenin..."

„Nein."

„Wenn du etwas mit diesem Kommunisten zu tun hast, gib es besser gleich zu." Der Oberste Befehlshaber rückte das Kreuz gerade und wandte sich seinem Gefangenen zu. Erst jetzt bemerkte er die Zutraulichkeit, die sein Hausschwein dem Fremden bekundete. Es brachte ihn zum Lächeln. „Sie mag dich. Das spricht für dich. Also will ich dir glauben." Er setzte sich wieder in seinen Thronsessel.

Farang kraulte Mireille die Stirn.

„Sie will nicht fressen", sagte der Oberste Befehlshaber voller Sorge. „Sie ist krank."

„Ich hoffe, es ist nichts Ernstes."

„Was hattest du mit der Deutschen in diesem Bunker zu suchen?"

„Was ist mit ihr passiert?"

„Meine Männer haben sie für eine Weile eingeschläfert. Wenn sie klug ist, wird sie schon wieder zu Hause sein."

Soweit beruhigt, gab er sich ganz als Thai-Tourist, der seine deutsche Freundin zu Weihnachten besucht hatte, die wiederrum Mitglied in diesem Rettet-die-Tunnel-Verein war.

Der Oberste Befehlshaber ließ die angebotene Version vorläufig auf sich beruhen. „Du wirst uns trotzdem eine Weile Gesellschaft leisten müssen. Ich muss alles in Ruhe überdenken.“ Er entließ die Wachen mit einer Handbewegung.

Farang hatte nichts gegen den Aufenthalt, solange es ihm dabei nicht an den Kragen ging. Wenn Gustav Torn bei den Vietnamesen war, dann war er ihm ganz nah. Trotzdem gab er vorsichtshalber den besorgten Bräutigam. „Meine Freundin wird sich Sorgen machen.“

„Das hoffe ich doch für dich. Sie wird es schon überleben.“ Der Oberste Befehlshaber holte die Jadeschildkröte wieder aus der Uniformtasche. „Weißt du, was das in meiner Heimat für ein Symbol ist?“

„Nein.“

„Kannst du eine Pfeife präparieren?“

Die Utensilien zum Opiumrauchen waren auf dem untersten Altartisch platziert. Er übergab Mireille vorsichtig an ihren Besitzer und machte sich an die Vorbereitungen. Noch während er hantierte, begann der Oberste Befehlshaber ihm mit leiser Stimme ein Märchen zu erzählen. Es war die Legende vom See des zurückgegebenen Schwertes, in der ein Held namens Le Loi seine Armee mit einem Wunderschwert, das er mit Hilfe eines Fischers gefunden hatte, von Sieg zu Sieg führte, bis er das Land befreit hatte und König wurde.

„Nach der Befreiung der Seinen verbrachte der König so manche Stunde in seinem Palast.“ Bei diesen Worten richtete der Oberste Befehlshaber sich für einen Augenblick im Sessel auf und machte eine so weit ausholende Armbewegung durch seine Residenz, als rede er von sich selbst. „Besonders gerne verbrachte er seine Freizeit auf dem See im Park, den er mit seiner reich verzierten Dschunke befuhr.“

Farang überreichte die brennende Pfeife, übernahm Mireille wieder und setzte sich in seinen Sessel.

Der Oberste Befehlshaber nickte seinem Gefangenen huldvoll zu, begab sich mit der Pfeife zum Diwan, machte es sich gemütlich und nahm ein paar Züge, bevor er seine Geschichte zu Ende brachte. „Ein Jahr nachdem Le Loi König geworden war, tauchte bei einer seiner Ausfahrten eine Schildkröte aus der Tiefe des Sees auf, genau vor dem Bug seiner Dschunke. Sie forderte das Schwert ihres Herren zurück. Es herrscht wieder Friede und Ordnung im Land, sagte die Schildkröte, und du brauchst die

Gabe des Kaisers Lac Long Quan nicht mehr. Da wusste Le Loi plötzlich, dass es der Herrscher des Wasserreiches war, der ihm in schwerer Stunde geholfen hatte. Er nahm das Schwert vom Gürtel und gab der Schildkröte die Waffe zurück, und die Schildkröte verschwand damit in der Tiefe." Der Oberste Befehlshaber seufzte schwer. „Und seit jenen Tagen heißt der See in der Mitte Hanois: See des zurückgegebenen Schwertes."

Im Raum waberte ein Duft aus Opium, Kerzenwachs, Opferstäbchen und schwarzem Tabak. „Das ist eine schöne Geschichte." Farang unterdrückte ein Husten.

Mireille war eingeschlafen und schnarchte leise. Der Oberste Befehlshaber rauchte für einige stille Minuten und hing seinen Gedanken nach, und Farang wagte nicht, sich zu bewegen, um das Minischwein nicht aufzuwecken.

„Als das Eis an jenem Morgen riss, und du tief in den See schauen konntest, hast du da eine Schildkröte gesehen – oder gar ein Schwert?"

Die Beiläufigkeit, mit der ihm die Frage gestellt wurde, konnte nicht darüber hinwegtäuschen, dass die Antwort brennend interessierte. Sie konnte sein Schicksal entscheiden. Farang spürte es, und zögerte die Antwort etwas hinaus, um ihr mehr Bedeutung zu verleihen. „Ich bin mir nicht ganz sicher. Aber irgendetwas schimmerte da unten. Womöglich haben die Toten es bewacht."

Der Oberste Befehlshaber nickte und sog wie abwesend an der Pfeife. Dann blies er Opiumrauch aus. „Der Herrscher des Wasserreiches hat mir ein Zeichen gegeben. Er hat meine Konkubine zu sich gelockt, und dich geschickt, um darüber zu berichten. Er hat meine Männer zu sich genommen, damit sie etwas für mich bewachen..."

Farang blieb stumm.

Der Oberste Befehlshaber lächelte ihn an. „Du kannst dir gerne noch eine Zigarette nehmen."

„Danke, später."

„Und nun du", sagte der Vietnamese genüsslich und lehnte sich tiefer in die Polster. „Erzähl mir was!"

„Ein Märchen?"

„Aus Thailand oder aus Deutschland. Du kannst es dir aussuchen."

Es kostete Farang einige Minuten des Nachdenkens. So sehr er seinen Vater auch verachtete, er verdankte ihm Kenntnisse über Frau Holle, ein paar Winterlieder und, wenn er ein wenig eigene Fantasie entwickelte, brachte er vielleicht noch „Das Wasser des Lebens“ zusammen – sogar in Englisch. Er räusperte sich und begann.

„Es war einmal ein König, der war krank, und niemand glaubte, dass er mit dem Leben davonkäme...“

Teil drei

Für die Rückkehr der Seele einen Leichnam ausleihen

72

„Welcome to Fidschitown!“

Tony Rojana gluckste, als habe er einen guten Witz gemacht, und schaute dabei durch das Kabinenfenster auf das tief verschneite Berlin, das unter einer gelblichen Dunstglocke lag. Die Maschine hatte soeben die Wolkendecke hinter sich gelassen und schwebte im Landeanflug Richtung Tegel. Aus der Vogelperspektive sah die Stadt flach und konturlos aus. Makeloses Weiß mischte sich mit schmutzigen Grautönen.

„Fidschi...?“ Bobby Quinn hielt die Augen fest geschlossen. Er versuchte, ganz bei sich selbst zu sein. Volle Konzentration war im Sinkflug das beste. Das wusste er aus Erfahrung. Er konnte jeden geschlossenen Raum ertragen, egal wie eng und dunkel er war oder wie tief er unter der Erde liegen mochte – aber Fliegen war nicht sein Ding.

„So rufen sie deinen alten Feind Charlie hier.“ Rojana ließ Berlin nicht aus den Augen. Heli hatte den Spitznamen für die Vietnamesen bei ihrem Notruf benutzt. Nur einmal und wohl mehr aus Stress. Er hatte sofort nachgefragt, was sie meinte. Es war ihr peinlich gewesen. Politisch nicht korrekt, hatte sie gesagt. Die Frau hatte Sorgen.

„Charlie der Fidschi und Quinn der Eskimo!“ Rojana grinste die Tunnelratte an. „Passt irgendwie.“

Bobby kniff nach wie vor die Augen zusammen und wurde noch kleiner im Sitz. „Zieh Bob Dylan da bitte nicht auch noch mit rein“, knurrte er gereizt.

„*The Mighty Quinn*“, flüsterte Rojana süffisant. „So viel nur zu den Hoffnungen, die auf dir ruhen!“ Er wandte sich kopfschüttelnd von seinem Freund ab und widmete sich dem Zielort ihrer Reise. Berlin kam unaufhaltsam näher. „Nur gut, dass du nicht bei der Air Force warst.“

„Ich bin nicht zur Luftschlacht über Berlin abkommandiert worden.“

„Abkommandiert?“ Rojana lachte. „Du hast dich freiwillig gemeldet.“

„Was blieb mir anderes übrig, wenn du gleich einen General *und* einen Admiral auf mich hetzt?“

Rojana schmunzelte. Natürlich war Bobby sofort bereit gewesen, Farang zur Hilfe zu eilen, aber hätte General Watana den Admiral nicht persönlich überredet, seinen besten Mann für einen Sondereinsatz freizustellen, dann hätte die Tunnelratte wohl desertieren müssen. Admiral Yod schien sich ohne den Amerikaner richtiggehend nackt zu fühlen. Er hatte gleich drei Leute als Ersatz angeheuert. Watana hatte großzügigerweise die Reisekosten übernommen, und der Chefredakteur hatte ein paar Dollar aus seinem Reptilienfonds rausgerückt. Die Gier nach der Story.

„Wenn ich nicht diplomatisch interveniert hätte, wärst du den angenehmen Job auf der Jacht jetzt los, Bobby."

„Bravo! Seit wann gehört Diplomatie zu deinen herausragenden Fähigkeiten?"

„Du verkennst mich eben."

Die Maschine setzte auf. Sie waren angekommen. In Sibirien! Der Kälteschock wartete. Rojana hatte es geahnt. Man konnte Farang eben nicht alleine lassen. War das alles nötig? Die erste empfindlich kalte Zugluft traf ihn in der Schleuse zwischen Ausstiegsluke und Ankunftssatellit. Pass und Zoll lagen bereits hinter ihnen. Sie hatten die Einreise in die „Europäische Union" bereits problemlos in Frankfurt am Main hinter sich gebracht. Auch das Gepäck war da. Und Heliane. Wie versprochen. Und die Blonde, die neben ihr wartete, kannte er auch. Jessica Lange. Die Herbe.

„Heli hat noch eine Freundin für dich mitgebracht", raunte er Bobby zu, als sie die beiden Frauen ansteuerten. „Vielleicht kannst du sie ja umdrehen", lästerte er weiter. „Zeig dich ganz einfach von deiner femininen Seite." Dann hatte er Heli am Hals. Sie herzte ihn, als kehre er aus Kriegsgefangenschaft zurück. Es war nicht unangenehm.

„Was für eine Überraschung, Tony, dass du auch kommst", stammelte sie aufgeregt. „Ich bin richtig gerührt."

„Das ist Bobby", stellte er die Tunnelratte vor.

„Und das hier ist Romy, von der ich dir schon erzählt habe", kam Heli ihren Pflichten nach.

„Ich habe die Telefonrechnung bezahlt." Romy Asbach schüttelte erst Rojana und dann Quinn die Hand. „Wir hatten eigentlich mit nur einem Mann gerechnet." Sie lächelte auf den kleingewachsenen Amerikaner herab.

Bobby verzog keine Miene. „Der Große da wollte unbedingt mitkommen, er ließ sich um keinen Preis abschütteln."

„Wir sind Farangs Familie. Und außerdem muss ich mich doch um meine kleine Kollegin kümmern." Rojana legte den Arm um Helis Schulter und zog sie an sich. „Unsere Zusammenarbeit hat sich schließlich schon einmal bewährt. Und außerdem verbinden uns unsere magischen Male im Gesicht!" Er deutete auf seine Narbe.

Romy musterte die Kleidung der beiden Männer. „Das wird aber nicht reichen. In der Aufmachung habt ihr eine Lungenentzündung, bevor ihr euch nützlich machen könnt."

„Wir finden schon was Passendes", wiegelte Heli ab und griff nach Tonys Koffer. „Kommt, los, wir stehen im Parkverbot."

Rojana nahm Heli den Koffer wieder ab und bedachte Romy mit seinem Patentgrinsen. „Wie gut, dass wir das Gesetz auf unserer Seite haben."

„Macht euch mal keine falschen Hoffnungen." Romy Asbach ging voran. „Nicht jede Waffe, auf die man sich verlässt, ist auch geladen."

Rojana ließ Heli und Bobby den Vortritt, um die unausweichliche Konfrontation mit der ungefilterten Winterkälte möglichst lange hinauszuzögern. Dann tat auch er den letzten Schritt aus der Heizungsluft ins Freie, und der Frost fuhr ihm augenblicklich in die Knochen. So hatte er sich das nicht vorgestellt. Es war, als atme man Ammoniak ein und Wasserdampf aus. Seine Nase arbeitete wie ein Nebelwerfer, der ihm die Sicht nahm. Alle Leute dampften um den Kopf herum wie Gullydeckel in einem Hollywoodfilm. Die Lippen hatte er schon beim ersten halbherzigen Luftholen sofort fest zusammengepresst, und schon nach wenigen Schritten spürte er in den Nasengängen jedes Härchen einzeln, als verwandele es sich in eine Stecknadel, deren spröder Stahl jeden Moment brechen musste. Die Haut auf Handrücken und Finger seiner Rechten war taub, als habe sie jemand mit Narkosespray bearbeitet. Er fasste den Koffergriff fester und spürte, wie sich langsam Raureif auf seinem Schnäuzer bildete. Er zog kurz die Oberlippe hoch, spürte die feuchtkalten Barthaare an den Nasenlöchern und kniff die Augen zu schmalen Sehschlitzen zusammen, in der Angst, sie könnten ebenfalls vereisen. Es war die reinste Folter. Ein Blödsinn, sich dem auszusetzen. Er schwor sich, nie mehr über die Hitze in Bangkok zu fluchen und jede Regenzeit mit Überschwemmungen, undichten Dächern und verschimmelten Kleiderschränken als Gnade der Natur zu feiern und sich mit zusätzlichen Opfern am heimischen Geisterhäuschen dafür zu bedanken. Diese Hundekälte fraß sich selbst bis zu seiner linken Hand durch, die tief in der Jackentasche steckte, und im Schritt spürte er schon, wie der Frost ihm die Eier glasierte.

Er sah, wie Bobby – trotz des Sandes, den die Deutschen überall auf Eis und Schnee gestreut hatten – kurz das Gleichgewicht verlor. Die Tunnelratte ruderte gefährlich mit dem freien Arm und wurde gerade noch rechtzeitig von Heli gestützt, bevor der Koffer sie zu Boden ziehen konnte. Rojana setzte seine Schritte noch vorsichtiger. Man hatte mit nichts anderem zu tun, als sich auf die Witterungsverhältnisse zu konzentrieren. Es war ein Vollzeitprogramm. Endlich erreichten sie den Wagen, und während er und Bobby das Gepäck im Kofferraum verstauten, kratzte Romy mit einem Plastikschaber Eis und Reif von der Frontscheibe. Er dachte an seinen Toyota. Die alte Kiste konnte von Glück sagen, dass er sie nach Thailand importiert hatte.

Im Auto war es nicht viel wärmer als im Freien. Bobby musste mit Heli auf den Rücksitz. Die Tunnelratte hatte es sowieso gerne eng, und Rojana war dankbar für Fußraum und Nähe zu den Heizungsschlitzen am Armaturenbrett – obwohl das Gebläse die ersten fünf Minuten mehr Erfrischung als Wärme bot.

„Noch genug Energie für ein erstes Briefing vorhanden, meine Herren?“ Romy konzentrierte sich ganz auf den Verkehr und fuhr stadteinwärts.

„Natürlich“, antwortete Rojana. „Aber bevor du loslegst, noch was Dringendes: eigentlich wollten wir uns im Hotel erst mal ein paar Stunden aufs Ohr legen, aber ich denke, wir fahren doch vorher noch zum Einkleiden. Ich habe keine Lust, mir was abzufrieren – was meinst du Bobby?“

„Ich glaube, meiner ist schon abgefallen“, antwortete die Tunnelratte.

73

„Hallo Nachbar", sagte Gustav Torn, lächelte und streckte zur Begrüßung seine Hand aus. „Sie scheinen wie ich zu den Privilegierten zu gehören, wenn man Sie in einer der *Gästesuiten* unseres Kellerhotels untergebracht hat."

Da war er. Es war nur eine Frage der Zeit gewesen, bis der Mann ihm über den Weg lief. „Freut mich!" Farang schlug ein, schüttelte Torn die Hand und ging mit ihm den Gang entlang zum so genannten Kasino.

„Ich habe mein Domizil übrigens die *Phosphor-Grotte* getauft", plauderte Torn vor sich hin. „*Führerbunker* war natürlich verlockender, aber ich will unserem Gastgeber nicht in die Quere kommen."

Der Lange machte einen völlig entspannten Eindruck, bewegte sich jedoch auch hier unten trotz ausreichender Deckenhöhe nur leicht gebeugt vorwärts. Warum nicht *Großer-Kurfürst-Suite?* fragte sich Farang insgeheim, pflichtete aber höflich bei: „Wenn man von aller Welt *Oberster Befehlshaber* genannt wird, hat man wohl einen Anspruch darauf." Er ließ Gustav Torn den Vortritt durch den bunten Glasperlenvorhang, der im Durchgang zum Kasino hing.

Das Kasino war ein großer Freizeitraum, in dem sich nie mehr als drei Personen gleichzeitig aufzuhalten schienen. Die wenigen Vietnamesen, die Farang bisher hier gesehen hatte, waren wohl Offiziere des Obersten Befehlshabers, schweigsame Gestalten, die ähnliches Räuberzivil trugen wie die beiden Krieger, die ihn überwältigt hatten. Man unterhielt sich leise, trank, spielte eine Runde Billard und ignorierte den Fremden mit distanzierter Höflichkeit. Es war kein unangenehmer Zustand. Eine eindeutige Order, wie der eurasische Gast zu behandeln sei, schien zu existieren. Niemand trug im inneren Bereich des Hauptquartiers Waffen, zumindest nicht sichtbar. Es musste eine Waffenausgabe an den strategischen Aus- und Zugängen geben, die mit Sicherheit bewacht waren, sonst hätte einer wie er sich nicht so frei im Kern der Anlage bewegen dürfen. Mobiltelefone waren tabu.

Im Moment war das Kasino völlig verwaist. Eine alte Musikbox, zwei Billardtische, eine Tischtennisplatte, zehn Tische und ein wildes Sammelsurium aus Hockern, Stühlen und Sesseln dekorierten den Bunkerraum. Selbst ein Sofa vom Trödel stand in einer Ecke, direkt neben einem großen Elektro-Heizlüfter. Mit Strom ging man in der Unterwelt nicht sparsam um. Neonröhren und Glühbirnen trugen behelfsmäßige Schirme aus rotem und gelbem Papier und produzierten ein Licht, das dem Kasino das Ambiente eines Frontbordells verlieh.

Torn durchquerte den Raum, und Farang folgte ihm zu den drei Kühlschränken unterschiedlicher Größe, die neben gestapelten Getränkekisten mit Bier, Limonade und Mineralwasser an der Stirnseite standen, die dem Eingang gegenüber lag. Auf dem niedrigsten der Kühlschränke war stets ein Tablett mit frisch gespülten Gläsern platziert, auf dem mittleren lagen einige Flaschenöffner und Korkenzieher und auf dem Kühlschrank, der die beiden anderen überragte, stand eine Sammlung von Hochprozentigem, vom Whisky bis zum Gin. Es vermittelte Farang den Eindruck, als solle die schiere Höhe den kleinwüchsigen Vietnamesen den Zugriff zu den harten Sachen so schwer wie möglich machen. Torn hingegen hatte keinerlei Problem, als er nach dem Cognac griff und ein Wasserglas zwei Finger breit füllte.

„Sie scheinen mehr als nur ein Hotelgast zu sein..." Farang nahm sich ein kaltes Bier aus dem mittleren Kühlschank. „Der Oberste Befehlshaber hat Sie seinen Partner genannt."

Er öffnete die Flasche und prostete Torn zu.

„Hat er das...?" Torn nahm einen Schluck und wälzte ihn im Mund, als wolle er ihn gleich wieder ausspucken.

Dass der Oberste Befehlshaber hinter seinem Rücken mit einem Fremden über ihre Geschäftsbeziehung sprach, konnte Gustav Torn nicht gefallen, und Farang verzichtete darauf, weiter Salz in die Wunde zu streuen. Torn ging zu einem der Tische, setzte sich auf einen der bequemeren Stühle und bot ihm mit einer Geste an, ebenfalls Platz zu nehmen. Er nahm die Einladung an.

„Aber Sie sind ein lupenreiner Gast?"

Der lauernde Unterton entging Farang nicht. „Ich bin sein Gefangener."

Torn tat überrascht.

„Aber das wissen Sie natürlich." Farangs Lächeln folgte ein Schluck Bier.

„Wie sollte ich?"

„Sie haben mich, ohne zu zögern, auf Deutsch angesprochen. Das ist nicht gerade nahe liegend bei meinem Aussehen."

Torn tat entrüstet. „Ich pflege da keinerlei Vorurteile, nur weil einer..." Er verstummte.

„...Schlitzaugen hat?"

„Lassen wir das." Torn bemühte sich um eine freundlichere Miene. „Aber gut, zugegeben, ich hätte Sie auch in meinem katastrophalen Thai begrüßen können. Ich weiß, woher Sie kommen. Aber wer Sie nun genau sind, und was er mit ihnen anfangen soll, weiß wohl nicht mal der OB so genau." Er bot ein breites Verbrüderungsgrinsen an. „Ich nenne ihren Gastgeber und meinen Partner der Einfachheit halber so. Knackige Abkürzungen haben bei uns in Deutschland Tradition. Auch bei Ehrentiteln."

Farang nickte das Gehörte ab und wartete, ob die Quelle weitersprudelte.

„Haben Sie schon mitgekriegt, dass er seit neuestem einen Kampfanzug trägt?"

„Nein."

„Einfaches Olivgrün. Ohne jedes Lametta. Nur irgend so eine dezente Nahkampfspange in Bronze." Gustav Torn lachte. „Als er die bekam, muss er erheblich jünger gewesen sein. Dazu schwarzes Barett und blitzblank polierte Kampfstiefel – so wandert er auf seinen Teppichen auf und ab und plant den Krieg."

„Krieg?"

„Er hat Feinde." Torn stand auf und ging zu den Kühlschränken, um sein Glas aufzufüllen.

Farang war ziemlich sicher, was ablief. Das Kasino war zwar nie besonders voll, aber wenn sich nicht einmal einer der Kämpfer ein Bier holte, wenn man so ungestört blieb, roch es nach Absprache. Lass mich mal machen! hatte Gustav Torn dem Alten gesagt, ich horche diesen halben Thai mal aus, biete ihm ein paar Interna an, um Vertrauen aufzubauen, und wir sehen in aller Ruhe, was dabei rauskommt. Kann jedenfalls nichts schaden. Und wenn es nichts bringt, bleibt alles unter uns, denn wir können ihn jederzeit aus dem Verkehr ziehen. Was immer Torn und der

Oberste Befehlshaber auch vorhatten, die Ausgangslage wäre wesentlich schlechter gewesen, hätte Torn ihn erkannt. Natürlich war die bloße Tatsache, einen Unbekannten aus Thailand so dicht auf dem Pelz zu haben, Grund zu erhöhter Wachsamkeit für den ehemaligen Paten von Pattaya. Aber man war sich nie persönlich begegnet – und, was ebenso wichtig war, Surasak „Farang" Meier und seine Taten waren nie durch die Medien gegangen. Sein Ruhm war ein anderer.

„Feinde, die ihm das Leben schwer machen", bekräftigte Torn. „Er scheint Sie für einen Spitzel zu halten. Obwohl er Sie mag."

„Tut er das?" Farang ließ offen, ob er den Spionagevorwurf oder die persönliche Zuneigung meinte.

„Doch, doch, ich bin mir ganz sicher." Torns flüchtiges Lächeln hatte etwas Bösartiges. „Und wenn er erst mal jemand ins Herz geschlossen hat, lässt er ihn nicht mehr gehen. Ich weiß wovon ich rede. Glauben Sie mir!"

Farang zog die Schulter ein wenig hoch. „Solange es einem dabei gut geht..."

„Was das angeht, könnte ich Probleme bekommen."

Farang erwiderte Torns Blick und schwieg.

„Wegen Ihnen, mein Lieber."

„Und wieso?"

„Weil mir durch den Kopf geht, Sie seien möglicherweise gar nicht durch Zufall ins System geraten, und auch nicht, um dem OB zu besuchen – sondern wegen mir."

„Wegen Ihnen?"

„Sagt Ihnen der Name Romy Asbach was?"

Die Variante überraschte Farang. Er verneinte die Frage mit einem Kopfschütteln. Torn schien seiner Erzfeindin alles zuzutrauen, auch, dass sie jemand auf ihn ansetzte, der den Asien-Bonus hatte. Eine unangenehme Wendung, die aber auch etwas Beruhigendes hatte, da Torn offenbar seinen alten Komplizen Kramer nicht auf der Rechnung hatte. Es war ein großer Unterschied, jemanden zur Aussage vor einem legalen Untersuchungsausschuss zu überreden, oder ihm ein illegales Vermögen abzunehmen.

„Wirklich nicht", hakte Torn nach. „Sind Sie da ganz sicher?"

„Mir sagt nur Romy Schneider was."

Gustav Torn nagte an seiner Oberlippe. „Ich wusste gar nicht, dass das Goethe Institut in Bangkok alte Sissi-Filme zeigt."

„Asbach Uralt sagt mir auch was." Die Hausmarke seines Vaters. „Wer ist die Frau? Eine verlassene Geliebte, die nach Ihnen sucht?"

Torn ließ die Anspielung auf sein Privatleben ruhig über sich ergehen. Er ging zur Musikbox, stellte sein Glas ab und warf eine Münze ein. Ohne lange zu suchen drückte er eine Taste, blieb vor dem Automat stehen und wandte Farang den Rücken zu, während durch leises Knistern und Rauschen die ersten Takte eines Chansons erklangen.

Nach einer ganzen Weile drehte Gustav Torn sich um, lehnte sich an die Musikbox und fragte: „Kennen Sie das auch?"

„Nein."

„Edith Piaf. *Mon légionnaire.* Der OB liebt das Zeug. Die ganze Kiste ist voll damit."

„Was hat es mit dem Schwein auf sich?

„Mireille?" Torn lachte. „Die kleine Sau ist sein Ein und Alles. Und zu seinem großen Leid ist sie krank. Sie siecht dahin. Beten Sie, dass sie nicht stirbt, solange er seine Wut darüber an uns auslassen kann."

74

„Ich liebe diese Gummistiefel!"

Tony stapfte mit weitausholenden Schritten durch die Lobby des Holiday Inn und bekam sich vor lauter Begeisterung nicht mehr ein.

Quinn fand den Auftritt etwas aufdringlich. Sein Freund sah aus, als sei er soeben auf dem Mond gelandet. Bevor sie ein wenig Schlaf nachgeholt hatten, waren sie in einem gut sortierten Globetrotter-Laden fündig geworden und Tony hatte sein Spesenkonto strapaziert. Daunen, Fleece und Gore-Tex. Alles vom Feinsten für den Einsatz in der Arktis. Nicht umsonst waren auf der Faltbroschüre der kanadischen Firma, die diese Spezialtreter herstellte – und mit der Tony ununterbrochen herumfuchtelte, als sei es die Bibel zu jedem Sondereinsatz in Sibirien – zwei

Schlittenhunde zu sehen. Er hatte ihnen die Stiefelwerbung wie Grundwerte zum Überlebenstraining eingehämmert. Spezialverschweißte Ausführung. Die Innenschicht sog den Schweiß vom Fuß ab, die mittlere speicherte Körperwärme und blockierte eindringende Kälte, und die Außenlage speicherte Wärme und absorbierte Fußschweiß. Wusste der Henker, wie das funktionierte. Wahrscheinlich war auch noch ein Steuerungschip im Absatz eingebaut. Anständige Wollsocken hätten es wohl auch getan. Aber warum Tony den Spaß verderben? Immerhin waren die Stiefel olivgrün. Quinn hatte auf gedeckten Farben bestanden. Sie wollten schließlich nicht auf die Skipiste.

„Bis minus vierzig Grad Celsius", betonte Tony erneut und strahlte Heli an, der sie das Shopping im Profiladen verdankten.

„Und bis fünf Grad über Null. Du solltest die Dinger nur im Freien und im überschwemmten Untergrund anziehen – und natürlich nicht in Bangkok."

Tony überhörte Helis Einwand.

Für Quinn war noch gar nicht ausgemacht, ob Tony auch in die Tunnel durfte. „Also los", mahnte er. „Lasst uns keine unnötige Zeit verlieren."

Heli nickte. „Romy wartet schon auf uns." Sie übernahm die Führung.

Zwischen den zusamengeschaufelten Schneebergen vor dem Hotel und im unberührten Neuschnee auf dem Blochplatz stapfte Tony wiederholt kräftig auf, um seine Thermogummistiefel zu testen und schnaubte und grunzte wie ein Walross. Quinn schloss nicht mehr aus, dass Tony sich vor lauter Überschwang jeden Moment im Schnee wälzte. Doch dann erreichten sie den Eingang zum Zivilschutzbunker, und die nüchterne Sachlichkeit des Betons dämpfte Tonys Enthusiasmus und förderte Quinns Konzentration auf die Aufgabe.

Im Kartenraum, den sie nach Rücksprache mit Heli und Georgia Brand als vorläufige Einsatzzentrale auserkoren hatte, wartete Romy mit drei Thermoskannen Kaffee. Die folgende halbe Stunde informierten die Frauen über die Lage. Romy konzentrierte sich auf die humane, Heli auf die bauliche Unterwelt. Farangs Erkenntnisse und Vermutungen flossen ein, so weit sie bekannt waren. Quinn zwang sich zur Ruhe, obwohl er liebend gerne sofort ins Tunnelsystem eingestiegen wäre, um Witterung aufzunehmen. Stattdessen hörte er aufmerksam zu, stellte gelegentlich eine Frage und bemerkte zufrieden, dass Tony sich auffallend zurückhielt. Nicht aus Disziplin. Die kalte Bunkeratmosphäre drückte dem Großen mit dem Schnauzbart aufs Gemüt und machte ihn stumm.

Auf der Einkaufstour hatte Tony noch locker über die Tunnel von Cu Chi referiert, als sei er selber dabei gewesen. „Meine Tunnelratte" oder „unsere Tunnelratte" ging ihm locker über die Zunge. Er führte sich auf wie ein Coach, ohne den sein bester Boxer es nicht zur Meisterschaft gebracht hätte. Nichts was Tony in all den Jahren aufgeschnappt hatte, blieb unerwähnt, um die beiden Frauen angemessen zu beeindrucken. Das Tunnelsystem reichte bis zwanzig Meilen an Saigon heran. Es war vom Vietcong perfekt ausgebaut. Ein unübersichtliches Netzwerk von Gängen von nahezu zweihundert Meilen, das sich von der kambodschanischen Grenze bis nach Saigon zog, vom Ho Chi Minh-Pfad bis zur Hauptstadt. Da unten gab es Kommandoposten, Munitionsfabriken, Feldlazarette, Druckereien, Flaggenschneidereien und sogar Unterhaltungstheater für die Truppe. Alles absolut unterirdisch und schön versteckt. Ihr müsst euch das so vorstellen, hatte Tony schwadroniert: Die heldenhafte US-Armee agiert bei hellem Tageslicht über der Erde mit der größten Feuerkraft der Welt. Aber nachts arbeitet Charlie alias Fidschi im Untergrund, bis zu vier Stockwerke tief. Ohne diese Tunnel wäre die Tet-Offensive nicht möglich gewesen. Eure Fidschis haben Regionen kontrolliert, die nur eine halbe Autostunde von der Kommandozentrale der Amerikaner entfernt lagen, sind seelenruhig unter Bobby und den Seinen herummarschiert.

Und wann sie das alles gebaut haben? Damit haben schon die Vietminh angefangen, gegen die Franzosen, in den Vierziger- und Fünfzigerjahren. Alles mit der Hand und einfachsten Werkzeugen in den trockenen Lateritboden gegraben. Tag und Nacht wurde gebuddelt. Es gab getarnte Falltüren, Zickzackpassagen in Winkelvarianten von sechzig und einhundertzwanzig Grad, und in regelmäßigen Abständen Wasserverschlüsse. Damit konnten sie ganze Abschnitte versiegeln. Bobby und seine Jungs pumpten Tränengas in die Löcher oder hauten Napalm rein, aber es erwischte meist nur eine abgeriegelte Region. Jeder Abschnitt hatte sein eigenes Entlüftungssystem. Die haben den Dampf aus ihren Feldküchen so umgeleitet, dass die Artillerie der Amerikaner immer an den falschen Stellen einschlug. Und selbst mit Bomben bissen sie sich am Laterit, der so trocken und hart wie ein Ziegelstein war, die Zähne aus. Die Tunnel waren so gut wie unzerstörbar. Es sei denn, ein direkter B-52-Abwurf traf genau auf den Punkt. Das System war nur von innen zu knacken. Und dafür hatten sie Leute wie unsere Tunnelratte!

Der Stolz der US-Army!

Es gab nicht mehr als hundert in den vier Jahren, in denen die Truppe bestand. Die wurde erst Anfang Sechsundsechzig gegründet. Alles Freiwillige. Alle klein und mutig, wie unser Bobby. Nur mit Faustfeuerwaffen, Handgranaten, Messer und Taschenlampen ausgerüstet, und vor allem mit Instinkt, mit sehr viel Instinkt. Die Fallen konnte man nur ahnen. Charlie war keiner, mit dem man es erst mal probieren konnte. Das war der Tod. Charlie erwischte man zuerst – oder Ende der Durchsage.

So viel zu den Tunnelratten, einer feinen Sammlung von Einzelgängern und Schweigern. Tony hatte Quinns Erlebnisse zu einer großen Abenteuerreportage verdichtet. Kein Wort über die paar Gewalttäter, die auch in diesem stolzen Haufen gedient hatten, denn die Anzahl geeigneter Zwerge war limitiert. Und auch kein Wort darüber, dass der Einsatz umsonst gewesen war, dass sie den Scheißkrieg trotzdem verloren hatten und dabei in diesen Löchern fast krepiert waren. Dankenswerterweise blieben auch die Albträume unerwähnt, die Quinn noch Jahre danach verfolgten. Tony hatte den beiden Frauen die Hochglanzversion erzählt, doch jetzt, an der Eingangsschwelle zu einem real existierenden Tunnelsystem, wurde der Reporter schweigsam.

„Scheint so, als seien der Captain und McLenin ein und die selbe Person.“ Quinn ging zur Wandkarte von Berlin. „Ich bezweifle allerdings, dass er zu einer der drei Wellen gehört. Es ist zwar nicht auszuschließen, dass er mal mit der zweiten aus Hanoi zu tun hatte, aber mit denen aus Saigon hat er mit Sicherheit nichts zu tun, so wie ich ihn einschätze. Einmal Guerilla, immer Guerilla. Womöglich spielt er tatsächlich Robin Hood und bekämpft den Bund der Mildtätigen aus edlen Motiven. Oder er hat noch ein paar alte Rechnungen offen." Er starrte auf den roten Kreis, den Romy um den Fichtenberg gezogen hatte.

„Warum kaufen wir nicht ein paar Stangen dieser unverzollten Zigaretten und horchen die Jungs dabei aus", schlug Tony vor.

„Deine Journalistenmethoden in allen Ehren, aber wir recherchieren hier keinen Artikel. Ich muss schnellstens den Captain finden. Dann sehen wir weiter. Und das hier", Quinn deutete auf den roten Kreis, „ist wohl eher Hohheitsgebiet des Bundes, nach dem, was unsere Freundinnen erzählen. Das können wir uns später noch ansehen. Der Captain hingegen hat es gerne abgelegen, eng und unzugänglich. Aber auch er und seine Leute müssen sich bewegen."

Er drehte sich um und sah Heli an.

„Der Bunker, in dem sie dich mit Farang überrascht haben, hört sich am viel versprechendsten an. Könnten seine Männer gewesen sein. Jedenfalls scheint es in einem weiten Dschungel der einzige Wildwechsel zu sein, den wir mit Sicherheit kennen." Er senkte den Kopf und lächelte zufrieden. „Ein guter Ort, um einen Köder auszulegen."

„Einen Köder?" meldete Romy sich zu Wort.

Quinn zog ein zusammengeknülltes Stoffbündel aus der Jakkentasche und breitete es auf dem Kartentisch aus. Es war ein T-Shirt, das mal olivgrün gewesen war. Nur das über der Brust aufgeschweißte Plastikemblem hatte alle Militärwäschereien unbeschadet überstanden. Es zeigte die Karrikatur einer Ratte. Sie hatte sich auf den Hinterbeinen aufgerichtet, stützte sich mit dem Schwanz auf dem Boden ab und streckte angriffslustig die Zunge heraus. Das rechte Ohr zierte ein Durchschussloch, über dem noch das Projektil durch die Luft flog. Die Comicfigur trug Kampfstiefel. Mit der linken Vorderpfote umklammerte sie einen Revolver, mit der rechten eine Schnapsflasche.

Tony grinste selbstgefällig in die Runde. Hatte er es nicht erzählt? So waren sie – seine Tunnelratten.

Romy war nicht beeindruckt. „Sollen wir noch einen Damenslip dazulegen?"

Quinn lächelte sie gelassen an und steckte das Baumwollhemd wieder ein.

„Also dann...", sagte Heli und fragte Romy: „Hast du die Ausrüstung noch im Wagen?"

Romy nickte.

„Was ist mit Waffen?" wandte sich Quinn an Romy, als sei dies ihre selbstverständliche Zuständigkeit.

„Eine Pumpgun und ein Revolver. Beutewaffen vom Feind. Und dazu meine Pistole."

„Fabrikat?"

„Die Flinte ist eine Mossberg, der Revolver ein Smith & Wesson .357 Magnum, und meine Neunmillimeter eine Steyr."

„Munition?"

„Wenn es kein Bürgerkrieg wird, müsste es reichen."

„Wenn ich euch zuhöre, wird mir ganz anders", sagte Heli leise und wandte sich angewidert ab.

Quinn klopfte ihr sanft auf die Schulter. „Wenn es nach mir geht, muss kein einziger Schuss fallen. Aber ein bisschen Eindruck sollten wir schon schinden, wenn wir denen da unten begegnen." Er bemerkte, wie Tony mit offenem Mund zum Eingang des Kartenraums starrte, drehte sich um und glaubte für einen Augenblick, er halluziniere.

Die Gestalt, die devot im offenen Durchgang verharrte, passte zur Figur auf seinem T-Shirt. Sie trug einen grauen Armeemantel und zwischen rosa Ohrwärmern leuchtete eine weinrote Nase.

Die Gestalt grinste verlegen und sagte zu Heli: „Melde mir jesund zum Dienst!"

75

Was für ein Loch. Nur die trockene Heizungsluft hinderte die Tapete in den Wintermonaten daran, sich weiter von den feuchten Wänden abzupellen.

Der Mann mit der Froschhand saß in einer seiner Außenstellen im sechsten Stock eines Vietnamesenwohnheims im Stadtteil Marzahn und sah den Kakerlaken zu, die über den geblümten PVC-Belag huschten. Die abgetretenen Margariten verzierten den Fußboden des vierzehn Quadratmeter großen

Raumes, der durch einen Vorhang in Schlaf- und Wohnraum getrennt war. Die Frau, deren schmales Bett hier stand, gehörte zu seinen engsten Vertrauten. Sie war Geliebte, Köchin, Informantin und Propagandasprachrohr. Er hatte sie weggeschickt, um in Ruhe nachdenken zu können. Wenn sie zurückkam, würde er nicht mehr hier sein. Er mochte keine Abschiedsszenen, und Gedanken musste er sich keine um sie machen, denn die Mitbewohner ließen sie in Ruhe – aus Angst vor ihm.

Dieses Mal hatte er sich länger bei ihr aufgehalten als üblich, denn die Presseberichte über die Tote am Wasserfriedhof bereiteten ihm Bauchschmerzen. Er fürchtete sich, dem Captain unter die Augen zu treten, und so hatte er jeden Vorwand genutzt, um seinen Pendlerauftrag in der Oberwelt um einige kostbare Tage und Stunden zu verlängern. Aber die Zeit war lange abgelaufen. Er musste zurückkehren.

Normalerweise hielt er es in diesem Ghetto nie länger als eine Nacht aus. Nicht, dass es ihn weiter gestört hätte, die heimischen Nachbarn als ungebetene Zuhörer zu haben, wenn er mit der Frau schlief. Es machte ihm so wenig aus wie die Geräusche und der Gestank des Etagenklos, das am Ende des Flurs lag. So etwas wie Privatsphäre hatte er nie in seinem Leben gekannt, und in diesem Silo wurde zudem jedes Lachen und jeder Schrei – ganz egal, ob aus Lust oder Schmerz ausgestoßen – von dutzenden Fernsehapparaten übertönt, in denen so gut wie ununterbrochen Gameshows liefen. Nein, es war nicht der Rummel des ärmlichen Daseins, der alle Ecken und Nischen dieses Plattenbaus durchdrang, auch nicht die Penetranz gemeinsam ertragener Gerüche, nicht die Trostlosigkeit der Armut. Es war der Respekt vor dem Feind, der ihn normalerweise in Bewegung hielt, ihn dazu trieb, kein festes Ziel abzugeben, denn alleine auf diesem Flur hatte es in den letzten vier Wochen zwei Tote gegeben, im ganzen Wohnblock sieben in den letzten beiden Monaten, und keiner von ihnen war an Altersschwäche oder einer Infektion gestorben. Man hatte sie abgestochen oder abgeknallt, und er hatte nicht vor, den Killern eine Chance zu bieten. Deshalb war er stets wachsam. Auch wenn er die Frau fickte, hatte er ein Ohr auf den Gang. Egal wie laut sie schrie und stöhnte, er lauschte in den Brei aus Lärm und Geräuschen, der durch die Flure waberte, war gewappnet und machte sich stets rechtzeitig auf den Weg.

Doch diesmal wog die Angst vor dem Zorn des Captains schwerer, als ein ungewollter Feindkontakt, und so hatte er etwas getan, was er der Frau nie gönnte – er hatte sich Zeit gelassen und es hinausgezögert. Er warf einen letzten Blick in die Plastikschüssel, die auf dem Fußboden stand. Der dicke Karpfen schwamm nahezu bewegungslos im Leitungswasser. Nur ein leichtes Fächern der Brustflossen verriet, dass das Tier noch lebte. Die Kakerlaken versuchten an der Plastikschüssel hochzuklettern, rutschten aber immer wieder ab und fielen auf den Rücken. Er stand auf, trat eine Hand voll der Küchenschaben tot, genoss das Knistern, mit dem sie zu dem Brei wurden, den er mit schlurfenden Schritten über die Margariten schmierte, und machte sich auf den Weg.

Im Flur roch es nach Fischsuppe. Er stieg über die beiden alten Frauen und ihren kleinen Kocher, mit dem sie den schmalen Gang blockierten. Sie hatten nur einen Fischkopf im Topf, mehr konnten sie sich nicht leisten, trotzdem würden sie es nicht wagen, sich am Karpfen seiner Geliebten zu vergreifen. Zwei Türen weiter schnitt Hai, der Junge aus dem mittleren Hochland, einem Alten aus Hanoi die Haare. Am Ende des Gangs hatte die junge Thuy aus Hue einen einfachen Gemüseladen eingerichtet, in dessen Enge ihre beiden Kinder herumtollten so gut es ging. Die meisten Wohnungen waren zugleich Verkaufsstände. Im ganzen Wohnheim herrschte ein steter Reigen aus Geschäfte machen, kochen, schlafen und TV glotzen.

Im Treppenhaus überlegte der Mann mit der Froschhand, ob er in der Garküche im zweiten Stock nicht noch schnell eine Suppe essen solle. Er verwarf den Gedanken und beeilte sich, aus dem Haus zu kommen. Der Geruch nach verbruzzeltem Knoblauch wurde stärker und begleitete ihn bis ins Erdgeschoss, wo er vom Duft parfümierter Räucherstäbchen überlagert wurde.

Bevor er das Gebäude verließ, warf er einen letzten Blick auf den kleinen Altar und das Büschel Opferstäbchen, das in einer sandgefüllten Schale steckte, und langsam verglomm. Der feine Rauch symbolisierte den sich erhebenden Geist und das zu den Göttern aufsteigende Gebet – und, was ihm derzeit viel wichtiger war – die Seelen der Verstorbenen und die Reinigung der Lebenden von ihren bösen Taten.

76

„Ihr beiden bleibt hier auf Posten, bis wir zurück sind", sagte Quinn im Schleusenraum zu Romy und Tony, nachdem sie die Einstiegsgitter hinter sich geschlossen hatten. „Ich schaue mich mit Heli da unten um."

Er bemerkte wie Tony, dem die Gesellschaft seiner alten Freundin Heli lieber gewesen wäre, seinen Widerspruch nur mit Mühe runterschluckte. Gerne hätte er dem Großen den Wunsch erfüllt. Romy war als waffenkundige Kampfgefährtin nicht zu verachten. Aber leider war sie nicht tunnelfest. Seit sie auch nur einen Zentimeter unter der Erde war, hatte sie bereits zweimal an diesem *Rescue*-Fläschchen genuckelt. Und Heli verfügte nun einmal über die notwendige Ortskenntnis.

„Und icke?" meldete sich Rudi zu Wort.

Quinn machte eine beruhigende Geste mit der Hand. Er verstand kein Wort von dem, was die Schnapsleiche mit den rosa Ohren absonderte. Englisch verstand der Mann nur in Bruchstücken. Es war leider genug, um sich immer wieder einzumischen – und dass er angeblich ganz gut Russisch sprach, nutzte nicht viel. Aber solange Heli ihren Scout dabeihaben wollte, nahm er es in Kauf. Er schien eine Art Montagnard für sie zu sein. Quinn hatte gelernt, den Wert einheimischer Führer nie zu unterschätzen. Immerhin hatte der Mann bereits Feindkontakt mit einem der vietnamesischen Lager gehabt. Und den Namen, den er trug, fand Quinn auch recht treffend. Er passte in die nachweihnachtliche Zeit.

Rudolph The Red Nosed Reindeer.

Tony bezog mit dem Waffentyp Posten, der ihm am vertrautesten war – der Pumpgun. Heli scheute jede Bewaffnung wie der Teufel das Weihwasser, und Rudi machte auch nicht den Eindruck, als seien militante Formen der Selbstverteidigung sein Ding. Quinn hatte einen geliehenen Revolver und seine eigene Infrarot-Taschenlampe, die er zusammen mit dem legendären T-Shirt eingepackt hatte. Er verzichtete auf die Festbeleuchtung der Glühbirnen und überließ Heli im Schein ihrer Stablampen den Vortritt. Rudi folgte ihnen wie ein Terrier, nachdem er, offenbar durch Romys Trinkgewohnheiten ermutigt, einen kräftigen Schluck aus seinem Flachmann mit den hochprozentigen Rettungstropfen genommen hatte.

„Hier ist die Stelle, an der sie uns überfallen haben“, sagte Heli wenig später.

Quinn musterte in aller Ruhe die nähere Umgebung, ließ den roten Strahl seiner Lampe über Mauern, Decken und Böden wandern. Er hörte Rudi etwas zu Heli sagen, und sah, wie der Mann im Armeemantel den Gang entlang tiefer in die Bunkeranlage schlich.

„Er hat eine Vermutung“, sagte Heli. „Lass ihn mal in Ruhe rumschnüffeln. Er ist ganz gut in so was.“

Quinn nickte und hoffte insgeheim, dass die frische Kerze, die Heli anzündete, nicht für Farang gedacht war. Warum sie den verhutzelten Wurzelballen auf dem Porzellanteller mit Wasser begoss, blieb ihm ein Rätsel. „Beschreib mir den Überfall nochmal ganz genau“, bat er. „Ich muss es sinnlich spüren.“

Heli kam seiner Bitte nach.

Er hörte konzentriert zu und stellte einige Fragen.

Nein, sie hatte hier unten noch nie verdächtige Spuren gesehen. Niemand hatte ihre Sachen angerührt. Nein, auch keine fremden Gerüche.

Rudi kam auf Zehenspitzen herbeigeeilt und flüsterte aufgeregt auf Heli ein.

„Er sagt, es kommt jemand“, gab sie weiter.

„Alle Lampen aus!“ befahl Quinn leise und lauschte in die Dunkelheit.

Es war nichts zu hören.

„Er sagt, die Geräusche seien noch ziemlich weit weg gewesen, kämen aber näher.“

„Ihr bleibt hier und rührt euch nicht vom Fleck.“

Quinn nahm den Revolver in die freie Hand und machte sich vorsichtig auf den Weg, ließ nur gelegentlich die Lampe aufblitzen, um sich zu orientieren.

Als er das tote Ende des Bunkers erreichte, bot sich auch auf den zweiten Blick kein Weiterkommen an. Das trübe Wasser stand knietief an einer soliden Mauer und umspülte einige verrostete Aggregate. Das Ganze erinnerte an den gefluteten Maschinenraum eines Dampfers. Der Gang zwischen den Schutzräumen ging in Stufen über, die sich im Wasser verloren. Die Trennwand zur letzten Zelle stand nur noch zur Hälfte, der Rest war ins Wasser gestürzt. Er löschte die Lampe wieder und verließ sich ganz auf seine Ohren.

Da war es! Ein kaum wahrnehmbares Geräusch, noch weit, jenseits der festen Wände. Hätte der Hall es nicht verstärkt, wäre es unhörbar geblieben. Dann wieder absolute Stille. Die andere Partei gab sich große Mühe, Lärm zu vermeiden, während sie sich vorwärtsbewegte. Eins musste man dem komischen Vogel mit den rosa Ohrwärmern lassen: Er hatte ein ausgezeichnetes Gehör.

Die Minuten des Wartens dehnten sich zu einer Ewigkeit, in der die Vergangenheit wieder lebendig wurde. Aber diesmal war es kein Horror. Dafür war Quinn zu wach, zu konzentriert. Das Adrenalin machte aus dem Albtraum, den er so oft durchlitten hatte, eine glasklare Erinnerung, die ihn stimulierte. Er machte wieder die Spitze, war der erste Mann im Tunnel. Hinter ihm kroch Santiago Castro, einer der vielen Latinos in der Truppe. Alle schmal und klein und geschmeidig. Der Mann an der Spitze riskierte permanent den Tod, während er ins Ungewisse führte. Ließ er den roten Strahl seiner Lampe zu häufig aufblitzen, provozierte er als perfektes Ziel die Schüsse des Vietcong, der in Wartestellung lauerte. Er wusste, dass er in einem heißen Tunnel arbeitete. Keine kalte, vom Feind verlassene Röhre. Das hier war der Weg zum Gegner. Angesicht zu Angesicht. Es war langsame und riskante Arbeit. Ein Flirt mit Bruder Tod. Zentimeter für Zentimeter, Meter für Meter schlängelten sie sich zum Rendezvous. Er schob sich behutsam unter die Falltür, hinter der Charlie lauerte. Die verschiedenen Etagen des Tunnelsystems waren nur durch diese engen Öffnungen zu erreichen. Strategisch waren dies die Dreh- und Angelpunkte des unterirdischen Wegenetzes. Man wusste nie, was einen jenseits der Tür erwartet. Und es gab keine sichere Methode, es herauszufinden. Er hatte vor, die Luke anzuheben und drei Schüsse ins Dunkel zu feuern. Nie mehr als drei! Das war die Regel. Sechs Schüsse signalisierten dem Feind den Verbrauch der geladenen Munition. Dreimal! Und dann eine frisch geladene Waffe vom Hintermann, der die benutzte nachlädt. Der Strahl der Lampe leuchtete das Quadrat an. Von der Tunneldecke neben dem Durchgang fiel ein wenig Erde auf ihn herab. Charlie lag offensichtlich über ihm. Er gab Castro die Lampe, damit der ihm leuchten konnte, und machte sich daran, die Luke anzuheben. Doch noch bevor er die Hand an die Falltür legte, öffnete sie sich sacht und ein Gegenstand fiel ihm in den Schoß. „Granate!" brüllte er Castro an, und sie krochen um ihr Leben. Sie hatten um die fünf Sekunden bis zur Explosion. Gute fünf Sekunden, bis der Splitterregen den Tod brachte. Egal, welche maximale Distanz zur Explosion noch mörderisch war, egal, was in den Lehrbüchern stand, egal, was die Ausbilder ihnen eingetrichtert hatten. Alles was sie tun konnten, war mit höchster Eile um ihr Leben zu robben. Nur weg, so weit wie möglich weg vom Tod zum Leben. Die Explosion dröhnte ihm in den Ohren, und er zuckte mit den Händen instinktiv zu seinen Oberschenkeln. Die Beine bluteten, und das Trommelfell war ihm um ein Haar geplatzt.

Aber jetzt und hier herrschte nur kalte Stille im weiten Betonbunker, und seine Beine waren trocken und kühl. Er leuchtete noch einmal kurz die Decke über sich an. Nein, da war keine Luke.

Dann ein Gurgeln, ein leises Schmatzen und Glucksen.

Das Wasser!

Das Wasser vor ihm sank langsam ab. Quinn musste lächeln. Wenn sie nicht von oben kamen, krochen sie aus dem Boden. Er bezog Deckung hinter dem Rest der eingefallenen Zellenwand und leuchtete noch einmal kurz über das Wasser. Die schmutzige Brühe stand nur noch wenige Millimeter über dem Betonboden, und ein runder Eisendeckel, der aussah wie ein U-Boot-Schott, war bereits zu erkennen.

Die Bewegung im Wasser setzte einen fauligen Gestank frei. Kaum war die Brühe ganz abgelaufen, wurde der Deckel vorsichtig aufgedrückt und im fahlen Licht, das aus der runden Öffnung in den Bunker fiel, konnte Quinn einen Arm erkennen, der den Deckel hochstemmte und in der Schräge hielt. Eine Fellhaube war zu sehen, und dann der Kopf, den sie bedeckte. Das

Licht reichte nicht aus, um das Gesicht zu erkennen. Der Kopf verharrte in Augenhöhe am Rand der Luke, während der Eindringling sich witternd umsah.

Quinn hatte keine Handgranate bei sich. Trotzdem musste er den Reflex unterdrücken eine abziehen zu wollen und in die Öffnung zu schmeißen.

Der Eindringling stellte eine Coleman-Batterielaterne auf dem feuchten Bunkerboden ab. Im helleren Licht waren die Gesichtszüge des Mannes nun als eindeutig asiatisch erkennbar. Quinn war sicher, einen Vietnamesen vor sich zu haben. Der Mann stieg ganz aus dem Loch, ohne dabei den Deckel aus der Hand zu lassen, den er behutsam zurückklappte, bis er fast geräuschlos auf dem Boden zur Ruhe kam.

Quinn ließ die günstige Gelegenheit, den Gegner zu überwältigen, verstreichen. Noch war nicht klar, ob der Mann alleine unterwegs war und wie das Schleusensystem an dieser strategisch heiklen Stelle funktionierte.

Vorsichtig richtete sich der Vietnamese auf und lauschte in den Bunker. Er trug einen schwarzen Nylonoverall über der restlichen Kleidung, dessen Hosenbeine in geschnürten Kampfstiefeln steckten. Vor seinem Bauch hing an einem Lederriemen eine gut geölte Intratec. Er schob die Halbautomatik auf den Rücken, schloss den Deckel, nahm die Batterielaterne und ging zu einem der verrosteten Aggregate. Er stellte die Laterne ab, und packte mit beiden Händen ein Stellrad, dem man keine Funktion mehr zugetraut hätte. Die rechte Hand des Mannes steckte in einem Fingerhandschuh, die linke in einem Fäustling. Er drehte das Rad bis zum Anschlag, und der Deckel wurde mit einem schlürfenden Geräusch in die Dichtung gezogen. Dann griff der Vietnamese nach einem kleineren Stellrad und versuchte es zu bewegen. Es saß fest. Er versuchte es erneut und unterdrückte dabei ein Keuchen. Das Rad gab nicht nach. Er zog die Handschuhe aus, packte das Rad mit bloßen Händen und brachte es mit einer erneuten Anstrengung zum Drehen.

Als er die verstümmelte Linke sah, war Quinn sicher, einen ehemaligen Vietcong vor sich zu haben, der zu den Männern des Captains gehörte. Der Mann mit der Froschhand war eine Legende. Sie waren sich nie begegnet, und Quinn hatte es, ehrlich gesagt, auch nie bedauert. Die meisten Tunnelratten, die es mit Froschhand zu tun gehabt hatten, waren im Sarg zu Hause angekommen.

Wasser gluckerte leise durch Rohre, und überschwemmte den Deckel. Nachdem die kritische Stelle voll gelaufen war, drehte der Mann mit der Froschhand das Ventil wieder zu. Quinn wartete ab, bis der Vietnamese sich die Handschuhe wieder überstreifte. Die vier Fingerstumpen der Linken verschwanden gerade im Fäustling, als er den Revolverhahn spannte.

Die Stille und der Hall im Bunker verliehen dem leisen mechanischen Geräusch der Waffe eine einzigartige Wirkung. Froschhand erstarrte wie ein Zweig im Eisregen. Nur seine Augen bewegten sich, bis sie gefunden hatten, was sie suchten: Die dunkle Mündung, das blendende Rotlicht und dahinter die Kontur des Feindes. Genauso langsam, wie er die Hände hochnahm, breitete sich ein Lächeln im Gesicht des Vietnamesen aus.

Quinn kannte die Sorte Lächeln von Boxern, die einen schweren Treffer kassiert hatten und so taten, als bedeute das gar nichts, um nur wenig später erneut unbedacht anzugreifen. Doch der Mann mit der Froschhand war ein gewiefter Kämpfer. Er ließ sich nicht zu einer Überreaktion hinreißen, war kein Kamikaze. Seine Waffe hing außer Reichweite über seinen Nieren. Er nahm sich Zeit, wartete ab. Das war klug und machte ihn gefährlich.

Im Licht der Coleman-Laterne dirigierte Quinn den Mann mit der Froschhand Schritt für Schritt zurück gegen die Bunkerwand, bis die Intratec zwischen Beton und Rücken eingeklemmt war. Er setzte ihm die Revolvermündung unters Kinn, steckte die Taschenlampe weg und öffnet mit der freien Hand einen Karabinerhaken am Tragriemen der Waffe, bevor er den Vietnamesen wieder weg von der Wand lotste.

Froschhand schien seine Intratec zu lieben, denn er löste seine rückwärtigen Körperpartien so behutsam vom Beton, dass die Waffe langsam und ohne aufzuschlagen zu Boden rutschte. Quinn bedeutete dem Mann, sich in einigem Abstand auf eines der Aggregate zu hocken, hielt ihn weiter mit dem Revolver in Schach, zog das zusammengeknüllte T-Shirt aus der Jacke und breitete es im Laternenlicht auf dem Boden aus.

Sobald der Mann mit der Froschhand das Motiv mit dem

Nagetier erkannte, konnte er sich eines Lächelns nicht erwehren. Es erstarb, als er in die Mündung des Revolvers sah und fragte: „You Number One Rat?"

Quinn war nicht so vermessen, sich einzubilden, die vier akzentbeladenen Worte klängen ehrfurchtsvoll. Aber die Frage drückte etwas wie Respekt aus, und er nickte zufrieden.

Der Vietnamese harrte der Dinge, die kamen.

Die wenigen Brocken Vietnamesisch, deren Bobby Quinn mächtig war, und eine ergänzende Kreisbewegung mit dem Finger über das Zifferblatt seiner Armbanduhr, reichten aus, um dem Mann mit der Froschhand eine eindeutige Nachricht für den Captain mit auf den Weg zu geben.

In zwölf Stunden am selben Ort.

Quinn überließ dem Boten das T-Shirt als Visitenkarte und nahm die Intratec vorübergehend an sich. Dann zog er sich Schritt für Schritt zurück, bis er sicher war, dass Froschhand sich nicht vom Fleck rührte und abwartete, bis die Luft rein war. Es herrschte Waffenstillstand – auch wenn der Vietnamese noch eine weitere Waffe unter dem Overall tragen sollte. Die Prioritäten waren gesetzt. Der Captain war gefragt.

Quinn huschte den Gang entlang und räumte so schnell wie möglich den Bunker. Die neugierigen Fragen seiner Begleiter ließ er vorerst unbeantwortet. Die Intratec deponierte er am Ende des Ganges gut sichtbar auf dem Fußboden. Er verzichtete darauf, die Waffe zu entladen. Vertrauensbildende Maßnahmen waren wichtig. Natürlich hätte er sich nur allzu gerne vergewissert, auf welcher Route Froschhand weiter durch den Untergrund zog. Aber Glück – das wusste Bobby Quinn gut genug – kam oft in kleinen Raten. Asien hatte ihn abwarten gelehrt.

77

Der Oberste Befehlshaber war schlechter Laune, und Farang wurde das Gefühl nicht los, der Alte wolle sie an ihm auslassen.

Zudem trat der Gastgeber in seiner Gegenwart zum ersten Mal im Kampfanzug auf. Die Aufmachung verstärkte die aggressive Haltung, und auch Mireilles Gesundheitszustand, über den er auf

Nachfrage mit düsteren Worten Auskunft gegeben hatte, tat das Seine dazu. Das kleine Schwein hatte sich schon seit geraumer Zeit ganz unter den Diwan zurückgezogen und grunzte nur noch selten und sehr matt, als ginge es bald mit ihm zu Ende.

Seit der Oberste Befehlshaber sich im Alarmzustand befand, war die Temperatur in der Bunker-Residenz um einige Grad gesunken. Vermutlich, um sich und seine Männer frisch und wach zu halten. Die vormals anregende Mischung aus Opiumduft, parfümierten Räucherstäbchen und würzigem schwarzen Tabak hing abgestanden im Raum.

„Meine Männer haben sich etwas eingehender mit deiner Pistole beschäftigt“, leitete der Oberste Befehlshaber die Anklage ein. „Bei uns läuft alles korrekt ab. Jede ausgegebene Waffe wird genauestens registriert, und jeder Empfänger muss quittieren. Manchmal ist das nur ein Kreuz neben dem Namen, aber in diesem besonderen Fall hat einer unserer gebildetsten Männer unterschrieben, einer, der mehrere Sprachen beherrschte. Er hat für die Ausrüstung seiner privaten Wachmannschaft gezeichnet. Und ich frage mich, warum er tot ist, und du eine der Waffen hast?“

Farang blieb stehen, während der Oberste Befehlshaber in seinem Thronsessel Platz nahm und ihn erwartungsvoll ansah. Jetzt wurde es eng. Er fühlte sich wie ein Entfesselungskünstler vor feindlich gesinntem Publikum, der sich plötzlich nicht mehr an den entscheidenden Trick erinnern kann.

Der Oberste Befehlshaber hüstelte gekünstelt. „Du hast nicht zufällig auch noch den Revolver und die Schrotflinte irgendwo versteckt?“ Mit einer gnädigen Handbewegung erteilte er die Genehmigung, das Geständnis im Sitzen ablegen zu dürfen.

Farang nahm Platz und entschloss sich zu einem Befreiungsschlag. Torn war der Gegner, nicht die Vietnamesen. Das musste er dem Mann zunächst klar machen. Mit etwas Glück konnte er das Bündnis zwischen den beiden erschüttern. Ihm blieb keine andere Wahl. Bislang vermittelte Torn noch nicht den Eindruck eines voll etablierten Partners am Hofe des Obersten Befehlshabers. Gustav Torn hatte Schutz gesucht, und er war ihm gewährt worden. Und trotzdem war er auf Bewährung. Welchen Deal der Lange auch anstreben mochte, er war noch nicht „unter Dach und Fach“, wie die Deutschen gerne sagten. Torn hatte mit Sicherheit gute Karten auf der Hand, sonst hätte er sich nicht überlegt in diese Abhängigkeit gebracht, aber Gewinnchancen änderten sich oft mit dem Lauf der Dinge. Schon einmal hatte Farang es mit einem Bluff versucht. Ohne Erfolg. Jetzt musste er ein Ass aus dem Ärmel zaubern, und deshalb informierte er den Obersten Befehlshaber über den unglücklichen Verlauf der Ereignisse in der Villa, wenn auch in einer geschönten Solo-Kämpfer-Version, die Romy Asbach aus dem Spiel ließ. Danach erläuterte er seinen Auftrag und vergaß dabei nicht, seinen thailändischen Ziehvater in ein angemessenes Licht zu stellen.

„General Watana?“ Der Oberste Befehlshaber konnte es nicht glauben. „Wir haben uns mal in Doi Maesalong getroffen!“ Seine Laune verbesserte sich schlagartig.

Farang tat so, als höre er davon zum ersten Mal, und musste dafür die Geschichte jener historischen Begegnung zwischen den beiden alten Kämpfern im Goldenen Dreieck in der ausführlichen Version des südvietnamesischen Veteranen über sich ergehen lassen. Der Oberste Befehlshaber wusste über die großartige Hügellandschaft zu berichten, die Tauglichkeit der Bergvölker als Soldaten und das gesunde Klima, in dem so mancher Kräuterschnaps gemundet hatte – nur das Wort Heroin erwähnte er kein einziges Mal.

„Ich glaube, es war ihm damals zu kalt da oben in den Bergen“, schloss der Vietnamese seinen Bericht ab und schmunzelte. „Ich hoffe, in Bangkok geht es ihm besser.“

„Er ist im Ruhestand. Es geht ihm gut. Er hat seine Haustiere, seinen Garten, alles in allem ein zufriedenes Leben.“

„Haustiere?“ Der Oberste Befehlshaber zeigte unverhohlenes Interesse.

„Einen Affen, ein paar Karpfen, seine geliebten Papageien. Ich glaube, Mireille würde ihm gefallen.“

„Es ist gut, im Alter Gefährten zu haben...“

Farang vermied es, das Gespräch auf Haupt-, Nebenfrauen und die Geister von Witwen auszuweiten.

„General Watana war und ist eine Wasserpflanze. Am Fluss geboren. Und ein Mann ist nun mal da zu Hause, wo seine Nabelschnur durchschnitten und seine Nachgeburt begraben wurde, mein Sohn.“

Farang verneigte sich ergeben.

„Ich werde sehen, was ich bei den Verhandlungen mit meinem neuen Partner für dich tun kann", verabschiedete ihn der Oberste Befehlshaber. „Erst das Unsere, dann das Deine..."

Behutsam zog sich Farang zurück. Er hatte den Raum schon fast verlassen, als der Ältere seinen Satz ganz zu Ende brachte.

„Abzüglich einer angemessenen Entschädigung für die Witwe unseres Mannes, der in deinem Beisein unter so tragischen Umständen umgekommen ist."

78

Der erfolgreiche Feindkontakt hatte Bobby Quinn mit einer inneren Genugtuung erfüllt, die ihn entspannte und ihm zu einigen Stunden erholsamer Ruhe verhalf.

Es war kein Albtraum, sondern gesunder Schlaf, aus dem er hochschreckte, als er ein Geräusch hörte. Er öffnete die Augen und hatte für einen Moment Schwierigkeiten sich zu orientieren. Dann erkannte er sein Hotelzimmer, in dem er angekleidet auf dem Bett lag. Durchs Fenster fiel noch trübes Tageslicht.

Erneut klopfte es kurz und hart an die Tür.

Er richtete sich auf, blieb auf dem Bett sitzen und rief: „Komm rein Tony!"

Keine Reaktion.

Mit einem missmutigen Stöhnen erhob er sich und machte auf.

Der Captain hatte sich kaum verändert. Nur an den Schläfen schimmmerten einige weiße Haare in der dichten blauschwarzen Bürstenfrisur. Aber wen wunderte das? Alle, die damals dabei gewesen waren, gingen auf die Fünfzig zu. Ihn in Winterkleidung zu sehen, war hingegen ungewohnt. Er trug eine offene dunkelbraune Daunenjacke über einem schwarzen Rollkragenpullover, und seine grauen Flanellhosen steckten in Pelzstiefeln. Nichts Unelegantes. Alles in allem sah er aus wie ein wohlhabender Geschäftsmann oder Diplomat beim Après-Ski. Auch das gelassene Lächeln passte dazu.

„Du wolltest mich sprechen?"

„Und ob ich das will." Quinn rubbelte sich die Haare und hielt die Tür weit auf. „Komm rein!"

Der Captain ging durch bis zum Fenster, schob die Gardine zur Seite, schaute über den Blochplatz zur Humboldthöhe und sagte: „Du bist überrascht."

„Bin ich. Ich hatte nicht so schnell und vor allem nicht hier mit dir gerechnet."

Der Captain drehte sich um und musterte ihn. „Wie ich sehe, tragen wir beide noch den selben Haarschnitt."

Quinn grinste und bot dem unverhofften Gast einen der beiden Sessel an.

Doch der Captain blieb stehen und sah wieder aus dem Fenster auf den Hochbunker. „Es wäre ein beträchtlicher Umweg für uns beide gewesen, zum angebotenen Treffpunkt zu kommen. Und ab und zu brauchen wir alle frische Luft." Er sah Quinn wieder an. „Also dachte ich, ich komme mal rüber und lade meinen alten Lieblingsfeind zum Essen ein."

„Zum Essen..." Irgendwie hatte sich der Mann doch verändert. Es war viele Jahre her, dass Quinn ihn gesehen hatte. Das Englisch des Vietnamesen war schon damals akzeptabel gewesen. Es war immer noch akzentbeladen, aber sehr viel flüssiger, als habe der Captain nicht nur eine fremdsprachliche Schulung durchgemacht, sondern auch ein paar Kurse in Rhetorik absolviert.

„Falls es dir entgangen sein sollte – zu deinem Holiday Inn gehört ein China-Restaurant mit dem klangvollen Namen ‚Hong Kong Garden'. Das klingt doch nach einem neutralen Verhandlungsort – und wir müssen nur den Lift nehmen."

Quinn zog seine Jacke über und ließ dem Captain den Vortritt, der schwieg, bis ihnen nur wenige Minuten später der Kellner die Speisekarten reichte.

„Was das Essen angeht, verlasse ich mich ganz auf deinen Geschmack." Quinn legte die Karte gleich wieder beiseite. „Ich nehme ein Bier."

Der Captain lachte. „So viel Vertrauen..." Er studierte die Karte und fragte beiläufig: „Hast du mitgekriegt, was sie aus unserem schönen Tunnelsystem gemacht haben?"

„Einen Abenteuerspielplatz für Touristen. Für drei Dollar

Eintritt. Wie ich gelesen habe, wurde das Labyrinth verschönert und die Röhren für Normalsterbliche erweitert, damit sie nicht drin stecken bleiben. Man hat sogar elektrisches Licht verlegt. Und wenn die Touristen wieder draußen sind, können sie auf einem Schießstand unter Anleitung eines Volkssoldaten mit einem AK-47 rumballern."

„Für einen Dollar pro Schuss!"

„Man glaubt es nicht."

„Sie halten auch ein paar M 16 bereit, für ehemalige GI's, aber bei den normalen Touristen ist die Kalaschnikow beliebter."

„Wenigstens haben sie nur einen kleinen Teil des ganzen Systems zum Disneyland gemacht."

„Viel mehr habt ihr damals auch nicht kennen gelernt."

„Gib nicht so an."

„Der Großteil unserer Anlagen liegt jedenfalls seit mehr als fünfundzwanzig Jahren im Dunkeln. Daran ändert auch der Wille der Regierung, ein bisschen schnelles Geld zu machen, nichts." Der Captain gab die Bestellung für das Essen in Auftrag und begnügte sich mit einem Mineralwasser als Getränk.

„Und kein einziger Meter wird unter Wasser stehen", zollte Quinn Anerkennung für die Leistung des Vietcong.

„Das ist keine große Kunst bei einem Grundwasserspiegel, der bei fünfzehn Meter liegt. Hier in Berlin träumen sie von solchen Bedingungen. Wir hatten mehrere Stockwerke untereinander."

„Dafür kann man hier aufrecht im Tunnel laufen."

„Wenn auch nicht in allen."

Die Getränke kamen. Sie schenkten sich ein und tranken.

„Also, worum geht es, Bobby?"

„Um einen guten Freund."

„Ein akzeptabler Grund. Und was hat das mit mir zu tun?"

Quinn erzählte es ihm.

Der Captain hörte aufmerksam zu bis sie mitten im Essen waren. Dann sagte er: „Wir haben ihn nicht."

„Wer dann?"

Der Captain legte die Stäbchen beiseite und gab sich wortkarg.

Quinn beschäftigte sich mit seinem Bier.

„Du kommst zu einem schlechten Zeitpunkt, mein Freund", sagte der Captain schließlich und seufzte. „Aber ich will dir helfen, so gut ich kann."

Quinn war erleichtert.

„Ich habe nur noch ein Dutzend Männer. Und wir stehen einem übermächtigen Feind gegenüber. Einem Feind, dem auch dein Freund in die Fänge geraten ist. Es gibt keine andere Möglichkeit. Der Deutsche, den dein Freund sucht, ist bereits vor einiger Zeit zum Feind übergelaufen. Hoffen wir, dass sie beide noch leben."

Wenn er Romy Asbach richtig verstanden hatte, stand dieser Feind für Saigon, Südvietnam, die Dritte Welle. Trotzdem fragte Quinn: „Und wer ist der Feind?"

Der Captain brachte es in wenigen Worten auf den Punkt. Die Darstellung unterschied sich im Kern nicht von dem, was Quinn bereits gehört hatte. Fehlte nur noch die Rolle des Captains im ganzen Spiel.

„Ich führe eine Säuberungsaktion durch."

„Aus persönlichen Gründen oder im Auftrag deiner Regierung?"

Der Captain hüllte sich in Schweigen.

„Hanoi hat doch vor ein paar Jahren mal halbherzig Hausputz in Sachen organisiertes Verbrechen gemacht. Wenn ich mich recht erinnere, wurden dabei auch einige Offiziere öffentlich exekutiert. Hat mich damals an die Show erinnert, die Castro auf Kuba mit den Ochoa-Brüdern inszeniert hat. Alles auf den internationalen Effekt bedacht. Euer Staatspräsident Tran-so-und-so..."

„Tran Duc Luong."

„Richtig. Er hatte sogar zuvor erbarmungslos Gnadengesuche abgelehnt. War nicht ein vormaliger Polizeioffizier Kopf der Bande?"

„Die Zusammenhänge sind etwas komplizierter, als du denkst, und die ganze Aktion hat auch nicht viel genutzt. Es bilden sich andauernd neue Gruppierungen und Lager. Wie dem auch sei. Diejenigen, die hier ihr Unwesen treiben, schaden dem Ansehen meines Volkes."

Dem hatte Quinn nichts entgegenzuhalten.

„Und wir wollen sie auch nicht zurückhaben“, bekräftigte der Captain.

Da war es, das verräterische Wir. Der Captain war immer noch Soldat. Für welche Abteilung er auch kämpfen mochte. Es war Quinn auch egal. Der eine schlug sich als persönlicher Assistent und Leibwächter durch, der andere nahm ein neues Kommando an, offiziell oder inoffiziell. Auch die CIA hatte ihre Putzkolonnen. Wenn der Captain Überzeugungen hatte, war das sein Bier. Für Quinn beruhten die meisten Überzeugungen auf einem Irrtum, und deswegen leistete er sich auch keine. Möglicherweise hatte der Captain sogar bei dieser Zweiten Welle mitgemischt, sich die Finger schmutzig gemacht und war inzwischen geläutert – oder erpressbar. Die Herrscher in Hanoi stellten sich den neuen Staatskapitalismus und die wirtschaftliche Zusammenarbeit mit den Industriestaaten sicher etwas anders vor als die Mafia. Vielleicht war der Tunnelhauptmann sogar sauber und von edlen Motiven durchdrungen, ein wirklicher Robin McLenin. Wen juckte das? Admiral Yod handelte auch nicht gerade mit Süßigkeiten und Kinderspielzeug.

„Was tun wir also?“ Quinn wischte sich den Mund mit der Serviette ab und legte seine Stäbchen weg.

„Abwarten.“

„Mein Gott, fällt euch Asiaten nicht mal was anderes ein? Die Zeit drängt!“

„Sie arbeitet sowieso für dich. Wenn man es genau nimmt, wollte ich erst am einunddeißigsten Januar angreifen...“

Quinn grinste. „Eine neue Tet-Offensive?“ Er trank einen Schluck.

„Wenn ich mir meinen kleinen Haufen angucke, wäre das etwas übertrieben. Aber ein historisches Datum motiviert sicher zusätzlich. Leider wird es dazu nicht kommen.“

„Und warum?“

„Der Feind hat Lunte gerochen. Irgendetwas hat ihn beunruhigt. Er hat zusätzliche Patrouillen ausgeschickt und scheint mobil zu machen. Er schlägt aufs Gras, um die Schlange aufzuschrecken. Also muss ich meine Aktion vorziehen. Ich kann es mir nicht leisten, in nutzlosen Scharmützeln weitere Männer zu verlieren. Mir bleibt nichts anderes übrig, als meine Kräfte noch einmal zu konzentrieren und es zu einem erfolgreichen Ende zu bringen. Du brauchst also nicht zur Eile zu mahnen. Wenn dein Freund noch lebt, befreien wir ihn."

„Da möchte ich aber dabei sein."

Der Captain lächelte kühl. „Dazu musst du bei uns anheuern."

„Ich soll mich deiner Truppe als Söldner anschließen?"

„Sagen wir, als internationaler Legionär. Blauhelme habe ich keine. Wenn du schon zum Mitwisser wirst, muss ich dich in die Disziplin der Truppe einbinden. Ich kann dir da unten unter dem Druck der Dinge nicht viel verheimlichen. Nur als Mitstreiter kann ich dir absolute Loyalität abverlangen. Es ist die einzige Lösung, die ich sehe. Außerdem kann ich bei unseren jüngsten Verlusten jeden guten Soldaten als Verstärkung brauchen." Das Lächeln wurde herzlicher. „Nur den Sold musst du mir stunden."

Quinn schüttelte kurz und heftig den Kopf, um seine Gedanken zu ordnen. „Okay, okay, ich bin doch auch für die Versöhnung zwischen Amerikanern und Vietnamesen, und deshalb sollen sie die Tunnel von Cu Chi meinetwegen ruhig zum Vergnügungspark machen, aber dass ich mal auf der Seite des Vietcong gegen Südvietnamesen kämpfen soll – wer hätte das gedacht?"

Der Captain bestand nicht auf Zustimmung. Er zahlte die Rechnung in bar und gab großzügig Trinkgeld.

Quinn wehrte sich nicht gegen die Einladung. „Ich rechne es auf meinen Sold an!" tat er stattdessen kund und betrachtete sich damit als frisch rekrutiert.

79

So hatte Gustav Torn sich die Verhandlungen mit den Vietnamesen nicht vorgestellt.

Zunächst war er erfreut und auch etwas erleichtert gewesen, als ihm der Oberste Befehlshaber mitteilte, Großvater stünde nun endlich für ernsthafte Gespräche zur Verfügung. Dass sich der OB gleichzeitig mit wichtigeren Dingen entschuldigte, dämpfte

Torns Stimmung zwar ein wenig, aber Großväterchen war nun einmal der wichtigere Verhandlungspartner, wenn es um Märkte und Finanzen ging. Angeblich musste sich der OB um die Ausarbeitung eine Angriffsplans zur Eroberung des Schlachtensees kümmern. Was zum Teufel das auch bedeuten mochte. In den letzten Tagen waren Torn Zweifel an der vollen Zurechnungsfähigkeit des Mannes gekommen, ein Verdacht, der sich in den letzten Stunden auf das Dramatischste bestätigt hatte.

Torns Verhandlungsposition hatte sich nicht nur verschlechtert – sie war lebensbedrohlich. Er hockte nackt auf dem „Drachenstuhl". Seine Handgelenke waren an die Armlehnen gefesselt. Die Fußgelenke waren zusammengebunden, und die Unterschenkel wurden von einem Querbalken zwischen den vorderen Stuhlbeinen nach hinten gezwungen. Die Vietnamesen hatten ihn komplett verdrahtet, gewaltsam mit Salz gefüttert und von Zeit zu Zeit mit Wasser übergossen, um die Wirkung der Stromstöße zu vergrößern. Immer wieder bäumte sich sein Körper auf und die Schienbeine schlugen unkontrolliert gegen die Barriere. Das Blut, das an seinen Beinen herablief, war das einzige Warme, was er spürte.

Großvater selbst legte nicht Hand an. Er stellte nur Fragen. Wenn er mit den Antworten zufrieden war, ließ er sie zu Protokoll nehmen, wenn sie ihm missfielen, überließ er die Überzeugungsarbeit der elektrischen Spannung. Nicht, dass er besonders ungeduldig gewesen wäre. Er ließ seinem Opfer genug Zeit nachzudenken. Gelegentlich ging er zu einem Aquarium mit Kampffischen, dessen Abmessungen und Artenvielfalt jedem Zoo Ehre gemacht hätten, fütterte die Tiere oder sah sie sich nur an. Manchmal philosophierte er sogar über Geschäftsfragen von grundsätzlicher Bedeutung, wusste mitzuteilen, schon Alexander der Große habe sein Geld in Tempeln, die ihm als Banken dienten, gelagert, um seine Feldzüge zu finanzieren, oder bezeichnete Geldbewegung als „die Blutversorgung des Verbrechens". Zu Torns Überraschung scheute der Greis das Wort Verbrechen nicht. Es ging ihm so selbstverständlich über die Lippen wie einem Staatsanwalt. Er machte keinerlei Hehl aus seiner Sicht der Dinge. Aber wenn die Wartezeit ergebnislos abgelaufen war, ordnete er die nächste Überredungshilfe an. So ging es nun seit einer guten Stunde, und auch um Abwechslung bei den Methoden war Großvater nicht verlegen.

Gustav Torns Ohrläppchen waren bereits an die Kampffische verfüttert, und im Moment starrte er voller Angst auf seine zusammengeschrumpften Geschlechtsteile. Er versuchte die stechenden, bohrenden und pochenden Schmerzen zu verdrängen, die aufkommende Panik zu unterdrücken, und die richtige Entscheidung zu treffen.

Entweder er beglückte Großvater mit weiteren Informationen – oder er erfreute die Fische mit dem, was der Greis als eine besondere Delikatesse für seine Lieblinge bezeichnete.

80

„Tunnelratte! Wenn ick det schon höre. Wenn hier jemand so'n Adelsgetitele verdient, dann icke." Mollen-Rudi schnaufte seine geballte Verachtung in den Raum und musterte Heli streng. „Verlass dir ma jantz auf mir. Da weisste watte hass."

„Was sagt er?" fragte Rojana. Irgendwie erinnerte ihn Rudi an diesen Kanadier Roger Wayday.

„Ach, vergiss es." Heli wandte sich frustriert der Wandkarte zu, und betrachtete sie, als sei dort Bobby Quinns aktueller Standort markiert.

Rojana war hilflos. Es war schwer genug gewesen, den Frauen Bobbys Entscheidung zu vermitteln. Was dieser Clown mit den rosa Kopfhörern dachte, war ihm egal. Aber Heli und Romy nahm er ernst. Und wie sollte man etwas als sinnvoll verkaufen, das man selber anzweifelte? Er fühlte sich allein gelassen. Zugegeben – wie Bobby es ihm dargestellt hatte, war das Angebot des Captains ein unverhofftes und kostbares Geschenk. Schließlich war nicht mal sicher gewesen, ob sie den Mann überhaupt zu Gesicht bekämen, geschweige denn, dass er kooperierte. Mit der Unterstützung des Captains stiegen Farangs Chancen beträchtlich. Und verständlicherweise akzeptierte dieser Vietcong nicht jeden dahergelaufenen Haufen als Mitstreiter, auch dann nicht, wenn es sich um die Hilfstruppen eines Bobby Quinn handelte. Das tat einem Tony Rojana weh. Man hätte wenigstens über ergänzende Aktivitäten sprechen können, eine Art Flankenschutz, gezielte Störmaßnahmen, was auch immer. Aber was hatte Bobby ihm stattdessen angeraten? Halt die Girls ruhig! Gut gesagt. Heli war womöglich noch zu vermitteln, es wäre alles nur zum Besten Farangs. Aber Romy war ein anderes Kaliber. Wenn es darauf ankam, wollte sie diesen Gustav Torn, sonst nichts. So verfahren die Lage auch sein mochte – er gedachte Bobby in alter Freundschaft den Rücken freizuhalten. Er spürte Romys Blick. Sie schaute ihn an, als könne sie seine Gedanken lesen.

„Ich weiß nicht, was wir noch in unserem tollen Lageraum verloren haben, wenn sich unser eigens eingeflogener Tunnel-Feldherr verpisst hat."

Darauf wusste Rojana keine passende Antwort.

„Dieser Fidschi, zu dem er desertiert ist, scheint jedenfalls was gegen Frauen in der Truppe zu haben."

„Das stimmt nun wirklich nicht, Romy. Ganz im Gegenteil: Ohne die Frauen in seinen Reihen wäre der Vietcong aufgeschmissen gewesen. Charlie wusste, was er an ihnen hatte. Die Mädchen waren nicht nur als Krankenschwestern im Einsatz."

„Scheint aber hier bei uns im Westen alles nicht mehr für ihn zu gelten."

Was sollte er darauf sagen?

Romy musterte Heli, als wolle sie ihr ein Ultimatum stellen. „Also, ich hole mir jetzt Torn!"

„Und wo bitte?"

„Ich mache da weiter, wo wir vor deiner so überaus erfolgreichen Notrufaktion schon mal waren."

„Okay, dann machen wir halt auf eigene Faust weiter." Helis Worte hatten einen müden Klang.

Jetzt musste er dranbleiben. Rojana packte sein charmantestes Latinogrinsen aus. „Also, was mich persönlich betrifft, so habe ich nicht die geringsten Berührungsängste, was Damen in der Truppe angeht!"

81

Quinn trug den gleichen Overall aus schwarzem Nylon, den auch der Captain übergestreift hatte. Es schien die Wintervariante der legendären Pyjama-Uniform des Vietcong zu sein. Gut ein halbes Dutzend der Schutzanzüge war in einem Metallspind deponiert, der in einem Kellerraum stand, den der Captain in einer geeigneten Altbauwohnung zur „gewerblichen Nutzung“ angemietet hatte. Von dort aus waren sie ins System eingestiegen.

Nach Auskunft des Captain gab es neun derartige Zugänge an strategisch wichtigen Punkten im ganzen Stadtgebiet. Die Mehrzahl war in mühsamer Handarbeit selbst gefertigt worden. Nur einer befand sich in einem verwahrlosten Baucontainer, der direkt über einem vergessenen Notausstieg stand. Der Captain und seine Männer legten besonderen Wert auf eigene Zugänge – ganz im Gegensatz zum Bund der Mildtätigen, der öffentliche nutzte, die zwar meist abgelegen und auf den ersten Blick unzugänglich erschienen, jedoch mit einem größeren Risiko *offizieller* Kontakte behaftet waren. „Und wo wir gerade beim Thema offizielle Kontakte sind“, hatte der Captain an dieser Stelle mit sichtlichem Amüsement eingeflochten, „weißt du, wie die deutschen Behörden zu einem Container sagen? Sie nennen es: Temporäres Ergänzungsgebäude!“

Das erste Teilstück, das sie inzwischen hinter sich gebracht hatten, war in bewährter Cu-Chi-Manier gearbeitet und rief Erinnerungen in Quinn wach. Allerdings gab es keine Minenfallen, wie der Captain versicherte, und auch mit den heimtückischen Punji-Gruben, in denen man von angespitzten Bambuspflöcken aufgespießt wurde, war nicht zu rechnen. Nach engen zweihundert Metern war der Anschluss an die unterstädtische Infrastruktur hergestellt, und sie hatten wieder genug Platz, um sich aufrecht zu bewegen.

Eine halbe Stunde später stießen sie auf eine weitläufige Halle, deren Decke von pompösen Granitsäulen getragen wurde. Trotz des großzügigen Raumangebots bewegte sich der Captain äußerst vorsichtig, denn auch das kleinste Geräusch rief ein starkes Echo hervor, wie Quinn nach einem unbedachten Fehltritt feststellte. Staunend betrachtete er im Licht der Stablampen die bizarre Mischung aus edler Innenarchitektur und vergammelten Industrieanlagen, die der brachliegende Bau bot. Verrostete Stahlträgergerippe warfen wild gezackte Schatten an die mit Marmor verkleideten Wände.

„Das ist ein U-Bahnhof aus dem Ersten Weltkrieg, der nie fertig gestellt wurde.“ Der Captain sprach mit gedämpfter Stimme. „Die städtische Elektrizitätsgesellschaft hat die Anlage vor nicht allzulanger Zeit noch als Umspannwerk genutzt.“ Er richtete den Strahl seiner Lampe auf ein Kopfende der Halle. „Auf dieser Seite endet der Tunnel schon nach wenigen Metern.“ Er zeigte mit dem Lichtkegel in die Gegenrichtung. „Und da vorne wurde im Zweiten Weltkrieg eine Luftschutzbunkeranlage in den Tunnel gebaut.“ Der Captain verließ die Halle in diese Richtung.

Quinn folgte ihm und warf einen erneuten Blick auf die beeindruckenden Säulen, deren polierter Granit glänzte, als käme auch hier unten noch jede Woche eine Putzkolonne vorbei, um alles in Schuss zu halten.

„Leider ist dieser Palast nur die Lobby zu unserem eher bescheidenen Hauptquartier.“ Der Captain ging weiter in den Tunnelstutzen, bis sie vor einer aus Ziegeln gemauerten Trennwand standen. „Das hier ist noch ein Teil der unterirdischen Berliner Mauer zwischen dem amerikanischen und dem russischen Sektor. Sie war auf der Ostseite mit unter Putz verlegtem Signalsicherungsdraht armiert.“

„Nur gut, dass ihr in euren Tunneln kein Stromnetz hattet, sonst hättet ihr uns damals auch noch mit so einem Frühwarnsystem gequält.“

Der Captain lachte leise.

Quinn folgte ihm durch einen Mauerdurchbruch, watete hinter ihm durch einen Raum mit Maschinenschrott, in dem knöcheltief eigedrungenes Regenwasser stand, und folgte ihm über eine steile Treppe in die Tiefe.

Im Luftschutzbunker waren noch Reste der offiziellen Beschriftung zu erkennen. Sie passierten eine Stelle, an der *Raum 90-99* an der Wand stand, stiegen wieder einige Stufen höher, und arbeiteten sich vorsichtig durch ein eingestürztes Teilstück, bis sie vor einer kompakten Stahltür standen, an der keinerlei Schließmechanismus zu erkennen war. Der dunkelgraue Anstrich war teilweise abgeblättert, und der Rest eines in verblichenem Gelb aufgemalten Symbols, warnte vor chemischen Giftstoffen.

„Keine Gasmaske erforderlich!“ gab der Captain Entwarnung. Er zückte eine Fernbedienung, die nicht größer als ein Feuerzeug war, und drückte den Signalknopf.

Langsam und nahezu geräuschlos löste sich die Tür aus dem Dichtungsrahmen, öffnete sich nach innen und gab den Weg in einen Betongang frei, in dem eine Neonröhre leuchtete. Sie stiegen über die Schwelle, und der Captain verschloss die Tür mit einem erneuten Signal.

Ein Wachposten im schwarzen Overall nahm Haltung an, sobald der Captain ihn passierte, und sie folgten dem Gang, bis er offen in einen großen Bunkerraum mündete, in dem sich niemand aufhielt.

Das lange Rechteck des Raums war spartanisch eingerichtet. Im kalten Licht mehrerer Neonröhren diente eine aufgebockte Holzplatte als Arbeitstisch, ein Stahlfass als Hocker, sechs Feldbetten als Lager und eine Reihe Metallspinde als Schränke. Einer der Spinde stand offen. Er wurde als Waffenschrank genutzt. Was Quinn jedoch wie magisch anzog, war eine große Wandmalerei, die eine Längsseite des Raums bedeckte. Farben und Symbolik erinnerten an die indianische Kunst seiner amerikanischen Heimat. Er ging näher auf das Gemälde zu und sah es sich genauer an.

Quer durch das Bild schlängelte sich eine blaue Schlange. Unter einem goldenen Stern wurde die Schlange von einem braunen Bogen überspannt, auf dem ein Bär stand. Etwas weiter links über dem Schlangenkörper waren mehrere schwarze Kreuze eingezeichnet, und weiter nach rechts eine grüne Palme. Am äußeren rechten Rand des Gemäldes war ein grauer Fisch zu sehen, etwas darüber ein roter Omnibus und über allem schwebte, etwa in der Mitte des oberen Bildrandes, ein silbernes Flugzeug.

„Gefällt sie dir?“ fragte der Captain

„Sie?“

„Unsere Stadtkarte!“

Am rechten unteren Eck entdeckte Quinn den Titel des Wandgemäldes.

HO CHI MINH CITY IN BERLIN

„Saigon?“

„Berlin“, korrigierte der Captain. „So, wie die Hunde aus Cholon es sich aufgeteilt haben.“

Wovon redete der Captain da? Wenn Quinn sich das Motiv etwas genauer ansah, konnte er tatsächlich eine Ähnlichkeit mit dem Stadtplan von Saigon feststellen. Es war alles etwas verzerrt und nicht ganz im Maßstab, aber die Parameter stimmten. Den Körper der blauen Schlange formten die Kanäle Tau Hu und Ben Nghe, die weiter rechts in den Saigon-Fluss mündeten. Der goldene Stern markierte die Kreuzung an der Universität, auf der mehrere Hauptverkehrsadern im Distrikt 1 zusammenliefen. Die grüne Palme wuchs im Thao Cam Vien, dem Botanischen und Zoologischen Garten. Der rote Bus kennzeichnete den Busbahnhof Van Thanh, und das Flugzeug stand für den Internationalen Flughafen Tan Son Nhat. Die schwarzen Kreuze, der Bogen mit dem Bär und der Fisch sagten ihm nichts. Wie dem auch war – was hatte das mit Berlin zu tun?

„Wir haben das alles mühevoll Stück für Stück, Information für Information zusammengetragen.“ Der Captain ging zum Arbeitstisch und breitete einen Plan von Berlin aus. Quinn postierte sich neben ihm und studierte Stadtplan und Wandgemälde, ohne dass ihm die Erleuchtung kam.

Der Captain drehte die Berlinkarte einmal um die eigene Achse und zeigte auf das blaue Band der Spree, die jetzt ebenfalls rechterhand in die Havel überging. „Die Südvietnamesen haben den Süden Berlins zum Süden von Saigon gemacht.“

Quinns Blick wanderte noch mehrmals zwischen den Plänen von Berlin und Saigon hin und her, dann sagte er: „Jetzt verstehe ich. Der goldene Stern steht für die Siegessäule, und der Flughafen ist Tempelhof.“

Der Captain nickte zufrieden.

„Aber was bedeuten die Kreuze?“

„In Saigon stehen in dieser Region unter anderem der Thien-Hau-Tempel, die Tam-Son-Hoi-Quan-Pagode und die Cholon-Moschee, hier der Berliner Dom, die Nikolaikirche und die Hedwigs-Kathedrale.“

„Was kennzeichnet die Palme auf Berliner Gebiet?“

„Ebenfalls den Botanischen Garten, nur dass der hiesige

nicht mit einem Zoo kombiniert ist. Wichtiger aber ist, dass neben dem Garten der Fichtenberg liegt, auf dem der Schatzmeister der Mildtätigen residiert. Sie haben außerdem von dort aus einen direkten Zugang ins Tunnelsystem."

„Und der Bär auf dem Bogen?"

„Cau Chu Y. Eine Brücke. Das ist hier die Moabiter Brücke. Die Mildtätigen nennen sie auch die Bärenbrücke, weil sie von vier Bärenfiguren flankiert wird."

Quinn widmete erneut der Karte von Berlin seine ganze Aufmerksamkeit, während der Captain nach und nach energisch mit der Fingerspitze auf Tintenmarkierungen im Stadtgebiet tippte, die nicht an der Wand eingezeichnet waren.

„Da sind noch weitere dieser Paarungen, wie du siehst. Die Halle der Wiedervereinigung und das Rathaus Schöneberg, das Museum der Kriegsverbrechen und der Innsbrucker Platz, der Van-Hoa-Park und der Volkspark – nur hier drüben, bei der Phu-Tho-Rennbahn sind wir nicht sicher, ob damit der Waldeckpark oder die Hasenheide gemeint ist. Aber das spielt jetzt keine große Rolle mehr."

„Und der Bund der Mildtätigen bezieht sich bei allen Standortangaben und Lagebezeichnung ausschließlich auf Saigon?"

„Das ist der Code. Sie treffen sich nicht am Innsbrucker Platz, sondern im Museum für Kriegsverbrechen. Sie schlagen nicht am S-Bahnhof Wannsee zu, sondern auf dem Busbahnhof Van Thanh.

„Was ist mit dem Fisch?"

„Das ist eine Erfindung von uns. Der Fisch steht für die Tourismuszone von Van Thanh und den Schlachtensee. Das ist eine unserer Bastionen, von denen der Feind bislang nichts wusste. Aber wie ich dir bereits sagte: Er hat offenbar Lunte gerochen. Wir haben einen Erkundungstrupp in der Gegend gesichtet, versuchen uns aber bedeckt zu halten. Ich hoffe, es bleibt ruhig da draußen, denn der See hat keinerlei strategische Bedeutung für uns."

„Welche dann?"

„Nennen wir es eine Deponie für Gefallene."

Bevor Quinn weitere Fragen stellen konnte, kam der Mann mit der Froschhand aus einem schmalen Seitengang. Er begegnete Quinn betont freundlich, als sei es eine Ehre gewesen, in seinen Hinterhalt zu laufen, und überreichte dem Captain einen schlanken Metallzylinder mit Wülsten an beiden Enden. Auf den Ausbuchtungen saßen Filzringe. Der Zylinder sah aus wie eine Panzerfaust mit Taille.

„Eine Rohrpostbombe", sagte der Captain zu Quinn, öffnete den Deckel und entnahm dem Behälter einen Zettel. „Die Mildtätigen haben einen Teil der alten Rohrpostanlagen für ihre Zwecke renoviert. Wir haben eine Stelle gefunden, an der es uns gelingt, die eine oder andere Sendung abzufangen. Wir lassen den Feind in dem Glauben, die Krümmung des Leitungsbogens sei zu stark, und die Büchsen blieben deshalb stecken."

Quinn sah zu, wie der Captain Behälter, Deckel und Meldung auf den Arbeitstisch legte, das Papier sorgfältig glattstrich, sich über die Nachricht beugte und sie in aller Ruhe durchlas. Auch Quinn gelang es, einen Blick auf den Zettel zu werfen, ohne die vietnamesische Handschrift entziffern zu können. „Was Wichtiges?"

„Kann man so sagen", knurrte der Captain, ohne aufzusehen. „Die Bande will sich wohl unseren Friedhof vornehmen."

82

Farang betrat Torns *Phosphor-Grotte* zum ersten Mal.

Nach der eher dubiosen Ankündigung „Komm, ich muss dir etwas Wichtiges zeigen!" hatte ihn der Oberste Befehlshaber höchstpersönlich zum Domizil des Deutschen geführt, der nicht zu Hause war.

Während in der Ferne ein U-Bahn-Zug vorbeirumpelte, musterte Farang die karge Bleibe. Torns Bett war ordentlich gemacht. Das Neonlicht ließ den spartanisch ausstaffierten Luftschutzraum noch kälter erscheinen. Alles ähnelte seiner eigenen *Besucher-Suite* bis in die Einzelheiten: Die verrosteten Halterungen an der Wand, die Ablaufgitter im Fußboden. Er folgte dem Obersten Befehlshaber in den Nebenraum. Auch hier die gleichen alten Aggregate für Lüftung, Notstrom und Wasser. Selbst der neue PVC-Belag hatte dasselbe Muster, und auch Duschkabine, Waschbecken, Spiegel und der Klodeckel aus Fichtenholz waren identisch mit der Ausstattung seiner eigenen Herberge. Nur das *Wichtige*, das der Oberste Befehlshaber angekündigt hatte, machte einen gravierenden Unterschied. Es ruhte auf dem geschlossenen Klodeckel, wie das Werk eines Bildhauers auf seinem Sockel.

Das Wichtige war der Kopf von Gustav Torn.

Benommen bestaunte Farang die entstellte Trophäe. Beide Ohrläppchen fehlten. Die Nase war gebrochen, und die Unterlippe gespalten. Über dem Schädel ragte wie ein Tragegriff der zusammengeknotete Pferdeschwanz auf. Dass die Lider die Augäpfel bedeckten, milderte das Grauen nur unerheblich. Trotz des Schocks, war Farang seltsam erleichtert, den Kopf zu sehen und nicht den enthaupteten Leichnam. Was – beim Antlitz Buddhas – bedeutete diese bizarre Darbietung? War es eine Warnung? Er folgte dem Obersten Befehlshaber zurück in den Schlafraum, fühlte sich wie ein Delinquent auf dem Weg zur Hinrichtung.

Der Ältere setzte sich auf das gemachte Bett. „Die wesentlichsten Informationen, die wir zur treuhänderischen Weiterführung seiner Geschäfte benötigen, haben wir", teilte er emontionslos mit. „Aber leider verabschiedete Gus sich von dieser Welt, bevor wir *alle* Daten aus ihm herausholen konnten."

Der Blick, den Farang aushielt, war eines Testamentvollstreckers würdig, der nur Schulden an die Erben zu verteilen hatte.

„So konnten wir auch deinem Anliegen leider nicht mehr bis zur vollständigen Aufklärung nachgehen", klagte der Oberste Befehlshaber. „Er hat zwar einen Safe in seiner Wohnung zugegeben, konnte aber die Kombination nicht mehr preisgeben." Er erhob sich und ging auf den Gang hinaus. „Es gibt jetzt auch wahrlich Wichtigeres! Erst der Krieg, dann die Geschäfte."

Farang schloss zu ihm auf.

„Wenn alles gut läuft, kannst du der Sache später nachgehen, mein Sohn. Einen Tresor kann man auch knacken. Wir helfen dir gerne dabei." Er gönnte sich ein feinsinniges Lächeln. „Du wirst das Geld für die Kompensationszahlung an die Witwe schon auftreiben, da bin ich sicher."

Farang begleitete ihn wortlos in die Residenz und versuchte, seine weiteren Optionen zu überdenken, aber die Wege in der Bunkeranlage waren zu kurz, um zu einer klaren Erkenntnis zu kommen. Zudem wartete im Gemach des Obersten Befehlshabers ein weiterer Schicksalsschlag, als wollten böse Geister eine düstere Stunde zu einer vollends finsteren machen. Der Anblick, der sich ihnen bot, war bei weitem nicht so abscheulich, wie der soeben ausgestandene, und doch zwang er den Vietnamesen in die Knie.

Mireille lag friedlich ausgestreckt und regungslos auf dem kostbaren Teppich vor dem Diwan, und selbst der völlige Zusammenbruch ihres Herrn konnte sie nicht mehr lebendig machen.

Verwirrt verfolgte Farang, wie der Oberste Befehlshaber das kleine Schwein liebkoste und ihm ein Lebenszeichen abforderte. Hatte ihn noch wenige Minuten zuvor die Kaltschnäuzigkeit des Mannes frösteln lassen, so verspürte er jetzt nur Mitleid mit ihm. Der Oberste Befehlshaber nahm außer der toten Mireille nichts mehr wahr, und obwohl alles Herzen und Streicheln erfolglos blieb, redete er weiter auf sie ein, als könne er sie damit noch einmal aus dem Jenseits zurückholen.

So tragisch der Vorfall auch sein mochte – angesichts dieser tief empfundenen Trauer, wurde Farang plötzlich klar, mit welchem entscheidenden Schachzug er sich das endgültige Vertrauen des Obersten Befehlshabers sichern und seine Mission zu einem erfolgreichen Ende bringen konnte.

83

Es waren nur fünfhundert Meter vom Einstieg am toten Ende des Karl-Heinrich-Becker-Wegs bis zum Kellerzugang unter der Villa, und Romy Asbach hatte bislang keinen einzigen Rettungstropfen geschluckt.

Trotzdem fühlte sie sich erleichtert, denn jetzt konnte es nur noch aufwärts gehen – vorausgesetzt, sie bekamen die Stahltür auf, deren Klinke Tony Rojana im Licht der Stablampen so vorsichtig nach unten drückte, als hantiere er an einer Zeitbombe. Die Tür gab nach, und er zog sie behutsam auf. Mollen-Rudi wollte die Spitze machen, aber sie winkte ihn mit der Steyr ins zweite Glied zurück, schob sich an Heli vorbei, und übernahm die Führung. Bis hierher war sie durchaus dankbar im Mittelfeld mitgeschlichen, aber außerhalb des Stollens war das ihre Aktion. Nur sie kannte die Villa von innen und außerdem war sie es ihrer angefressenen Autorität schuldig, das Kommando zu übernehmen. Sie bedeutete Tony, die zweite Position einzunehmen, denn auch er war bewaffnet und schien mit der Schrotflinte umgehen zu können.

Bislang hatte sie nichts und niemand aufgehalten. Das war angenehm, machte aber auch misstrauisch. Romy fühlte sich wie auf dem direkten Weg in eine Mausefalle. Wieso war die Tür offen und unbewacht? War das der Speck, der sie weiterlocken sollte? Jeden Augenblick war damit zu rechnen, dass sie in eine Falle tappten oder eine Alarmanlage auslösten. Wenn es hier unten eine Videoüberwachung gab, waren die Infrarotkameras gut getarnt.

Sie passierten einen sauber verputzten Gang, der ohne weitere Barriere in einen nur matt erleuchteten Kellerraum führte. Das Licht kam aus einem großen Aquarium, in dem zwischen Unterwasserpflanzen eine Unzahl exotischer Fische schwamm. Das gesunde Grün der Pflanzen und die bunten Leiber, die träge durchs Wasser glitten, nahmen sich wohltuend lebendig in dem ansonsten tot wirkenden Raum aus. Ein leichter Uringestank hing in der Luft. Vor einer Wand stand ein klobiger Holzsessel, der mit Eisenwinkeln und Schrauben fest im Zementboden verankert war. Lederriemen und Schnallen an den Armlehnen erinnerten an einen primitiven elektrischen Stuhl. Die Stromkabel, die zu einem simplen Schaltpult liefen, verstärkten den Eindruck.

„Dead man walking…“, flüsterte Tony.

Romy steuerte die Treppe an, die aus dem Keller nach oben führte. Bevor sie den Fuß auf die erste Stufe setzte, wandte sie sich noch einmal um, um Tony die Warteposition am unteren Treppenende zuzuweisen. Dann huschte sie die Stufen hoch und öffnete vorsichtig die Kellertür, die in einen Saal führte. Erst jetzt befand sie sich im Souterrain, wie sie an den hoch liegenden Fenstern feststellen konnte, die den Blick auf den verschneiten Hang eines Steingartens freigaben. Sie gab Tony mit einem leisen „Okay!“ grünes Licht, mit Heli und Rudi zu ihr aufzuschließen, betrat den beheizten Saal und betrachtete überrascht die private Bowlingbahn, die hinter Tischen und Stühlen in Sicht kam. Auch eine Hausbar mit langem Tresen und reichhaltigem Getränkeangebot war vorhanden. Die Wände waren mit Wimpeln und Plaketten übersät.

Auch Tony und Heli kamen aus dem Staunen nicht heraus, als sie die Ausstattung der nächsthöheren Ebene sahen. Rudi animierte der Anblick sogar zu einem verschämten Schluck Weinbrand. Mit schuldbewusster Miene wollte er den Flachmann wieder wegstecken, aber Heli nahm ihm die Flasche ab und kippte ebenfalls einen. Es schien sie zu entspannen und Rudi richtig glücklich zu machen. „Mannomann", flüsterte er gleich mehrmals in die Runde, bevor mit dumpfem Schlag eine Bowlingkugel auf die Bahn fiel und ihn zum Verstummen brachte.

Romy brachte ihre Waffe in Anschlag und suchte wie Tony ein Ziel.

Die Kugel rollte langsam an ihnen vorbei. Gleichzeitig wurde eine Ziehharmonikawand aufgeschoben, die den Saal unterteilte, und gab den Blick auf zwei Vietnamesen frei, die Großvater flankierten.

Der Greis mit dem schütteren Kinnbart, der Romy als Harry Nam bekannt war, stützte sich auf einen Gehstock mit Silberknauf. Er trug einen Hausmantel aus purpurfarbener Seide. Seine Männer trugen Moonboots, Jogginghosen und Anoraks und hielten Maschinenpistolen im Anschlag, die sie als französische Mat49 identifizierte. Die beiden Vietnamesen, die die Trennwand geöffnet hatten, gesellten sich zu den Landsleuten, und beide Parteien standen sich für mehr als eine Minute stumm gegenüber, bis Romy den Lauf ihrer Pistole sinken ließ und Tony ihrem Beispiel folgte und die Mündung der Pumpgun auf das Parkett richtete.

Großvater lächelte zufrieden.

Alle hatten sich im Griff – bis Heli der Flachmann aus der Hand rutschte.

Die Schnapsflasche zerbarst mit einem Knall auf dem Fußboden, und einer der Vietnamesen verlor die Nerven.

Für einen Alkoholiker hatte Rudi beeindruckende Reflexe. Die Sekundenbruchteile, in denen der Vietnamese die Mündung auf Heli richtete und abdrückte, genügten dem Mann mit den rosa Ohrwärmern, um seine Freundin umzurempeln und sich dabei in die Schussbahn zu werfen.

Der kurze Feuerstoß schleuderte Rudi zwischen Tische und Stühle, während Tony mit der ersten Schrotgarbe den Schützen und einen weiteren Vietnamesen erwischte und Romy den dritten mit einem gezielten Schuss liquidierte.

Der vierte Vienamese hatte alle Zeit der Welt, auf Tony zu schießen, während der Reporter noch die nächste Patrone in Feuerposition pumpte. Doch Tonys buddhistisches Glücksrad blieb neunmal auf der Neun stehen. Die Waffe des Vietnamesen war nicht auf Schnellfeuer gestellt, und so streifte nur ein einzelner Schuss seine Schulter, bevor das zweite Projektil aus Romys Pistole den Feind niederstreckte.

Großvater stand auf dem Parkett, als habe sein Gehstock Wurzeln geschlagen, und Tony hielt ihn mit der Flinte in Schach.

Romy ging neben Rudi in die Hocke. Heli wiegte ihren obdachlosen Freund wie ein Baby in den Armen und weinte. Der alte Armeemantel war über Bauch und Brust zerfetzt und blutdurchtränkt, und auch aus dem Mund des Streckenläufers rann Blut auf Helis Arme. Die Säufernase stach noch spitzer als sonst aus einem aschfahlen Gesicht, und das Grinsen geriet ihm nur noch zur Grimasse.

„Entweder hältste durch, oder du hängst dir weg“, flüsterte Rudi und hustete etwas Blut. „Ick hab jedenfalls imma durchjehalten – un nu hab ick wohl ehnma in mein verpfuschtet Leben sogar wat richtich jemacht.“

Sekunden später hielt Heli einen Toten in den Armen, und Romy richtete sich auf und sah wie Tony Großvater mit gesenkter Waffe zu einem der Tische geleitete und ihm einen Stuhl zurechtrückte. Erst dann bemerkte sie die Verstärkung der Gegenseite.

Drei Vietnamesen. Gleiche Aufmachung. Gleiche Bewaffnung.

Es war an der Zeit aufzugeben.

Großvater hatte gewonnen.

84

Der Oberste Befehlshaber hatte Farang vier seiner besten Männer mitgegeben.

Einer der Vietnamesen trug einen Seesack mit Mireilles sterblichen Überresten, ein zweiter den ausgebeulten Pilotenkoffer, in dem Torns Kopf verstaut war. Die beiden restlichen Männer hatten alle Hände frei und dienten der Bewachung. Farang machte sich nichts vor. Das Quartett sah auf eine ärmliche Art zivil aus, aber trotz der Bedeutung, die der Chef dem Gelingen dieser Operation beimaß, würden sie ihn ohne Zögern über den Haufen schießen, sobald er aus der Reihe tanzte.

Alles war gut vorbereitet. Die Not hatte ihn doch noch zum Sozialarbeiter gemacht. Es hatte damit begonnen, dem Obersten Befehlshaber eine würdige Perspektive zu offerieren. Einen Weg, auf dem er das Leid über den Verlust Mireilles überwinden konnte. Anfangs skeptisch, dann immer interessierter, hatte der Ältere ihm zugehört und dann auf dem kompletten Programm bestanden. Einzelbestattung, persönliche Anwesenheit im Abschiedsraum, Beileidsbrief und Echtheitszertifikat. Die Kosten spielten keine Rolle. Dass die Dokumente normalerweise in Deutsch abgefasst wurden, schreckte den Alten nicht. Übersetzung ins Vietnamesische und offizielle Beglaubigung durch die heimische Botschaft waren kein Problem. Dafür hatte man Großvater, der derartige Angelegenheiten routinemäßig erledigen ließ.

Der Oberste Befehlshaber hatte Farang sogar Gelegenheit gegeben, die Aktion an einem sicheren Telefon mit Heinz Haller vorzubesprechen. Natürlich war ein erneuter Hinweis auf den Katalog der Kinderfreunde nötig gewesen, um Haller zu einer Zusammenarbeit zu bewegen, und ein Minnesota Minipig hatte er auch noch nicht beseitigt, was einen besonderen beruflichen Reiz ausmachte. Etwas schwieriger war die Sache mit Torns Überresten gewesen. Nicht, dass er Haller davon erzählt hätte. Aber auch der Oberste Befehlshaber quittierte die Bitte um den Kopf, zunächst mit Unverständnis – bis ihn ausführliche Argumente für eine würdige Bestattung im Respekt vor einem Andersgläubigen und dessen christlichen Ahnen und auch die damit verbundene Beschwichtigung böser Geister überzeugten. Auch Farangs Argument, Hänsel und Gretel hätten die böse Hexe ebenfalls im Ofen entsorgt, verschloss er sich nicht. Haller konnte das Problem Torn gleich mit erledigen. Der Oberste Befehlshaber war auch in diesem Fall für Einäscherung und Urnenbeisetzung, um alle Spuren zu beseitigen.

Der schmutzige Gewerbehof, in dem Haller seinen sauberen Geschäften nachging, lag im tiefsten Wedding. Den letzten knappen Kilometer mussten sie zu Fuß zurücklegen. Die Fahrt mit der U-Bahn war problemlos verlaufen. Nur einmal war es kritisch geworden, als ein Rehpincher sich zu intensiv mit dem Seesack beschäftigte. Die alte Dame, der der Hund gehörte, hatte das aufgeregte Tier jedoch mehrmals streng an der Leine zurückgerissen, sich höflich für die Ungezogenheit entschuldigt, und war schon eine Station später wieder ausgestiegen.

Nach all den Tagen und Nächten unter der Erde genoss Farang die frische Luft. Kälte, Schnee und Frost hatten die Stadt noch immer unerbittlich im Griff, aber es störte ihn nicht. Die Gegend wirkte verlassen, und er erinnerte sich an Hallers Beschwerde in Sachen Sonntagsarbeit. Sie überquerten noch zwei Höfe, bis die erleuchteten Fenster des Tierbestattungsunternehmens und die Neonreklame mit dem klangvollen Namen „Pax Animalis“ den Rest des Weges wiesen.

Heinz Haller trug einen weißen Laborkittel. Die vier Vietnamesen machten ihn nervöser als jedes Leichenteil. Da die Männer des Obersten Befehlshabers sich aber auf die Bewachung eventueller Fluchtwege beschränkten und aus allem anderen heraushielten, fand er bald wieder zu professionellem Gebaren.

„Das größte Problem war, in der Eile einen Abschiedsraum herzurichten“, klagte er. „Normalerweise findet die Zeremonie im Krematorium statt.“

Bevor Haller erneut über den Mangel einer eigenen Verbrennungsanlage lamentieren konnte, lobte Farang die Flexibilität des Deutschen und mahnte zur Arbeit. „Der Auftraggeber wird in drei Stunden hier sein. Bis dahin muss alles fertig sein.“

„Das schaffe ich locker“, tönte Haller in Verteidigung seiner Berufsehre und schleifte den Seesack in den Behandlungsraum.

Die Einrichtung ähnelte einer Kreuzung aus Tierarztpraxis und Obduktionssaal. An der Wand mit den Kühlfächern blitzte das Chrom. Den Türen nach war keines der Fächer groß genug, um das ganze Pony aufzunehmen, mit dem Haller im „Grand Vegas“ geprahlt hatte, aber das war jetzt Farangs geringste Sorge.

„Während Sie sich um das Schwein kümmern, würde ich gerne den Waschraum benutzen, wenn es hier so etwas gibt.“

„Aber sicher! Badewanne, Dusche, alles da. Kommen Sie nur, Khun Surasak.“

Haller führte ihn durch einen Gang in ein weiß gekacheltes Badezimmer mit Toilette und warf einen misstrauischen Blick auf den Pilotenkoffer.

„Haben Sie zufällig auch Rasierzeug hier, Khun Heinz?“

Haller war die Verblüffung deutlich anzusehen, als er zum Spiegelschrank über dem Waschbecken ging und das Gewünschte kommentarlos präsentierte.

Farang bemühte sich um ein Lächeln. „Ich will mich nur etwas frisch machen.“ Früher oder später musste er Haller auch mit Torns Überresten konfrontieren. Wenn möglich, später. Wer wusste, was der Mann mit dem Schwein anstellte, wenn ihm die Nerven versagten?

„Nur zu!“ Haller grinste. „Dann wasche ich mal das Tier und kümmere mich um den Rest.“ Er ging.

Farang wartete, bis Haller den Gang hinter sich gebracht hatte und schloss die Badezimmertür von innen ab. Er befreite sich von Mantel, Anorak und Schal und holte das Döschen mit *Tiger Balm* aus der Hosentasche – um das er den Obersten Befehlshaber mit Hinweis auf eine aufkommende Erkältung gebeten hatte – und schmierte sich etwas Salbe unter die Nasenlöcher. Dann holte er den Plastiksack aus dem Pilotenkoffer und öffnete ihn. Prüfend wanderte sein Blick zwischen Wanne und Waschbecken hin und her, bevor er sich für das Porzellanbecken entschied. Er packte Torns Kopf am Pferdeschwanz, platzierte ihn im Becken unter dem Spiegel und feuchtete die Haare an.

Nur mit einem herkömmlichen Nassrasierer wäre die Prozedur mühsam geworden, aber zum Glück befanden sich auch noch eine Schere und ein richtiges Rasiermesser im Toilettenschrank hinter dem Spiegel, dazu eine Dose mit Rasierschaum und ein Rasierpinsel.

Dem ersten Scherenschnitt fiel der Haarbürzel zum Opfer.

Mit einigen Schnitten mehr kürzte er die restlichen Haare, bevor er den Rest kräftig einschäumte. Bevor er zum Rasiermesser griff, ging er noch einmal zur Wanne und drehte für alle Fälle den Wasserhahn auf, um Haller eine glaubhafte Geräuschkulisse zu bieten. Er widmete sich wieder der Rasur und arbeitete den Schädel vorsichtig und Partie für Partie glatt. Was hatte Thomas Kramer gesagt? Wenn du ihn nicht zum Reden bringen kannst, mach ihn zum Mönch!

Farang konnte die Tätowierung am Hinterkopf bereits sehen, musste aber noch ein wenig Feinarbeit leisten, bevor er die Zahlen klar erkennen konnte. Zu lesen war die Kombination nur, indem er den Kopf anhob und sie sich im Spiegel ansah. Angeblich hatte der Geheimniskrämer sich die Marotte im Suff ausgedacht, aus Angst vor einem Gedächtnisverlust. Auch einen kleinen Handspiegel sollte er stets bei sich getragen haben. Sorgfältig wusch Farang sich die Hände über der Wanne, griff nach einem Handtuch und trocknete sich bedächtig ab, während er die Zahlenreihe mehrmals leise wiederholte, um sie auswendig zu lernen. Trotzdem verließ er sich nicht nur auf sein Gedächtnis, sondern notierte die Kombination zur Sicherheit mit einem Kugelschreiber auf die Innenseite seines linken Unterarms.

Erneut griff er zum Rasiermesser und machte die Tätowierung unkenntlich. Er ging zur Wanne, stellte das Wasser ab und fragte sich, wie weit Haller wohl mit der Präparation des Schweins vorangekommen war. Er verteilte die Salbe etwas gleichmäßiger unter der Nase, öffnete die Badezimmertür und rief in den Gang: „Khun Heinz?"

Haller erschien unverzüglich.

„Ich muss Ihnen etwas zeigen." Farang gab den Weg ins Badezimmer frei.

Gegen die Gerüche dahingeschiedener Materie schien Heinz Haller eine gewisse Resistenz entwickelt zu haben, denn er reagierte ausschließlich auf den Anblick. Es dauerte seine Zeit, bis er den entleibten Gustav Torn erkannte, aber dann würgte er, stürzte zur Wanne und übergab sich. Es musste die Angst sein, denn gegen den Anblick von Leichenteilen war er beruflich gewappnet.

Hallers Mageninhalt roch strenger als Torns Reste. Farang rieb sich noch etwas *Tiger Balm* unter die Nase, genoss die Duftmischung aus Menthol, Kampfer und Nelkenöl, und gönnte dem Bestattungsunternehmer ausreichend Zeit, wieder auf die Beine zu kommen.

„Was geht hier vor?“ krächzte Haller. „Und warum hat er keine Haare mehr?“

„Sie wissen doch selbst, Khun Heinz, dass Gustav Torn in Thailand mal ein ganz Großer war. Deshalb musste auch dieser Zuhälterschwanz ab. Wir wollen ihn schließlich in bester Tradition einäschern und in einer Urne bestatten.

„Sie sind wohl völlig übergeschnappt.“

„Ich weiß, Sie haben Angst, aber dazu besteht kaum Anlass.“

„Kaum?“

„Nahe Null, wenn Sie kooperieren.“

„Was erwarten Sie von mir?“ Haller drehte den Wasserhahn über der Wanne auf und spülte sich den Mund.

„Das süße kleine Schwein hat Vorrang – aber unser Freund hier bekommt die gleiche Behandlung: erst durchs Feuer, dann in die Urne, aber ohne Vorprogramm.“

„Das ist ja pervers!“

„Was meinen Sie denn damit? Wollen sie den Kopf auch präparieren und aufbahren?“

„Um Gottes Willen.“

„Na also!“

Haller presste die Lippen zusammen und ließ sich nicht auf weitere Diskussionen ein. Farang war das nur recht. Wer keine Fragen stellte, dem musste man auch keine Antworten verweigern.

„Mein Gott, ich muss mich beeilen.“ Haller warf einen gehetzten Blick auf seine Armbanduhr und eilte in den Behandlungsraum zurück.

Farang folgte ihm und erkundigte sich eher beiläufig: „Wo hat Gustav Torn übrigens gewohnt?“

85

Dunkelheit und dichter Schneefall halfen dem Captain bei seinem Vorhaben.

Kurz nachdem das letzte Tageslicht verdämmert war, hatten seine Männer das Eisloch frisch aufgehackt, das Zelt darüber errichtet und die Warnpyramiden aufgestellt, um den Kundschaftern des Bundes etwas zu bieten. Wenn die Mildtätigen der Sache unbedingt auf den Grund gehen wollten, sollten sie genau dort enden.

Nachdem die Falle gestellt war, hatte es nur drei Stunden gedauert, bis sie kamen. Es waren sechs Männer, die sich vorsichtig über das Eis bewegten und ahnungslos in den Hinterhalt liefen. Je mehr, desto besser. Auch der Bund verfügte nicht über unerschöpfliche Reserven, und je weniger Mildtätige bei der großen Endabrechnug antraten, umso einfacher wurde es, einen Schlussstrich zu ziehen.

Der Captain hatte dem Mann mit der Froschhand das Kommando auf dem See übertragen und lag etwa dreißig Meter vom Wasserloch entfernt mit Bobby Quinn am Ufer in Deckung. Er hatte sich entschlossen, Froschhand trotz der Verfehlung noch eine Chance zu geben. Was blieb ihm auch anderes übrig? Er konnte seinen besten Kämpfer nicht so kurz vor dem Ziel hinrichten. Für die Tet-Offensive brauchte er jeden verfügbaren Mann, und diesen ganz besonders. Froschhand wusste genau, woher der Wind wehte. Er hatte Quinns plötzliches Auftauchen als glückliche Fügung begriffen, die fürs Erste von seinem Fehltritt ablenkte, hatte sich zurückgemeldet, und dabei der Tunnelratte das T-Shirt wie einen Lotteriegewinn überreicht. Jetzt konnte er sich endgültig rehabilitieren.

Das Ende der Mildtätigen spielte sich nahezu lautlos ab. Froschhand und die Seinen arbeiteten mit Schalldämpfern, und dass keiner der Feinde einen Schuss abzugeben vermochte, sprach für sich. Es waren die ersten Gefallenen, die seine Männer nicht mühevoll zum Wassergrab schleppen mussten.

Der Captain war zufrieden und nahm Quinns anerkennendes Nicken entgegen wie eine ganz besondere Auszeichnung.

Mireille war bereit.

Sie ruhte sauber geputzt und gepudert in einem kleinen offenen Sarg, der mit rotem Satin gefüttert war. Farang hatte ihr das Rubinhalsband umgelegt, das ihm der Oberste Befehlshaber anvertraut hatte, und konnte sich des Eindrucks nicht erwehren, sie lächele zufrieden. Die kleinen Augen waren geschlossen, und Haller hatte sogar ein wenig Wimperntusche aufgetragen.

Die Abschiedszeremonie sollte in einem eigens dafür ausgestatteten Lagerraum stattfinden. Eine kleine Musikanlage garantierte Trauermusik. Die Fabrikfenster waren mit Tüchern verhängt, Blumen dufteten, Kerzen brannten, und vor dem aufgebahrten Kadaver stand eine gut gepolsterte Kirchenbank, die Haller bei einem Bezirkspfarrer ausgeliehen hatte.

Jetzt fehlte nur noch der Oberste Befehlshaber.

Haller trug einen schwarzen Anzug mit schwarzer Fliege, in dem er wie ein Oberkellner aussah. Zum Zeitvertreib ließ er sich über die Tradition der Kadaverbeseitigung aus, erzählte von seinem Lieblingsschriftsteller, einem Carl Zuckmayer, den er vor allem wegen eines Stückes schätzte, das „Schinderhannes" hieß und in dem es unter anderem auch um den ehrenwerten Berufsstand der Abdeckerei ging, was auch nichts anderes war, als sich mit Tierleichen zu beschäftigen. Es gab in Berlin sogar eine Zuckmayer-Brücke, an der U-Bahnstation „Rathaus Schöneberg" auf der Linie 4.

Farang war froh, für die anstehende Zeremonie eine stille Andacht mit klassischer Trauermusik vereinbart zu haben. Die angebotene Trauerrede Hallers in Englisch blieb ihm auf diese Weise erspart. Den aktuellen Vortrag ertrug er geduldig. Er hatte Khun Heinz eine Menge zugemutet, und wenn es dem Mann half, sich zu entspannen, sollte er ruhig weiterreden. Doch einer der Vietnamesen machte dem Monolog ein frühzeitiges Ende, indem er das Eintreffen des Obersten Befehlshabers meldete.

Kaum hatte die Hauptperson den Raum betreten, nahm Haller eine devote Haltung an. Seine Spanielaugen schwammen in mühsam zurückgehaltenen Tränen und seine Hamsterbacken bebten vor unterdrückter Trauer.

Der Oberste Befehlshaber wies seine Männer an, draußen zu warten, und nachdem er seinen Feldherrenmantel abgelegt hatte, kam auch die schneeweiße Paradeuniform mit allen Orden voll zur Wirkung. Der Anblick verstärkte die demonstrative Unterwürfigkeit Hallers bis an die Grenze des Erträglichen, und es war eine Erlösung für Farang, als Khun Heinz endlich zur Musikanlage ging, Mozarts Requiem auflegte und den Ton dezent regelte.

Der Mann in der Uniform blieb hinter der Bank stehen, nahm die Schirmmütze ab und schaute traurig auf seine kleine Gefährtin. Während zur schleppenden Trauermusik Chorgesang erklang, kniete er nieder, faltete die Hände, senkte das Haupt und verharrte wie versteinert in dieser Haltung. Farang und Haller flankierten den Hinterbliebenen für eine Weile bei seiner Trauer, dann ließen sie ihn alleine und zogen sich rücksichtsvoll in Hallers Büroräume zurück, um ihm einen möglichst intimen Abschied von Mireille zu ermöglichen.

„Haben Sie den Termin im Krematorium bekommen?" fragte Farang.

„Ja, alles wie geplant. Ich werde morgen am späten Nachmittag zurücksein. Dann können seine Männer die Urne mit der Asche und den dazugehörigen Dokumenten abholen."

„Gut. Sie bringen Ihnen auch das restliche Geld mit. Die erste Hälfte wird er Ihnen wohl gleich selber auszahlen."

„Aber das ist doch nicht nötig", wiegelte Haller beflissen ab.

„So haben wir es vereinbart. Er besteht darauf. Und erledigen Sie die Angelegenheit mit Torns Kopf so dezent wie möglich."

„Ich werde ihn entsprechend präparieren und als Dogge deklarieren."

„Als Dogge?"

„Ich stelle mir vor, das liebe Tier ist mit hoher Geschwindigkeit von einem Lastwagen überfahren worden." Hallers braune Augen schimmerten kalt. „Kopf abgerissen, mitgeschleift und so weiter. Wenn nötig, lege ich noch einen halben Schäferhund dazu."

Gar nicht auszudenken, was der Tierexperte unter *präparieren* verstand. „Sie haben Fantasie, Khun Heinz. Das muss ich ihnen lassen."

„Muss man im Kleingewerbe auch haben, sonst bekommt

man kein Bein auf die Erde.“ Haller aktivierte sein Pferdegebiss, um den Gehalt seiner Worte mit einem geschäftsmäßigen Lächeln zu würzen.

Was man auch von dem Mann halten mochte, er war ein Überlebenskünstler – wie ein Kakerlak, der unversehrt durch Chemieabwässer kroch. Hätte ein gewisser Surasak Meier tatsächlich seinen Traum vom Spezialitätenrestaurant verwirklicht, so wäre Heinz Haller ein Garant für die Lieferung von Ratten gewesen, frisch oder tiefgefroren.

87

„Ich habe es Farang und Bobby wieder und wieder gesagt: Nie die Kräfte in Einzelaktionen zersplittern, wenn man es im Team erledigen kann!“ Tony Rojana schlug mit der Faust gegen die Betonwand. „Aber auf mich hört ja keiner.“

Auch Heli machte nicht den Eindruck.

Sie hockte neben ihm auf dem Bett und starrte apathisch auf den Fußboden. Die Arme kaute noch an Rudis Tod. Wer konnte ihr das verdenken? Die Art und Weise, wie diese halbe Portion den Heldentod für sie gestorben war, nötigte selbst Rojana Respekt ab.

„Was sie wohl mit ihm machen?“ fragte sie leise.

„Keine Ahnung. Ich fürchte, sie werden ihm kein Denkmal im Garten der Villa gönnen. Auch wenn er es sich redlich verdient hat.“

„Und wir? Was ist mit uns?“

„Sie hätten sich nicht die Mühe gemacht und uns meilenweit entfernt in diesen Bunker verschleppt und meine Schulter verarztet, wenn sie nicht noch was mit uns vorhätten.“

„Und Romy? Warum haben sie Romy in der Villa behalten?“

„Ich weiß es nicht, Heli.“

„Wo soll das alles enden?“

Auch das wusste er nicht. Sicher war nur, dass vor ihrer Zelle die kleinen Männer in den Plastikklamotten bewaffnet Wache standen.

88

„Nimm zum Beispiel Heckler & Koch, oder meinetwegen auch Black & Decker“, sagte der Captain. „Wann immer in der Geschichte zwei Europäer über einer Maschine gebrütet haben – sie wurde perfekt!“

„Michail Kalaschnikow hat es ganz alleine geschafft“, gab Quinn zu bedenken.

Der Captain lachte. „Und das muss ich mir aus dem Mund eines Amerikaners anhören, der in Vietnam den Kommunismus bekämpft hat.“

Quinn nutzte die gute Stimmung des Tunnelhauptmanns, die er seit der gelungenen Operation am Schlachtensee an den Tag legte. „Was hat es denn mit dieser McLenin-Legende auf sich?“

„Reine Propaganda.“

„Von wem?“

„Von uns. Es gibt genug unbescholtene Landsleute in dieser Stadt, die nicht wissen, was sie von den kriminellen Machenschaften halten sollen, die eine so genannte Vietnamesen-Mafia begeht. Sie haben nichts damit zu tun, aber sie leiden darunter, werden von den Deutschen mit den Verbrechern über einen Kamm geschoren. Wir müssen diesen Viet Kieu ein Alternativprogramm anbieten, damit sie die Hoffnung nicht verlieren und ihr Selbstwertgefühl behalten. Das Umfeld, in dem sie sich Tag für Tag behaupten, ist auch so schon feindselig genug.“

Quinn bezweifelte, ob diese Auslandsvietnamesen, wie der Captain sie nannte, sich dafür ausgerechnet einen ehemaligen Vietcong ausgesucht hätten. „Und – funktioniert es?“

„Jede mit Entschiedenheit vorgebrachte Meinung findet die Zustimmung einiger Meinungsloser.“

Die Dinge, die der Captain tat, mochten edel sein, aber seine Grundhaltung war zynisch. Aber stand es einem Ex-GI an, darüber zu richten? Einer gottverdammten Tunnelratte von der Napalmfraktion, die ein halbes Land entlaubt und verseucht hatte, in dem vergeblichen Versuch, es auf Linie zu bringen?

Der Captain schenkte ihm noch einen kleinen Schluck Whiskey nach. Es war Bourbon, kein Scotch, wenigstens in diesem Bereich hatte die US-Propaganda Wirkung gezeigt. Da hockten sie nun, und feierten einen gemeinsamen Erfolg. Wer hätte das gedacht? In *diesen* Vietnamkrieg war nur ein einziger Amerikaner verwickelt. Wenn man Tony dazuzählte, waren es anderthalb. Und Platz gab es unter der Erde auch genug. Wenn er die hiesigen Luftschutzbunker mit denen des Vietcong verglich, wurde es ganz offensichtlich. In die engen Schutzräume von Cu Chi hatten nicht mehr als vier Personen gepasst. Die Kegel hatten ihn an das Innere eines Indianerzeltes erinnert. Die Form hielt auch bei direktem Bombardement stand, und zudem hatte sie den Vorteil, jedes Geräusch über der Erde zu verstärken. Der Captain und seine Leute hatten die Flugzeuge schon gehört, bevor sie über dem Ziel waren. Einfach und genial.

„Es wird jetzt schnell gehen", sagte der Captain.

Quinn hatte es geahnt, denn der Vietnamese war auffallend sparsam mit dem Whiskey umgegangen.

„Bevor die Mildtätigen sich was Neues ausdenken, werden wir sie in ihrem Loch einschließen."

Der Captain hatte ihn nicht im Dunkeln darüber gelassen, wie er das zu erreichen gedachte. Froschhand und seine Männer konnten alle Schlupflöcher in kürzester Zeit dichtmachen. Die Fallen waren geräuschlos, um keine unnötige Aufmerksamkeit über der Erde zu erregen. Alles war bestens vorbereitet, und das Ultimatum für die Gegenseite ging per Rohrpost ab.

89

„Es war eine würdevolle Veranstaltung, und ich danke dir dafür, mein Sohn", sagte der Oberste Befehlshaber.

Farang senkte den Kopf, um Bescheidenheit zu demonstrieren.

„Es lindert meinen Schmerz ein wenig, und ich habe schon darüber nachgedacht, mir bald Ersatz für Mireille anzuschaffen. Angeblich kommt man besser über den Verlust hinweg, wenn man sich sofort ein neues Haustier zulegt. Was meinst du dazu?"

„Soviel ich weiß, soll es aber vom selben Typ sein."

„Richtig."

„Es wird nicht leicht sein, so schnell ein zweites Minischwein aufzutreiben, vor allem eins aus Minnesota."

„Es muss nicht unbedingt aus Amerika sein. Mireilles Artgenossen stammen sowieso vom asiatischen Zwergwildschwein ab. Ich habe gehört, sie züchten sie auch in der Nähe von Schwerin. Das ist nicht weit weg von Berlin."

Schon fürchtete Farang, der Oberste Befehlshaber habe sich, kaum von der Trauerfeier zurückgekehrt, bereits eine neue Aufgabe für ihn ausgedacht, anstatt ernsthaft über seine Freilassung nachzudenken, doch als sie die Residenz betraten, wurde der Vietnamese mit Meldungen seiner Offiziere konfrontiert, die ihn auf andere Gedanken brachten. Dank seiner weiter gefestigten Vertrauensstellung, musste Farang den Raum nicht mehr verlassen. Es nützte ihm nicht viel, denn das vietnamesische Staccato des Stabs blieb ihm unverständlich, bis der Oberste Befehlshaber seine Männer mit neuen Befehlen entlassen hatte und ihn ins Bild setzte. Schon die Miene machte deutlich: Der Alltag hatte den Trauernden wieder auf den Boden der Tatsachen zurückgeholt.

„Über diesem See scheint ein Fluch zu liegen. Keiner der Männer, die ich ausgesandt habe, ist zurückgekehrt – und der Feind ist im Anmarsch."

90

Irgendetwas war im Busch.

Harry Nam alias Großvater gab sich zwar gelassen, aber bis auf zwei Posten vor der Villa waren alle seine Männer aufgebrochen, als würden sie an anderer Stelle dringend gebraucht.

Romy Asbach saß im Ohrensessel, trank Tee und sah sich den Auerhahn an, unter dessen ausgestopftem Balg der Greis telefonierte. Er tat es in seiner Muttersprache und stützte sich dabei an der Kommode ab, als falle ihm das Stehen schwer. Aber trotz seiner Gebrechlichkeit hatte der alte Mann etwas Zähes an sich.

Der Anruf hatte eine anregende Konversation in gepflegtem Französisch über die Inneneinrichtung der Villa unterbrochen, bei der sich Großvater ohne jede Einschränkung zur Ausstattung im Jagdschlösschenstil bekannt hatte. Wuchtige Möbel mochte er ganz besonders, vor allem, wenn sie aus deutscher Eiche waren.

Butzenscheiben waren für ihn magische Mini-Bullaugen. Kupfer, Messing und handgeschmiedetes Eisen und Zinn betrachtete er als sinnliche Materialien, die intensive Schwingungen ausstrahlten, aus denen man Kraft zog. Die Ölgemälde mit den röhrenden Hirschen, die Geweihe und der Eberkopf waren anregende Symbole der Männlichkeit. Zum Auerhahn hatte er sich noch nicht geäußert. Und dann waren da natürlich noch die Kuckucksuhren. Die dezimierte Sammlung nahm nach wie vor die ganze Längswand in Anspruch. Die guten Stücke hatten an der frisch renovierten Wand etwas mehr Platz. Rund dreißig der Wecker hatten Farangs Attentat überlebt und tickten vor sich hin.

Es war beruhigend, dass Großvater offenbar keine Ahnung hatte, wer Uhren, Koch und Neffen auf dem Gewissen hatte. Über Frau Asbach, ihre Aufgaben und ihre Probleme war er allerdings bestens informiert. Dafür hatte wohl Neffe Dressman noch vor seinem Ableben gesorgt. Ihre Besessenheit in Sachen Gustav Torn war bekannt. Anders war ihr nicht erklärlich, warum man sie als Einzige hier behalten hatte. Torn war beim Oberkommando des Haufens, und man wollte sie von ihm fern halten.

Bevor Romy weiterspekulieren konnte, beendete Großvater das Telefonat, versank wieder im weichen Sofa und nahm den Gesprächsfaden exakt an der Stelle auf, an der er ihn hatte fallen lassen.

„Wie ich schon sagte, auch das Äußere der Villa ist mir lieb. Deshalb habe ich gerade dieses Objekt gekauft. Es erinnert mich, wenn auch nur vage, an ein Motiv in Vung Thau oder Cap Saint Jaques, wie es die Franzosen früher nannten. Das ist ein Fischerort, der etwa hundertzwanzig Kilometer von Saigon entfernt am Meer liegt. Eigentlich sollte ein alter Mann wie ich in einer der dortigen Kolonialvillen seinen Lebensabend verbringen und am Grande Plage spazieren gehen. Wie dem auch sei, einer der kolonialen Prachtbauten ist die Villa Blanche des ehemaligen Generalgouverneurs Paul Doumer, in der Kaiser Thanh Thai seinen Hausarrest und Südvietnams Präsident Thieu seine Ferien verbrachte..."

„Dann stehe ich mit diesem Doppelgänger von Haus wohl eher in der Tradition des Kaisers."

Großvater lachte leise. „Ich glaube, es geht Ihnen besser – bis auf die Außentemperaturen. Das Klima in Vung Thau ist wesentlich angenehmer. Ein zauberhafter Ort, Madame. Man kann die Rückkehr der Fischer beobachten. Ihre Sampans tragen am Bug das silberne Fischauge. Das ist ein Symbol, das für Hoffnung auf Reichtum und gute Fahrt auf den Wellen steht. Die Boote der Flotte sind wie fliegende Fische, die im Salzwasser zu Hause sind, und die Augen der Drachen, die über das Meer wachen, sind die Hüter dieser Herde."

Großvater verstummte abrupt, als gestatte er sich keine weiteren Sentimentalitäten und wandte sich ernsteren Themen zu.

„Die Behörde, für die Sie arbeiten, Madame, oder besser gesagt, für die Sie wieder arbeiten möchten...", er milderte die kleine Spitze mit einem altersweisen Lächeln, „...beeindruckt mich stets aufs Neue mit ihrer Statistik. Als ein Mann des Geldes möchte ich fast sagen, es handelt sich um einen Fall selbstbetrügerischer Buchhaltung."

„Worauf wollen Sie hinaus?"

„Nun, angeblich sind bislang in Berlin nur fünfundzwanzig meiner Landsleute umgekommen. Die Deutschen rechnen ihrem Volk sinkende Todeszahlen vor, dabei sind viele der Leichen nie aufgetaucht, wie wir beide wissen. Ihr bekommt sie gar nicht alle zu sehen und scheint sogar froh darüber zu sein."

„Man nennt das Verdrängung. Eine typische Charaktereigenschaft *meiner* Landsleute."

„Wie ich sehe, haben Sie Humor, Madame. Das gefällt mir. Immer wenn wir planen, sind wir am weitesten von der Wirklichkeit entfernt. Ist es nicht so?"

„Darüber möchte ich nicht mit Ihnen streiten."

„Und diejenigen, die vorgeben, die Menschheit zu lieben, können gewöhnlich menschliche Einzelwesen nicht ausstehen."

„Einverstanden."

„Es ist eine Schande, Sie trotzdem auf der anderen Seite zu wissen."

„Noch bin ich nicht tot."

Großvater lachte leise und kämmte seinen Ziegenbart mit den Fingern.

Romy stand auf und watschelte, so gut es die Kette zwischen ihren Fußgelenken zuließ, über den Perserteppich in den Wintergarten. Durch die Glasscheiben konnte sie die beiden Wachposten sehen, die auf dem Grundstück patrouillierten. Wenn Sie alles richtig übersah, waren es im Augenblick die einzigen Männer, die Großvater zur Seite standen. Eine bessere Gelegenheit zur Flucht kam nicht mehr. Sie war fest entschlossen, die Villa zu verlassen – und zwar nicht durch den Tunnel, so viel stand fest.

Auch zu dieser vollen Stunde überraschte sie das plötzliche Getöse der Kuckuckskolonie völlig. Sie zuckte zusammen und hielt sich die Ohren zu, bis das letzte Türchen wieder zugeschlagen war.

Als Romy ins Wohnzimmer zurückkam, saß Großvater noch auf dem Sofa. Er hatte die Augen geschlossen und schien mit einem glücklichen Lächeln dem verklingenden Hall seiner Uhren nachzulauschen. Sie blieb neben dem Ohrensessel stehen und beobachtete den Greis, der die Augen noch nicht wieder geöffnet hatte. War er eingeschlafen? Umso besser. Das machte es ihr leichter.

Als sie Hand an ihn legte, spürte sie den Tod.

Sie konnte es nicht glauben, aber alles deutete auf ein Herzversagen hin.

Altersschwäche.

Was für ein Abgang.

Still und friedlich und zum Konzert seiner Lieblinge.

91

Diesmal begleiteten Farang nur zwei Männer des Obersten Befehlshabers in die Oberwelt.

Die Absprachen waren klar. Er sollte die ordnungsgemäße Übergabe von Urne und Dokumenten durch Haller garantieren. Wenn der Bestattungsunternehmer die Spielregeln einhielt und alles korrekt ablief, bekam Khun Heinz das restliche Geld und Khun Surasak seine Freiheit. Der Oberste Befehlshaber wurde in diesem speziellen Fall dem Namen seiner Bande gerecht – er zeigte Milde.

Farang gönnte sich ein Lächeln. Die Geduld hatte sich ausgezahlt. Ausgerechnet im Geburtsland seines leiblichen Vaters war er klug genug gewesen, den vererbten Hang zum Aktionismus zu zügeln. Der Oberste Befehlshaber hatte sich, trotz der Sorgen, die ihn plagten, geradezu herzlich verabschiedet und ihm Grüße an General Watana aufgetragen. Mireille war auch als Asche noch ein Glücksbringer.

Der Umweg, der sie beim zweiten Ausflug ans schwindende Tageslicht führte, zeigte, dass dem Bund der Mildtätigen nicht mehr alle Wege offen standen. McLenin machte auf subtile Weise mächtig Druck. Als sie den Gewerbehof im Wedding mit einiger Verspätung erreichten, war es bereits dunkel, aber im Büro von „Pax Animalis" brannte Licht.

Wenn Heinz Haller überrascht war, auch Farang erneut zu sehen, dann ließ er es sich nicht anmerken. Er strotzte vor Freundlichkeit. Alles war auf das Beste erledigt. Die Urne war aus Bronze, und für die Echtheit der Asche bürgte das Zertifikat. Farang überprüfte auch das Beileidsschreiben und bestätigte den Männern des Obersten Befehlshabers, alles habe seine Richtigkeit. Einer der Vietnamesen reichte Haller einen Umschlag mit dem Geld und steckte Urne und Dokumente in einen schwarzen Rucksack. Khun Heinz zählte die nagelneuen Scheine durch und nickte zufrieden.

Der andere Vietnamese zog eine schallgedämpfte Automatik aus der Anoraktasche und schoss Haller in den Kopf.

Haller fiel um und verstreute dabei etwas Bargeld in seinem Büro.

Farang gelang es nur mit Mühe, sich zu beherrschen. Er hatte keine Chance. Der Vietnamese steckte die Waffe weg, und beide Männer verschwanden in der Dunkelheit ohne ihn eines weiteren Blickes zu würdigen, geschweige denn, ihn zu behelligen. Alles wie abgesprochen – bis auf Hallers Ableben. Es machte ihn wütend. Nicht, dass ihm der Kinderschänder ans Herz gewachsen war, aber der Mann hatte sein Wort gehalten, und sowohl ihm, als auch dem Alten bei der Lösung eines Problems geholfen, und zwar mit absoluter Zuverlässigkeit. Dafür verdiente man nicht den Tod.

Er ging in die Hocke und sammelte das Geld ein. Sicher hatte der Alte auch dazu eine Weisung erlassen. Ein bisschen Blutgeld als Reisespesen für den Begnadigten. Wie dem auch war, er konnte es jetzt gut gebrauchen.

Sein Blick fiel auf das Telefon, und für einen Moment erwog er, Heli anzurufen. Er ließ es. Die Zeit drängte. Gerne hätte er sich noch einmal durch Rückfrage bei Heinz Haller vergewissert, die Adresse beim letzten Besuch richtig verstanden zu haben. Aber dazu war es jetzt zu spät.

92

Die Lage war ausweglos.

Das Ultimatum hatte der Oberste Befehlshaber noch weggewischt wie eine lästige Lappalie, die ihn nicht davon abhalten konnte, den Feind zu vernichten. Doch seitdem waren mehrere Ausbruchsversuche seiner Männer gescheitert. Seine Truppe war auf einen kläglichen Haufen dezimiert, mit dem er keine Chance mehr hatte. Die Verstärkung aus der Villa war schon auf dem Weg zu ihm aufgerieben worden. Und was ihn am meisten bedrückte: Die Rückführung der Urne mit Mireilles Asche war in Anbetracht der Lage unmöglich, auch wenn das Kommando noch rechtzeitig aufgebrochen war. Mochte der Eurasier die Freiheit genießen, die er ihm gewährt hatte. Es war nichts Geringeres, als eine edle und großzügige Geste, mit der ein Herrscher sich Meriten für ein nächstes Leben erwarb. Über die beiden Gefangenen, die in die Residenz gebracht worden waren, hatte er wohlweislich kein Wort verloren. Dass seine Männer die Frau als seine Gefährtin identifiziert hatten, hätte die Motivation des Halbdeutschen unnötig gemindert. Wäre Mireille nicht gewesen, so hätte sich seine Großmut in Grenzen gehalten, und er hätte andere Prioritäten gesetzt. Aber was spielte das jetzt noch für eine Rolle?

Er nahm das Rubinhalsband, das er in der Uniformtasche über dem Herzen trug, und platzierte es an prominenter Stelle auf dem Altar.

Er fühlte sich müde.

Es war wie in den alten Zeiten in Südvietnam. Auch damals hatte der Vietcong mit der tückischen Kampftechnik, die er so verachtete, die Oberhand behalten. Die Hunde waren zu feige, um ihm in einer offenen Schlacht zu begegnen, und diesmal war er schon zu alt und ohne den Schutz seiner Männer auch zu schwach, um sich dagegen aufzubäumen. Es hatte Zeichen gegeben – aber er hatte sie nicht beachtet oder falsch gedeutet. Mireilles Tod, der Fluch, den der Herrscher des Wasserreiches über ihn verhängt hatte...

Er war umzingelt. Seine Zeit lief ab, und er hatte nicht vor, dem Gegner in die Hände zu fallen. Für einige schwierige und quälende Minuten wog er das Für und Wider der passenden Aufmachung ab, dann entschied er sich gegen die Paradeuniform und für den Kampfanzug, den er trug.

Kerzen, Öllampen und Räucherstäbchen brannten, und an der Betondecke hingen Weihrauchspiralen, die er zum besonderen Anlass an den dafür vorgesehenen Haken hatte aufhängen lassen. Flach zusammengerollt waren sie ihm als Kind wie riesige Kopien der Lakritzschnecken vorgekommen, die ihm sein Lieblingsonkel in jenen Tagen aus dem Franzosenladen mitzubringen pflegte. Einmal aufgehängt, zog das Eigengewicht die Spiralen zu luftigen Kegeln auseinander, deren glimmendes Ende sich unendlich langsam himmelwärts fraß und dabei weißen Rauch verströmte, der nach Sandelholz duftete. Mochten seine Landsleute Jasmin, Rose oder eine andere der zahleichen Geruchsvarianten vorziehen. Er zog Sandelholz jedem anderen Duft vor.

Er zog seine Armeepistole aus der Koppeltasche, überprüfte die Waffe und steckte sie fertig geladen zurück, ohne die Lasche zu schließen. Danach kniete er sich zur Andacht vor den Altar. Als er sich wieder erhob, sah er noch einmal kurz auf Buddha und Kruzifix, bevor er sich endgültig ganz dem Anblick der südvietnamesischen Flagge hingab, die über dem Diwan in der Luft zu schweben schien.

Die Hand schon an der Waffe, kam ihm ein Gedanke. Er durchwühlte die gestapelten Videokassetten bis er gefunden hatte, was ihm fehlte. Er legte das Band ein, und als die Anfangstitel von „Indochine“ auf dem Bildschirm erschienen, drehte er den Ton laut, um die Wirkung der Filmmusik voll auszuschöpfen.

Erneut starrte er auf die Nationalfarben des Landes, das ihm endgültig verloren gegangen war, nahm Haltung an und salutierte zum letzten Mal.

93

Alles, wonach sich Romy Asbach sehnte, war ein Vollbad, angereichert mit Blütenkonzentrat.

Stattdessen betete sie, der Motor ihres Opels möge beim vierten Startversuch endlich anspringen. Er tat ihr den Gefallen, und sie atmete durch und ließ ihm etwas Zeit, warm zu laufen. Sie musste sowieso dringend nachdenken. Was jetzt? Wohin? Bis hierhin war es gut für sie gelaufen. Die beiden Wachposten hatten sich im Inneren der Villa hilflos wie Teddybären bewegt. Sie hatte die Hysterische gegeben, und Großvaters Tod als Schockeffekt voll genutzt. Die Flex, die zwischen anderen Werkzeugen in der Garage herumlag, war beim Entfernen der Fesseln hilfreich gewesen, auch wenn sie sich damit um ein Haar die Füße amputiert hatte.

Und jetzt?

Klar war, sie musste Torns Spur wieder aufnehmen. Aber wo suchen? Auf keinen Fall schon wieder unter der Erde. Nicht nur, weil sie keine Rettungstropfen mehr hatte. Sie brauchte eine längere Pause, bevor sie den nächsten Tunnel oder Bunker betrat. Was sie auch als Nächstes tat, es musste sich an der frischen Luft abspielen – auch wenn sie bitterkalt war.

94

Quinn stand neben dem Captain, als der die Kapitulation entgegennahm.

Die beiden Gestalten am Ende des Waisentunnels waren im blauen Licht eines Notaustiegs nur schemenhaft auszumachen. Das weiße Tuch, das sie schwenkten, war hingegen deutlich zu erkennen. Sie riefen etwas in ihrer Muttersprache. Danach herrschte für einen Moment Stille, bevor der Captain, für beide Parteien gut hörbar, freies Geleit anordnete. Kaum war der Widerhall des Befehls in der Betonröhre verklungen, bewegten sich die Männer mit dem Friedenszeichen behutsam vorwärts. Sie waren unbewaffnet und näherten sich dem Sieger in Demut.

Nach einer kurzen Befragung der beiden Mildtätigen schickte

der Captain den Mann mit der Froschhand mit zwei weiteren seiner Männer und einem der Besiegten als Vorhut ins Hauptquartier des Gegners. Quinn folgte dem Captain, als er dem Voraustrupp wenig später mit dem Rest seiner Männer und dem zweiten Gefangenen folgte.

Sie fanden die Leiche des Anführers vor dem Diwan in seinem pompösen Wohnraum. Auf einem Bildschirm flimmerte ein Spielfilm. Quinn erkannte Catherine Deneuve, die in Begleitung eines jungen Asiaten auf einem Dampfer über einen See fuhr. Der Captain griff zur Fernbedienung und stellte den Ton leiser. Der Oberste Mildtätige hatte sich mit seiner Pistole in den Mund geschossen, und dabei seinen Hinterkopf bis an die Wand über dem Hausaltar geblasen. Ein Film aus Blut, Knochenbrei und Gehirnmasse klebte fein verteilt auf einem Buddha und einem Kruzifix. Ein atemraubender Duft hing im Raum.

„Riecht wie im Tempel." Quinn musterte die Weihrauchspiralen, die von der Decke hingen.

Der Captain nickte. „Sandelholz."

Quinn erinnerte sich an die Geschichte, die Tony ihm über die Bräuche am Königshof von Siam erzählt hatte. Die Thais hatten ihre Könige, wenn sie zu Tyrannen wurden, mit einem Knüppel aus wohlriechendem Sandelholz erschlagen. Herrscherblut durfte nicht vergossen werden. Ein präziser Schlag ins Genick tat es auch. Auf dem Bildschirm stand die Deneuve inzwischen einsam und alleine auf der Uferpromenade und schaute über den See auf eine imposante Bergkulisse. Quinn stellte den Ton lauter. Zu religiös anmutendem Chorgesang fror die Figur der Schauspielerin zu einer dunklen Kontur ein. Ein Text wurde eingeblendet und von einer Sprecherstimme vorgetragen.

„Am nächsten Tag, dem 21. Juli 1954, wurde durch den Beschluss der Genfer Konferenz die Teilung des Landes in zwei Staaten besiegelt. Es hieß von nun an wieder Vietnam."

Opulente Filmmusik löste den Chor ab.

Der Captain konnte es nicht mehr ertragen. „Die Franzosen weinen ihrer Kolonie nach", knurrte er ungehalten und beendete die Vorstellung endgültig. „Und ihr habt ihnen auch noch einen Oscar dafür verliehen."

Quinn musste lächeln. Hollywood hatte für die amerikanische Variante des Themas noch ein paar Preise mehr eingeheimst. Er folgte dem Captain durch einen Gang und einen Vorhang aus Perlenketten in eine Art Aufenthaltsraum.

Diejenigen Offiziere des Bundes, die nicht gefallen waren oder sich ergeben hatten, waren ihrem Führer in den Tod gefolgt. Einer lag vor einer Musikbox, die Quinn mit Kennerblick als eine original Wurlitzer identifizierte, ein zweiter saß auf einem Stuhl, den Kopf auf dem Tisch, ein dritter lag vor den Kühlschränken auf dem Boden. Alle drei Männer hatten offenbar Zyankalikapseln zerbissen.

„Gut, dass die Halunken es sich selbst besorgt haben", dröhnte Tonys Stimme in den Raum. „Sonst hätte ich sie mir vorgenommen." Er stand zwischen den Perlenketten und rieb sich die Handgelenke, um die Durchblutung zu fördern.

„Was zur Hölle machst du denn hier?" rief Quinn.

„Das ist eine längere Geschichte."

„Und das ist Tony Rojana", sagte Quinn zum Captain. „Einer der Freunde, von denen ich hoffte, sie würden sich etwas zurückhalten."

„Willkommen im Klub!" Tony kam herein und umarmte Quinn. Dann grinste er den Captain an und hob dabei beide Unterarme vors Gesicht, als seien sie noch aneinandergefesselt. „Und danke! Ihre Mitstreiter machen wenigstens keine Mätzchen, wenn es drauf ankommt."

„Sie haben ihre Befehle. Sind noch mehr von Ihnen hier?"

„Bevor die Kämpfe richtig losgingen, haben sie Heli und mich getrennt. Sie haben sie vermutlich auch in Einzelhaft weggesperrt. Genug Stauraum gibt es hier unten ja. Wir müssen nur suchen."

„Und Romy und diese Rotnase?" fragte Quinn.

„Rudi hat es leider erwischt. Sie haben ihn erschossen. Romy haben sie in der Villa behalten, in der wir ihnen auf den Leim gegangen sind", antwortete Tony. „Ich hoffe, sie lebt noch. Und bevor du nach unserem Freund Farang fragst, für den wir uns das alles antun, so ist er von mir nirgends gesichtet worden. Weder lebendig – noch tot."

„Mal den Teufel nicht an die Wand." Quinn schüttelte den Kopf. „Er muss hier sein!"

Der Captain befahl die beiden Vietnamesen zu sich, die ihm die Kapitulation angezeigt hatten, und befragte sie ausführlich, bevor er die Antworten für die Rundaugen zusammenfasste. „Der Oberste Befehlshaber, wie sie ihren toten Boss nennen, hat euren Freund mit zwei seiner Männer in die Oberwelt entsandt. Warum und wohin, wissen sie angeblich nicht. Ich glaube, sie sagen die Wahrheit."

„Verflucht", sagte Tony.

Quinn versuchte, sich auf das nahe Liegende zu konzentrieren. „Kommt, lasst uns Heli suchen."

95

Die Frau roch gut.

Der Mann mit der Froschhand beugte sich über ihre roten Haare und schnüffelte. Es war ein betörender Duft, der ihm da in die Nase stieg. Nicht zu vergleichen mit dem strengen Geruch nach Fischsoße, den seine Geliebte in der Marzahner Außenstelle ausschwitzte, wenn er sie sich vornahm. Er hatte nichts gegen ein würziges Aroma, es stachelte ihn an, machte Energien in ihm frei, die ihn bis zur Raserei trieben. Aber dieser frische Duft war etwas anderes – er betörte ihn.

Wie verzaubert richtete er sich auf und betrachtete die helle Stirnnarbe und die schiefe Nase. Sie schlief wie ein Engel, und er hatte nicht vor, sie zu wecken. Von ferne hörte er Schritte und Männerstimmen, die näher kamen. Er konnte die Stimme des Captains erkennen und doch war es ihm unmöglich,, den Blick von der jungen Frau auf dem Bett abzuwenden, als sein Vorgesetzter hinter ihm den Raum betrat.

Erst als das kühle Metall der Mündung seine Schläfe berührte, drehte er sich langsam um und sah in die kalten Augen des Captains.

Der Amerikaner schob sich an ihnen vorbei und ging zum Bett. „Sie schläft", hörte er ihn sagen und spürte, wie der Druck der Mündung nachließ.

Der Captain steckte die Waffe weg und wich seinem Blick aus.

Quinn sah zu, wie Tony seine Bierflasche hart auf den Tisch stellte, laut lachte und den Kopf schüttelte.

„Das gute Mädchen legt sich einfach aufs Ohr und schläft durch das Gröbste durch. Ich hätte auch rechtzeitig Valium nehmen sollen. Sie hat mir die Dinger sogar angedient, als wir noch zusammen in der Zelle saßen. Aber für zwei Schlafsüchtige hätte ihr Vorrat kaum gereicht."

„Wenn sie wieder ganz bei sich ist, solltet ihr euch aufmachen." Der Captain stand auf und ging zu den Kühlschränken. „Ich gebe euch für alle Fälle einen meiner Männer mit auf den Rückweg." Er drehte sich kurz um und lächelte Quinn an „Damit ihr euch nicht verirrt."

„Wir sollten vorher noch die Villa checken", mahnte Tony.

„Das haben meine Leute schon erledigt." Der Captain schenkte sich einen Bourbon ein. „Eure Freundin ist nicht mehr da. Und wie es dort aussieht, hat sie es aus eigener Kraft geschafft, zu entkommen.

„Alle Achtung." Tony erhob sich, durchsuchte seine Taschen nach Münzen und ging zur Musikbox.

„Und wie geht es hier weiter?" fragte Quinn den Captain.

„Wir werden alles sorgfältig präparieren und ausradieren, ohne dass gleich die ganze Stadt in sich zusammenfällt."

„Und wie?"

„Wir haben unsere Methoden."

Quinn bohrte nicht weiter. Er ging zu einem der Billardtische und schlenzte mit der Hand eine Kugel über den Filz. Sie verlor nach vier Berührungen der Bande Fahrt und blieb ruhig liegen.

Der Captain gesellte sich zu ihm. „Ihr solltet Berlin – oder besser noch, das Land – auf jeden Fall vor dem einunddreißigsten Januar verlassen."

„Danke für die Vorwarnung."

„Die ominöse erste Woche des ersten Mondmonats", brummte Tony über die Anzeigetafel der Musikbox gebeugt.

„Und die Hauptfeier findet am ersten Abend statt", betonte der Captain und trank einen Schluck.

„Diese Mildtätigen haben tatsächlich nur französische Intellektuellenmusik in der Kiste."

Quinn lachte. „Was verstehst du denn darunter, Tony?"

Er las es ihm laut vor. „Yves Montand, Charles Aznavour, Juliette Gréco, Jacques Brel, Edith Piaf. Das sind nur die, die ich halbwegs aussprechen kann."

„Das machst du schon ganz ordentlich. Drück einfach mit geschlossenen Augen auf eine Taste."

Tony warf Geld ein, wählte, ging zu den Getränkekästen und nahm sich ein frisches Bier. Noch während er nach dem Flaschenöffner griff, erklangen die ersten schwülstigen Töne von „Je t'aime, moi non plus".

Quinn quittierte die Wahl mit einem resignierten Kopfschütteln.

Der Schnauzbart gab ein Grinsen frei. „Offenen Auges!"

„Die Toten sind noch nicht begraben, Tony!"

„Aber alle unter der Erde."

Quinn ließ die Sprech- und Stöhnorgie über sich ergehen und gab sich dem Anblick der roten und gelben Lampenschirme der Deckenbeleuchtung hin, die Neonröhren und Glühbirnen gnädig verhüllten. Die geschmacklose Barbeleuchtung passte auf das Beste zu Tonys Hit. Aber das Idyll währte nicht lange. Der Captain ging zur Musikanlage und zog mit einem Ruck an der Schnur den Stecker aus der Dose. Die Nadel kam zum Stillstand, und die Musik brach ab. Quinn bedachte Tony mit dem Blick eines Oberlehrers, der einen ungezogenen Schüler abstraft. Noch bevor sie sich gemeinsam der weiteren Reaktion des Captains stellen konnten, gellte ein Schrei durch den Bunker.

„Heli!" entfuhr es Tony.

Quinn war als erster unterwegs. Im Gang überrannte er zwei Männer des Captains, und als er den Luftschutzraum erreichte, hatte er den Revolver in der Hand.

Von Heli war nicht viel zu erkennen, aber sie wehrte sich verzweifelt. Der Mann mit der Froschhand lag auf ihr, die verstümmelte Hand, die er auf ihren Mund hatte pressen wollen, zwischen ihren Zähnen, und die gesunde zwischen ihren Beinen.

Quinn packte den Mann mit der freien Hand an den Haaren, schlug ihm den Revolverknauf hinters Ohr, riss ihn weiter zurück und schleuderte ihn gegen die Bunkerwand.

Froschhand ging zu Boden. Er war benommen, rappelte sich wieder auf die Beine und verharrte mit ausgebreiteten Armen und leicht nach vorne gebeugtem Oberkörper in Angriffshaltung. Ein wehmütiger Blick streifte die Intratec, die neben dem Bett auf dem Boden lag.

Quinn hielt ihn mit dem Revolver in Schach und kickte die Intratec außer Reichweite.

Der Captain betrat, gefolgt von Tony, den Raum, richtete die Mündung seiner Pistole auf Froschhand und schob Quinn sanft zur Seite.

Der Mann mit der Froschhand begegnete dem Blick des Captains mit ausdrucksloser Miene. Aus dem Biss in der verstümmelten Hand tropfte Blut auf den Boden.

Der Captain zögerte noch einige Sekunden.

Dann schoss er.

97

Schon als er aus dem Zug der S-Bahnlinie 1 ausstieg, hörte Farang die vertraute Melodie des Asiatenblues, und auf dem Weg durch den Bahnhof Frohnau wurde das Klagen des einsaitigen Instruments stetig lauter.

Der Mann, der die Dan Bau mit dem Bogen bearbeitete, hockte draußen in Dunkelheit und Kälte auf einem Campinghocker, direkt neben dem Eingang. Die Strickhandschuhe bedeckten seine Finger nur zur Hälfte, und was auch immer er als Schuhwerk trug, steckte in Einkaufstüten aus Plastik, die mit Kordel über den Hosenbeinen zuammengebunden waren. Die blau-schwarz karierte Teddyjacke hing locker um seinen schmächtigen Oberkörper, und ein Filzhut mit breiter Krempe bedeckte den tief über das Instrument geneigten Kopf.

Farang blieb stehen und las die Mitteilung auf dem Pappschild neben dem Blechteller.

Bin obdachlos und habe AIDS.

Einer der vorbeihastenden Passanten warf ein Markstück in

den Teller, und der Bettler murmelte ein Danke, ohne sein Spiel zu unterbrechen oder aufzusehen. Schon wollte Farang weitergehen, da hob der Ban-Dau-Spieler den Kopf und sah ihn an. Er war noch jung, aber seine abgehärmten Gesichtszüge und der Hautausschlag bestätigten jedes Wort, das auf der Pappe stand. Der Tod hatte sich bereits weit vorgearbeitet und brachte die asiatischen Anteile im Antlitz des Europäers voll zur Geltung.

„Wo kommt deine Mutter her?“ fragte Farang.

Der Todgeweihte setzte den Bogen ab. Die Saite schwang keine Sekunde nach. Der Ton schien in der Kälte einzufrieren.

„Hanoi... und deine?“

„Bangkok.“

Der Bettler nickte, als sei damit alles gesagt.

Farang starrte auf die einsame Mark im Blechteller. Die Insel in Südthailand lag außer Reichweite für den Kranken. Keiner der dort gestapelten Holzsärge war für einen Halbvietnamesen aus Berlin reserviert. Hastig zerrte er das prall gefüllte Kuvert aus dem Mantel, legte es auf den Teller und eilte davon. Er wollte nicht sehen, ob der Kranke angesichts der druckfrischen Scheine seine Würde behielt, ob er das Geld sofort nachzählte, ob Gier in den müden Augen aufleuchtete. Jeder Mensch hatte das Recht, sein Gesicht zu wahren.

Er überquerte die Brücke über der Bahntrasse und ging bis auf den Zeltinger Platz, bevor er sich im Licht der Straßenlaternen orientierte. Das robuste Kirchengebäude aus roten Backsteinen lag direkt vor ihm. Der Turm war fast so breit wie hoch und mit einem schwarzen Holzkreuz bestückt. Die dunklen Balken des Portals verzierten Schnitzereien. Das konnte nur die Johanneskirche sein. Rechts dahinter musste der Edelhofdamm liegen.

Er marschierte los.

Der Himmel war wolkenlos, der Wind schneidend. Eine eiskalte Nacht stand bevor. Die Gegend machte einen wohlhabenden Eindruck. Viele edle Wohnhäuser zwischen vielen hohen Bäumen. Wenig Autoverkehr. Aus den Fenstern der Villen und Bungalows fiel Licht in die Gärten. Vorsichtig schlidderte er über die Eisbuckel des Kopfsteinpflasters auf den schneebedeckten Gehweg unter den Nadelbäumen, die auf dem Mittelstück zwischen den Fahrbahnen des Edelhofdamms wuchsen. Nur vereinzelt leuchteten weiße Birkenstämme im Unterholz auf.

Am Katzensteg passierte er einen zugefrorenen Tümpel vor dem ein Warnschild stand, das dunkle Erinnerungen in ihm wachrief.

Betreten der Eisfläche auf eigene Gefahr!
Selbstgeschaffene Eislöcher sichtbar markieren!
Gartenbauamt Reinickendorf

Er blieb stehen und starrte auf den Tümpel, bis er die Konkubine des Obersten Befehlshabers vor sich zu sehen glaubte. Sie näherte sich in unterwürfiger Haltung dem Wasserloch. Aber da war weit und breit kein festgefrorener Zweig zu sehen, kein safrangelbes Band flatterte im Wind – und dann war auch die Frau mit der roten Strickmütze wieder verschwunden. Nur eine von Schlittschuhkufen zerfurchte und zerkratzte Eisfläche lag vor ihm und erinnerte ihn an Heli. Die Ungewissheit über ihr Schicksal machte ihm Beine, und nur fünf Minuten später erreichte er das Ende des Mittelstreifens und trat aus dem Schatten der Kiefern.

Das „Buddhistische Haus“, das Haller ihm als Orientierungspunkt benannt hatte, ragte vor ihm auf. Es lag inmitten alter Bäume auf einem Hügel und ähnelte mehr einer mit Efeu überwucherten Burg, als einem Tempel. Von dem an der Straße gelegenen Portal mit den Elefantenfiguren führte eine langgezogene Treppe steil zum Hauptgebäude hinauf. Die Stufen wurden von vier Laternen beleuchtet, deren Ampeln an winzige Geisterhäuschen erinnerten. Die Informationen im Schaukasten neben dem Eingang waren im Halbdunkel kaum zu entziffern, verrieten aber, dass es sich um eine Stätte des Therawada-Buddhismus handelte, in dem Mönche aus Sri Lanka unterrichteten. Spenden wurden im Büro gegen Quittung entgegengenommen, und für Teilnehmer an den Meditationsgruppen betrug der Selbstkostenbeitrag vierzig Mark pro Tag.

Gustav Torn hatte sich die Wohngegend nicht deshalb ausgesucht. In tiefer Andacht zu sich selbst zu finden, war nicht seine Art gewesen. Das hatte auch Khun Heinz betont. Der heilige

Ort habe absolut nichts mit Torn zu tun, auch wenn dieser sich nicht selten mit der Nachbarschaft zu seiner *Privatpagode* gebrüstet habe. Das deckte sich mit der Aussage von Mönch Kramer, Torn sei bereits in Thailand jedem Tempel aus dem Weg gegangen, wie der Teufel, der das Weihwasser scheut.

Er wandte sich nach rechts, nahm den Oppenheimer Weg, und wanderte vorsichtig die leichte Steigung hoch. Über ihm rauschten schwere Baumkronen im Wind. Er erkannte den Bungalow, den Haller beschrieben hatte, noch bevor die Hausnummer Gewissheit gab. Das Anwesen lag linkerhand im Hang und war der einzige Flachbau in der näheren Umgebung.

Torn hatte sich bei der Sicherung seines Eigentums für die Billigvariante entschieden. Hinter den Fenstergittern waren alle Rollläden geschlossen und am Gartentor und noch einmal gut sichtbar an der Front des Hauses waren Schilder des Maklers befestigt, der das Anwesen zum Verkauf anbot. Farang umging das Grundstück, bis er auf der bewaldeten Seite des Hügels eine geeignete Stelle fand, um die Grenzmauer zu überwinden. Er rechnete nicht mit einer Alarmanlage. Torn hatte für die Zeit seiner so sorgsam geplanten Abwesenheit sicher alles vermieden, was öffentliches Aufsehen erregen konnte. Er erreichte die hintere Seite des Bungalows. Nach einigen Minuten hatte er die Schwachstelle gefunden, und es kostete ihn keine drei Minuten, bis er auf Gustav Torns Wohnzimmerteppich stand und nicht mehr Lampen als nötig anmachte.

Nichts erinnerte an Asien. Nur modernstes Design. Kalt und geschmackvoll. Keine Pflanzen – bis auf den vertrockeneten Ball, der einsam und allein in einer Glasschale lag. Heli hatte ihm beigebracht, dass es eine Rose war. Diese hier war so groß wie ein Straußenei. Er ging in die Küche, um ein Glas Wasser zu holen, aber das Wasser war abgestellt. Der Kühlschrank war ebenfalls außer Betrieb, aber auf dem Schrank stand eine halbe Flasche Mineralwasser. Er nahm die Flasche und goss die Rose von Jericho. Vielleicht brachte sie ihm Glück.

In den folgenden zehn Minuten konzentrierte er sich ganz auf die Suche nach dem Safe. Er fand ihn nicht. Frustriert blieb er auf dem Bett im Schlafzimmer sitzen und brütete eine Weile vor sich hin, bevor er erneut langsam und bedächtig das Haus durchstreifte. Er hatte bereits alle Hoffnung aufgegeben, als ihm der Kelim unter dem Glastisch im Wohnraum auffiel. Im ganzen Raum nur spiegelblankes Parkett, aber unter dem Wohnzimmertisch ein Teppich. Er ging in die Hocke und zog das Gewebe beiseite.

Bingo!

Da war er. In den Boden eingelassen. Vorsichtig schob er den Tisch zur Seite und musterte das flache Tastenfeld mit den magischen Zahlen. Kein Grund, den Unterarm frei zu machen. Er kannte die Kombination noch auswendig. Und doch würde es ihm nichts nützen, denn unter den Tasten war der schmale Spalt eines Schlüsselllochs zu erkennen.

Das war das Aus.

Ohne den passenden Safeschlüssel nützte ihm die Zahlenspielerei gar nichts. So nah am Ziel, und doch so weit entfernt. Er erhob sich und ging im Raum auf und ab. Was tun? Er blieb stehen und wandte sich um, betrachtete die Rose von Jericho aus der Ferne. Wofür hatte er der Auferstehungspflanze Wasser gegeben, wenn sie ihm dann doch kein Glück brachte? Sie hatte die belaubten Sprosse inzwischen weit aufgerollt und ihr trockenes Gelbbraun in ein sattdunkles Grün verwandelt. Er näherte sich der Schale mit der Wüstenpflanze, denn im Zentrum der flachen Rosette schimmerte es silbrig.

Es war der Schlüssel.

Gustav Torn – der Meister der einfachen Lösungen. Farang griff nach dem Safeschlüssel und nahm sich fest vor, so bald wie möglich Kontakt zu Heli aufzunehmen. Er kniete sich vor dem Safe auf den Boden und steckte den Schlüssel ins Loch.

Er passte.

Noch bevor er die Kombination in die Tasten tippen konnte, traf ihn ein harter Schlag im Genick.

98

Als Farang wieder zu sich kam und ins Licht der Deckenlampe blinzelte, stand Romy Asbach über ihm.

Ihre heruntergezogenen Mundwinkel drückten aus, was sie von ihm hielt. Er selber lag auf dem Sofa, und vor dem Safe lag der

Türsteher vom Grand Vegas auf dem Parkett – absolut regungslos.

„Der da hat dir eine verpasst", sagte Romy, „nicht ich."

„Danke!"

„Damit würde ich an deiner Stelle erst mal warten, mein Lieber."

Er tastete seinen Hinterkopf ab. Er schien mit jeder Sekunde größer zu werden und lauter zu pochen.

„Ich hätte dir gerne einen Eisbeutel gemacht, aber der Kühlschrank ist leider abgestellt."

„Ich weiß." Erst jetzt bemerkte er die Pistole, die locker in ihrer Rechten baumelte.

„Also, wo ist er?"

„Wo ist wer?"

„Unser lieber Gustav."

Er hasste es, sich unbeliebt zu machen, wusste, was es für sie bedeutete. Nein, er wollte sie nicht enttäuschen, aber er sagte es. „Er ist tot."

„Wie bitte?"

Für einen Moment schwankte sie und drohte auf ihn zu fallen. Er versuchte, sich auf dem Sofa aufzurichten, aber sie hielt ihm sofort die Mündung vors Gesicht.

„Was zum Teufel ist passiert?"

„Sie haben ihn umgebracht."

„Wer?"

„Die Mildtätigen."

„Das glaub ich nicht."

„Warum sollte ich lügen?"

„Du wirst deine Gründe haben."

„Romy..."

„Sag mir die Wahrheit!"

„Ich tue nichts anderes."

Sie setzte ihm die Mündung auf die Stirn und sah ihm in die Augen. Ihr Blick hatte nichts Mörderisches, er zeigte nur, wie verzweifelt sie war. Stoisch ertrug er die Situation, bis sie abrupt die Waffe absetzte, sich von ihm abwendete und ein paar Schritte in den Raum ging. Sie blieb über dem Zweimetermann aus Beirut stehen und trat ihn mit aller Wut und voller Wucht in den Hintern.

„So wird er wieder zu sich kommen."

„Woher weißt du denn, ob er noch lebt?"

„Er trägt Handschellen." Farang stand vorsichtig auf und ging zu ihr. Sein Gleichgewicht stimmte. Es waren nur die Kopfschmerzen, sonst war er heil.

„Weißt du, was du da sagst? Torn war meine letzte Hoffnung. Damit ist meine Rehabilitierung endgültig den Bach runter." Sie warf den Kopf in den Nacken und schluchzte. „Ich glaub, ich krieg 'ne Krise."

„Nimm ein paar von deinen Tropfen."

„Verarsch mich nicht!"

Er warf eine Blick auf den Safe. Der Schlüssel steckte noch.

Romy ging zum Sofa, setzte sich und sank in sich zusammen. Die Pistole hing schlaff in ihrer Hand – wie ein Spielzeug, an dem sie das Interesse verloren hatte. „Was mache ich nur? Was kann ich jetzt noch tun?"

„Sei nicht so verzweifelt. Du weißt doch, das wir noch ein Ass im Ärmel haben, Asbach."

„Kommt nicht in Frage." Sie schüttelte vehement den Kopf. „Ich habe mich nicht strafbar gemacht, und ich werde mich nicht strafbar machen."

„Du unterschlägst den Dressman."

„Das hätte mir im Dienst genauso passieren können. Das war Notwehr. Aber vorsetzliche Erpressung, nein das läuft nicht."

„Du musst es ja nicht selber machen."

Sie widersprach nicht.

„Ich kümmere mich mal um mein Problem", sagte er und widmete sich dem Safe.

„Mach, was du willst."

Farang tat genau das. Er stieg über den Libanesen, schob einige Sessel aus dem Weg, um mehr Platz zu schaffen, ging erneut auf die Knie und hatte den Safe in einer halben Minute offen.

Was hatte er erwartet?

Eine Million US-Dollar in Banknoten?

Schmuck, Goldbarren oder Wertpapiere im Gegenwert?

Oder nur einen schnöden Hinweis auf ein Nummernkonto in der Schweiz?

Was er fand, war ein dunkelblaues Wildledersäckchen mit

Edelsteinen. Der Schatz glitzerte und funkelte. Er tippte auf Brillanten, Smaragde und Saphire. Aber er war kein Experte. Er wusste nicht einmal, ob die Steine echt waren – und wenn, welchen Wert sie hatten. Fasziniert betrachtete er die schillernde Beute.

„Glückwunsch!"

Die Männerstimme kam ihm bekannt vor.

Farang dreht sich betont langsam um und erkannte James Yang. Er trug einen Kamelhaarmantel über dem dunklen Anzug und wurde von seinem Berliner Stationsleiter und dem Chinesen mit den nikotingelben Zähnen flankiert. Johnny Khoo trug nur einen honiggelben Schal zu seinem rostbraunen Tweedanzug, Edgar Wong einen Fellmantel, der Polar-Niveau hatte. Hinter dem Sofa stand der Bonsai-Chinese und hielt Romy mit einem großen Revolver in Schach.

„Darf ich auf ein zivilisiertes Gespräch zwischen gleichberechtigten Geschäftspartnern hoffen, gnädige Frau?" Jams Yang nahm die schwere Hornbrille ab und putzte sie mit einem Seidentaschentuch, während er Romy aus kurzsichtigen Augen und mit freundlicher Miene ansah.

Sie steckte ihre Pistole weg.

Yang setzte sich wieder die Brille auf die Nase, veranlasste Henry Sung mit der Andeutung eines Nickens abzurüsten, bedachte Farang mit einem väterlichen Lächeln und sagte: „Sie müssen nicht vor mir knien."

Der Brillant in Johnnys Schneidezahn blitzte auf, und Farang erhob sich, ohne den Wildlederbeutel aus den Händen zu lassen.

„Nehmen wir doch Platz." James Yang deutete auf die Ledersessel. „Der Verstorbene ist doch bequem genug eingerichtet."

Farang setzte sich. „Woher wissen Sie, dass er tot ist?"

James Yang nahm ebenfalls Platz und erteilte Johnny Khoo das Wort.

„Wir haben Hallers Betrieb einen kurzen Besuch abgestattet, um uns persönlich zu überzeugen." Johnny ließ Farang erneut seinen Brillant sehen und setzte sich ihm gegenüber. „Noch bevor der Kopf entsorgt wurde, und natürlich ohne Herrn Haller zu behelligen."

„Sein Kopf?" Romy sah in die Runde, als sei sie unter Kannibalen geraten.

„Lassen wir die Details.“ James Yang streckte die Hand nach dem blauen Säckchen aus.

Farang gab es ihm.

Yang inspizierte den Inhalt nur flüchtig, schien aber sehr zufrieden zu sein. Er sah Farang an. „Ich glaube zwar nicht, dass ein Mann wie Khun Gustav Unechtes in seinem Privatsafe aufbewahrt, aber natürlich werde ich die Steine noch einmal genauer prüfen.“

„Sie sind der Juwelier.“

James Yang nickte. „Ich brauche Ware, und Sie benötigen Geld. Es ist Ihr Geld – oder das Ihres Auftraggebers. Ich halte mich an unsere Abmachung. Und welcher Gläubige möchte schon einen Mönch oder gar den Obersten Patriarchen enttäuschen. Wie viel war es nochmal?“

„Eine Million US-Dollar.“

„Ich nehme mir die Steine nochmal in Ruhe vor, und lasse Ihnen die Summe direkt in Bangkok auszahlen, an eine Person Ihres Vertrauens, und so lange wir beide noch hier sind, damit Sie nicht denken, ich wolle Sie über den Tisch ziehen. Es kann alles morgen über die Bühne gehen. Und es nimmt Ihnen ein paar Probleme ab. Sie müssen weder schmuggeln noch offizielle Bankgeschäfte tätigen.“ Er ließ Romy ein besonders charmantes Lächeln zukommen. „Ich mute Ihnen das nur zu, gnädige Frau, weil Sie, wie wir alle wissen, nicht im Dienst sind.“

Romy beschränkte sich auf ein Schulterzucken, und James Yang widmete sich erneut Farang.

„Und da wir mit Ihrem geleisteten Beitrag mehr als zufrieden sind, lege ich noch eine halbe Million als Spende drauf. Kopfgeld für Torn. Aber nur für den AIDS-Tempel. Mit Drogen will ich nichts zu tun haben.“

„Ich bin kein Kopfjäger.“

„Dann betrachten Sie es bitte als Beratungshonorar.“

Der Libanese stöhnte und bewegte sich. Edgar Wong verhalf ihm zu erneuter Bewusstlosigkeit.

„Wo wir schon mal bei Gefälligkeiten sind...“ Farangs Blick wanderte von James Yang zu Johnny Khoo. „Können Sie auch noch auf die Einnahmen aus dem ‚Sukhothai‘ verzichten? Die Besitzer des Restaurants sind Freunde von uns.“

Romy wahrte die Fassung.

„Ich werde es mit meinen Leuten besprechen." James Yang erhob sich und steckte den Lederbeutel ein. „Treffen wir uns doch morgen zum Mittagessen dort. In der Zwischenzeit erledigen Sie Ihre Arrangements und ich die meinen." Er gab Farang eine Geschäftskarte. „Die Person, die das Geld für Sie in Empfang nehmen wird, soll diese Nummer anrufen, einen Termin absprechen und es genau dort abholen."

Es war ein Schmuckladen in Sampeng, den Farang nicht kannte. Aber schon gewöhnliche Gemischtwarenläden in Chinatown waren bekannt dafür, jede gewünschte Transaktion auf dem Geldmarkt nebenbei zu erledigen. Er sah, wie die drei Chinesen ihrem Boss folgten.

Johnny Khoo zeigte ihm noch einmal seinen Zahnschmuck. „Ihre Freunde sind übrigens auch wieder wohlbehalten aus der Unterwelt zurückgekehrt."

„Freunde...?"

Johnny warf Romy einen überraschten Blick zu. „Sie haben es ihm noch nicht erzählt?"

Romy sah dem Quartett nach, bis es den Bungalow verlassen hatte.

„Was meint er damit?" fragte Farang.

„Familienbesuch. Bobby und Tony sind hier."

Er war sprachlos.

„Heli hatte die Idee." Romy stand vom Sofa auf. „Ich erzähl dir alles, aber nicht hier. Wer weiß, wer sonst noch zu Besuch kommt."

99

„Wie schön, dass wir dich auch nochmal zu Gesicht bekommen, bevor es nach Hause geht", war das Erste, was Farang hörte, als er, flankiert von Romy und Heli, um zwölf Uhr mittags das „Sukhothai" betrat.

Tony umarmte ihn trotz der harschen Begrüßung herzlich und zog auch die verloren geglaubte Romy an sein Herz, bis ihr die Luft ausging. Bobby ließ es etwas dezenter angehen, drückte Farang die Hand, ohne dabei seine Freude zu verbergen, und half Romy galant aus der Seemannsjacke. Tony und Bobby hatten bereits eine reservierte Tafel okkupiert. Es war der einzige gedeckte Tisch im ansonsten völlig verwaisten Restaurant.

„Habe ich das am Telefon richtig verstanden?" Tony deutete auf das kleine Reservierungsschild. „Sir James ist in der Stadt und lädt uns zum Essen ein?"

„So ist es." Farang half Heli aus dem Mantel.

„Mittagessen mit Pornofilmern scheint eine neue Gewohnheit von mir zu werden." Tony wartete, bis die Damen sich gesetzt hatten, und ließ sich wieder auf seinen Stuhl fallen.

Eine Thai-Bedienung begrüßte die Gäste mit einem Wai und nahm gerade die Getränkebestellung entgegen, als James Yang in Begleitung von Johnny Khoo und Edgar Wong das Lokal betrat. Yang begrüßte die Geladenen, allen voran Farang und Tony Rojana, mit ausgesuchter Höflichkeit und entschuldigte sich für einen Moment, bevor er mit seinen Männern in der Küche verschwand. Farang vermutete, dass Henry Sung bereits vor dem Eingang Posten bezogen hatte.

„Was hat Sir James denn vor?" Tony zwirbelte seine Barthaare. „Will er womöglich auch noch persönlich für uns kochen?"

„Das eher nicht", antwortete Farang, „aber ich glaube, es bedeutet trotzdem Gutes."

Bobby sah erst Romy und dann Farang an. „Wie wär's mit einem Update?"

Farang ließ Romy mit dem Bericht aus der Villa den Vortritt, und noch bevor er selbst seine Erlebnisse schildern musste, kamen die Chinesen zurück, setzten sich zu ihnen und gaben, nach Rücksprache mit ihren Gästen, das Essen und weitere Getränke in Auftrag. Auch Theo Runke zeigte sich. Er strahlte, als habe er das Restaurant soeben neu eröffnet, erschöpfte sich in liebenswürdigste Begrüßungsaktionen und entschuldigte sich wieder, um in der Küche höchstpersönlich die Erledigung der Bestellungen zu überwachen.

„Der Chef scheint ein glücklicher Mensch zu sein." James Yang lächelte in die Runde. „Nettes Lokal, schöne Frau, gesunder Sohn – was will ein Mann mehr?"

Niemand widersprach.

Die Pendeltür zur Küche wurde erneut aufgestoßen, und eine attraktive Thai im mittleren Alter erschien. Sie verbeugte sich vor den Gästen und begrüßte sie mit einem Wai, bevor sie Romy mit sich an einen Nebentisch zog.

Farang sah den beiden Frauen lächelnd nach. Das musste Ay-Mai sein. Das Paar hatte sich sicher einiges zu erzählen. Bevor er seine Aufmerksamkeit wieder James Yang schenken konnte, brachte eine der Bedienungen das Mobilteil des Haustelefons und sagte mit suchendem Blick in die Runde: „Anruf für Khun Surasak aus Bangkok." Er nahm den Hörer. Yangs selbstgefälliges Lächeln entging ihm nicht, und noch bevor er sich außer Hörweite bewegte, meldete er sich.

Es war Pa.

„Ich bin stolz auf dich, mein Sohn." General Watanas Stimme wurde von einer glasklaren Verbindung unterstützt. „Und auch der Oberste Patriarch segnet dich."

„Das Geld ist also da?" Er fragte nicht, ob Mönch Kramer auch zufrieden war. Es gab Rangfolgen.

„Alles absolut korrekt. Und da ich schon eine ganze Weile nicht mehr in Sampeng war, habe ich die Gelegenheit gleich genutzt, um mich mit ein bisschen Zaubermedizin einzudecken." Der Alte kicherte.

„Ich höre die Papageien nicht."

„Ich sitze im Haus. Es ist schon dunkel, und du weisst – Mutter kann die Moskitos nicht ertragen."

„Natürlich, Pa."

„Wir freuen uns auf deine Rückkehr."

„Ich auch..."

Es schepperte in der Leitung.

Pa hatte aufgelegt. Farang ging zur Tafel zurück.

„Alles in Ordnung?" fragte James Yang beiläufig.

„Alles wie besprochen!"

Farang gab das Telefon an die Bedienung weiter und setzte sich wieder zu den anderen. Schon standen einige Speisen auf dem Tisch, und Khun James ließ es sich nicht nehmen, ihm persönlich aufzutragen. Bobby unterhielt sich äußerst angeregt mit Johnny Khoo über marktorientierte Schmuggelstrategien, und Tony befragte Edgar Wong in bester Reportermanier über die

Sicherheitsprobleme populärer Restaurants. Heli war ganz mit dem köstlichen Essen beschäftigt und ließ die Männer reden. Farang nutzte die Gelegenheit, um eine noch offene Frage mit Khun James zu klären.

„Wieviel sind die Steine denn nun wert?"

James Yangs Lächeln hätte jeden Werbespot für Asiens Finanzmärkte aufgewertet. „Um die zweieinhalb Millionen Dollar."

„Dann haben wir ja beide Grund zur Freude."

„So ist es. Und so gehört es sich unter seriösen Geschäftspartnern."

Farang widersprach nicht. Er widmete sich dem Essen und stellte Khun James dabei seine Idee mit dem Feinschmecker-Restaurant vor. Der Chinese war nicht unbeeindruckt und bot eine Beteiligung an. „Aber nur, wenn keine *Tunnel*ratten serviert werden", schränkte er sein Angebot ein und erregte damit allgemeine Heiterkeit.

Farang bemerkte, dass sich Ay-Mai wieder in die Küche zurückzog, während Romy alleine an dem kleinen Nebentisch verharrte. Er ging zu ihr.

„Möchtest du nicht auch etwas essen?"

Sie schaute ihn aus müden Augen an.

„Komm, lass den Kopf nicht hängen. Wir lösen dein Problem noch."

„Und wie, bitte?" Sie raffte sich auf und folgte ihm zögernd zur Tafel.

„Lass das Tony machen. Der ist der richtige Mann dafür!"

Rojana wischte sich den Mund mit der Serviette. „Was höre ich da? Was hast du mit mir vor?"

„Das erkläre ich dir noch", beruhigte Farang den Reporter. „Es wird dir sicher Spaß machen."

100

„Also, das sind ja geradezu abenteuerliche Unterstellungen! Ich darf doch bitten, Herr...", Manfred Hoffmann räusperte sich, „wie war doch gleich der Name?"

„Rojana, Tony Rojana."

„Und Sie sind Journalist?“ Hoffmann strich sich mit Daumen und Zeigefinger über sein Menjoubärtchen und bemühte sich um Konzentration.

„Reporter.“

„Und Ihr Blatt... entschuldigen Sie, wenn ich mir den Namen nicht merken kann...“

„Hat die meisten Leser in meiner Heimat.“ Rojanas Grinsen schimmerte durch den struppigen Schnäuzer. „Glasklare Schlagzeilen, knappe aber faktenreiche Texte und vor allem Fotos, die einem nicht mehr aus dem Kopf gehen.“

„Und was hat das alles mit mir zu tun?“

„Ich dachte, ich hätte es bereits erwähnt. Sie sind ein bekannter und angesehener Politiker einer nicht unbedeutenden Partei. Sie sitzen sogar im Präsidium dieser Partei. Ihr Spezialgebiet ist die innere Sicherheit. Die zahlreichen Tätigkeiten, denen Sie außerdem noch bezahlt oder ehrenhalber nachgehen, brauche ich Ihnen nicht aufzuzählen. Und gerade deshalb ist ein ganz spezieller Teil ihres Privatlebens so unerquicklich – für Sie und für die Öffentlichkeit.“

„Welche Öffentlichkeit?“

„Die wir herstellen werden.“

„Und was bitte, soll so unerquicklich sein?“

„Sie scheinen mir nicht richtig zuzuhören. Sie ficken Kinder!“

„Was ist das denn für ein Ton?“ Hoffmann sprang auf, ging zum Fenster seines Büros und sah hinaus.

Rojana ließ ihm Zeit. Womöglich brachte der Blick auf das Kulturerbe der Museumsinsel den Mann zu positiven Einsichten. Doch schon nach wenigen Sekunden drehte Hoffmann der schönen Aussicht den Rücken zu.

„Das ist wohl die Sprache, in der Sie Ihre Schmierartikel fabrizieren?“

„Unappetitliche Dinge klar zu benennen ist oft segensreicher, als sie zu tun.“

„Nun werden Sie bitte nicht auch noch philosophisch.“

Rojana lachte. „Das hat mir bislang noch keiner vorgeworfen.“

Hoffmann setzte sich hinter seinen Schreibtisch und strich mit manikürten Fingern über den Lack. „Also – was wollen Sie?“

„Eine gute Freundin, die sich nicht nur hier zu Lande sondern auch in Thailand um die innere Sicherheit verdient gemacht hat, ist in Nöten. Und Sie können ihr helfen! Im Gegensatz zu Ihnen, hat sie sich in meiner Heimat nichts zu Schulden kommen lassen. Ganz im Gegenteil. Man könnte sogar von einer gewissen Popularität sprechen, die ausbaufähig ist. Wenn nötig, hätte die Frau das Zeug zu einem Medienstar..."

„Sie spielen auf meine Funktion als Vorsitzender des Untersuchungsausschusses im Fall Asbach an?"

„Richtig."

„Ich fürchte, ich habe da kaum juristische Möglichkeiten."

„Aber politische."

„Das mag schon sein..."

„Das will ich doch für Sie hoffen."

Hoffmanns Bärtchen verzog sich über einem bösartigen Lächeln zu einem dünnen Strich. „Ist die Dame nicht Lesbe?"

„Und wenn schon – wollen Sie Ihre Verteidigungsstrategie darauf aufbauen?" Rojana stand auf und ging zum Fenster. Es sah alles sehr interessant aus. Besonders das Pergamon-Museum hätte ihn interessiert. Aber er war nicht als Tourist in der Stadt. „Sie haben doch sicher auch sowas wie ein Frauenreferat oder eine Frauenbeauftragte?"

„Natürlich."

„Dann lassen Sie die das doch mal prüfen. Eine ganz sachliche Abwägung und Bewertung. Sexuelle Beziehungen zwischen unabhängigen erwachsenen Frauen und sexueller Missbrauch abhängiger Knaben durch einen Machtpolitiker."

Hoffmann zog es vor, zu schweigen.

„Sie können bestenfalls eine Schlammschlacht anzetteln, aus der Sie niemals heil herauskommen."

„Also gut, ich will sehen, was ich tun kann."

„Das glaube ich Ihnen sogar."

Rojana ging zur Tür. Bevor er das Büro verließ, drehte er sich noch einmal um.

„Ich mache mir keine Illusionen über Ihr Triebverhalten. Aber wohin Ihr Schwanz Sie in Zukunft auch ziehen mag – lassen Sie sich nicht mehr in Thailand blicken."

Der Politiker nickte apathisch.

„Das ist Teil des Deals."

Rojana trat auf den Gang, zog den Knoten der Krawatte auf, die Romy ihm für den Auftritt verpasst hatte, und öffnete den Kragenknopf.

Wenn hier einer einen Strick um den Hals trug, dann war es Herr Hoffmann.

101

Farang stand nackt am Fenster und starrte in die Nacht.

Heli kuschelte sich tiefer ins Bettzeug und taxierte ihn. „Wie groß bist du eigentlich?"

„Ein Meter fünfundachtzig."

„Und was siehst du?"

„Kahle Bäume mit langen Ästen. Die Baumkronen sehen aus wie spitze Besen."

„Das sind Pappeln. Was noch?"

„Sterne – auf der anderen Seite des Friedhofs. Sie stehen ziemlich tief."

„Quatsch! Das sind die Fenster der Mietskasernen."

„Oder die Positionslichter der Flieger."

„Blödsinn!"

Sie hörte, wie er leise lachte.

„Die landen erstens nicht im Rudel, und zweitens halten sie sich heute Nacht ausnahmsweise mal ans Flugverbot. Komm wieder ins Bett!"

Er reagierte nicht.

„Du wirst dir eine Erkältung holen."

„Du musst das Buch als Familiengeschichte schreiben", sagte er, ohne sich umzudrehen.

„Ich weiß..." Sie warf einen Blick auf die gerahmte Fotografie, die auf dem abgewetzten Pappkoffer neben dem Futon stand. „Rudi wird auch drin vorkommen. Aber du hättest mich nicht gerade jetzt daran erinnern sollen." Der Anblick des hausgemachten Chaos aus Bau- und Streckenplänen, Stadtkarten, Notizzetteln und Büchern, das Schreibtisch, Bücherregale und Archivschränke zierte, zog sie noch weiter runter.

„Tut mir Leid." Er legt sich zu ihr und nahm sie in die Arme. „Ich wollte nur meine Meinung dazu loswerden. Ich weiß, die Sache ist wichtig für dich, und ich will nicht, dass du dich davor drückst und nur ein Sachbuch über die Bunker Berlins schreibst, das andere auch schon geschrieben haben."

„Aber Bunker und Tunnel kommen auch vor."

„Sicher – aber als geheimnisvolle Höhle mit einer ganz persönlichen Geschichte als Familiengruft."

Sie lachte. „Wie poetisch. Vielleicht solltest du das Buch schreiben."

„Mit Tony als Ghostwriter."

„Genau!"

„Nein, Tony und ich haben ein anderes Thema."

„Und das wäre?"

„Zwei Bastarde in Siam."

„Das wird aber eher ein Drehbuch."

„Richtig. Und Bobby bringt uns das große Geld aus Hollywood und übernimmt selbst die Regie. Du bekommst natürlich die weibliche Hauptrolle."

„Spinner!"

„Und Sir James Yang hat einen Gastauftritt als Bösewicht."

„Der glaubt, ich habe was mit Bobby?"

„Wer?"

„Na, dieser Chinese."

„Mit Bobby?"

„Er hat sich sehr väterlich von mir verabschiedet und dabei geheimnisvoll gesagt: Die Ratte wird ihnen Glück bringen!"

„Das kann auch auf mich zutreffen."

„Wegen deiner Delikatessennummer?"

„Nein. Als Deutscher bin ich Schütze, als Thai eine Ratte."

„Wie passend." Sie lachte. „Aber woher soll er dein Tierkreiszeichen kennen?"

„Den Chinesen traue ich alles zu."

Sie sprang von der Matratze auf und nahm die winzige Teigtasche, die neben den beiden Pinguinen auf dem Klavier lag, zwischen die Fingerspitzen. Hier – das hat er mir mitgegeben."

„Ein Fortune Cookie? Da ist ein Zettel drin. Sieh nach, was draufsteht."

Sie schüttelte den Kopf. „*Das* Geheimnis hebe ich mir noch auf." Sie legte das Glücksplätzchen wieder zu den Pinguinen.

„Besser du siehst nach. Vielleicht ist eine Wanze drin."

Heli blieb neben dem Futon stehen, sah auf Farang herab und kickte ihn sanft mit dem Fuß in die Seite.

„Was ist?"

„Los! Wir machen's nochmal!"

Er sah sich die Zimmerdecke an. „Deine direkte Art würde dir in Thailand einige Schwierigkeiten bereiten."

„Ich weiß. Ich war schon mal da. Aber hier ist nicht Thailand – und deshalb musst du jetzt ran." Sie ließ sich auf ihn fallen. „Und gib dir gefälligst Mühe. Es muss eine Weile vorhalten!"

102

Irgendwo über den Arabischen Emiraten ließ Quinn eine Flasche Champagner kommen.

„Die geht auf deine Rechnung", sagte er zu Farang.

„Kaum spendiert man euch Business Class, schon wird man hemmungslos ausgebeutet."

„Jammer nicht rum. Dein Anteil an dem Coup wird groß genug sein, auch wenn du uns verschweigst, wie viel es ist. Und außerdem kannst du jetzt wieder leiser reden. Du sprichst mittlerweile doppelt so laut wie in Bangkok. Der Kraut kommt durch. Du nimmst schlechte Manieren an."

„Und denk daran, das wir das Tet-Fest zu feiern haben." Tony Rojana strahlte die Stewardess an und nahm ihr die Flasche ab. „Lassen Sie mich das Ding entsichern, Conny!"

„Julia!" Sie zeigte auf ihr Namensschild.

„Sorry!" Tony nahm die Champagnerflache vom Tablett.

„Bei Blondinen kommt er immer durcheinander", sagte Quinn zu Julia. „Und gehen Sie bitte in Deckung. Wenn er entsichern sagt, dann schießt er auch."

Die Flugbegleiterin ließ sich nicht irritieren. Sie verteilte die Gläser und kümmerte sich um einen anderen Fluggast.

Tony pulte das Staniol vom Korken. „Wie wird er es wohl machen?"

„Von wem redest du?“ Farang schaute interessiert zu, wie Tony das Drahtkörbchen lockerte.

„Captain McLenin!“

„Ein Mann, der in Cu Chi gelernt hat, Außendruck an Lateritboden abtropfen zu lassen, ohne dass innen alles zusammenfällt“, sagte Quinn, „kriegt das auch umgekehrt hin. Erst recht bei der Betonsubstanz, die die Krauts unter der Erde verbaut haben.“

„Deckel drauf und abziehen“, fasste Farang zusammen, und Tony Rojana ließ dazu den Korken kommen, ohne Unbeteiligte zu taufen oder gar zu verletzen.

103

Als Heliane Kopter am Nachmittag des 1. Februar nach Hause kam, blinkte ihr Anrufbeantworter. Sie drückte die Abspieltaste und zog ihre Wintermontur aus.

Hallo Helikopter, hier Georgia vom Hades-Verein. Ich hoffe, der Erdstoß hat dich gestern Abend nicht aus der Koje geworfen. Die Station in Rüdersdorf soll immerhin 4,6 auf der Richterskala gemessen haben. Angeblich sind im Zentrum mehrere Blindgänger auf einmal hochgegangen. Man spricht von einem halben Dutzend auf einem Quadratkilometer. Und jetzt halt dich fest: Sie sollen alle innerhalb des unerforschten Bunkerkomplexes hochgegangen sein, den wir nächste Woche erkunden wollten. Die Betonung liegt auf innerhalb. Das musst du dir mal vorstellen. Das ist das erste Mal, dass ich von Fliegerbomben aus dem Zweiten Weltkrieg höre, die in einen Bunker gefallen sind und das auch noch, ohne hochzugehen. Selbst wenn die Dinger einen Bunker geknackt hätten, wären sie ja wohl keine Blindgänger mehr. So ein Humbug. Na ja, es wird sich noch rausstellen, was genau es war. Die behördliche Genehmigung für die Begehungen ist vorläufig storniert. Mist! Das nur, damit du dich nicht umsonst warm läufst, meine Liebe. Die Georgia war's – mit lieben Grüßen.

Der mehrfache Piepton signalisierte, dass keine weiteren Nachrichten vorlagen. Heli ging zum Klavier, lächelte Gelbaugen- und Elfenbeinpinguin an und nahm das Glücksplätzchen in die Finger. Die trockene Heizungsluft brachte sie zum Husten. Sie öffnete die Balkontür einen Spalt, zerbröselte das Fortune Cookie und las die Botschaft auf dem winzigen Zettel.

Sie machen eine Reise!

Der immer noch kalte Winter schnitt ins Zimmer. Der Himmel war wieder bedeckt, und feiner Pulverschnee rieselte leise in die leeren Blumenkästen.

Und trotzdem fror sie nicht.

D.B.Blettenberg, 1949 geboren, verbrachte er einen Großteil seines Lebens in Übersee. Er lebte und arbeitete in Ecuador, Thailand und Nicaragua und bereiste zahlreiche Länder Europas, Amerikas, Afrikas, Asiens und des Nahen Ostens. Neben Romanen und Kurzgeschichten schreibt er Reportagen und Drehbücher. Er wurde mehrfach mit renommierten Thriller-Preisen ausgezeichnet.

Unsere Bücher im Internet:
www.pendragon.de

2. Auflage Februar 2004

Veröffentlicht im Pendragon Verlag
Günther Butkus, Bielefeld September 2003

Deutsche Ausgabe Pendragon Verlag Bielefeld 2003
Die Ausgabe erscheint in Zusammenarbeit mit
der Michael Meller Literary Agency, München

Umschlag und Herstellung: Baltus Mediendesign, Bielefeld
Foto Umschlag: Frieder Salm aus dem Buch
„Dunkle Welten – Bunker, Tunnel und Gewölbe unter Berlin“
von Dietmar und Ingmar Arnold. Ch. Links Verlag, Berlin 2000
Satz: Pendragon Verlag auf Macintosh
ISBN 3-934872-56-5
Printed in Germany